E. L. DOCTOROW   DAS WASSERWERK

# E. L. DOCTOROW

# DAS WASSERWERK

## ROMAN

DEUTSCH VON ANGELA PRAESENT

KIEPENHEUER & WITSCH

Erste Auflage

Titel der Originalausgabe: *The Waterworks*
Copyright © 1994 by E. L. Doctorow
Deutsch von Angela Praesent
© 1995 by Verlag Kiepenheuer & Witsch, Köln
Alle Rechte vorbehalten. Kein Teil des Werkes
darf in irgendeiner Form (durch Fotografie, Mikrofilm
oder ein anderes Verfahren) ohne schriftliche
Genehmigung des Verlages reproduziert
oder unter Verwendung elektronischer Systeme verarbeitet,
vervielfältigt oder verbreitet werden.
Satz: Kalle Giese Grafik, Overath
Druck und Bindearbeiten: Pustet, Regensburg
ISBN 3-462-02401-9

*Für I. Doctorow*
*und*
*Philip Blair Rice*

# I

NIEMAND NAHM, WAS Martin Pemberton sagte, für bare Münze – er war ein viel zu melodramatischer oder zerrissener Mann, um sich klar auszudrücken. Frauen zog dies an – sie sahen in ihm so etwas wie einen Dichter, dabei war er doch, wenn überhaupt, Kritiker: ein Kritiker seines Lebens und seiner Zeit. Als er dann überall herumerzählte, daß sein Vater noch am Leben sei, meinten diejenigen unter uns, die es hörten und sich an seinen Vater erinnern konnten, er spreche von der generellen Unausrottbarkeit des Bösen.

Damals stützten wir beim *Telegram* uns stark auf freie Mitarbeiter. Ich sah mich ständig nach einem guten neuen um und hielt mir immer ein Rudel von ihnen in Rufweite. Martin Pemberton war der weitaus beste, obwohl ich ihm das nie gesagt hätte. Ich behandelte ihn, wie ich sie alle behandelte. Ich blieb ironisch, weil das von mir erwartet wurde, ich war witzig, damit man mich in den Kneipen zitieren konnte, und ich war einigermaßen fair, weil ich nun einmal so bin . . . aber ich interessierte mich auch für ihren Stil und wollte, daß sie alle gut schrieben, um ein Lob von mir zu bekommen . . . das günstigstenfalls bissig ausfiel.

Natürlich machte nichts davon auf Martin Pemberton besonderen Eindruck. Er war ein schwermütiger, zerstreuter junger Mann, dem sichtlich in Gesellschaft seiner eigenen Gedanken wohler war als unter Menschen. Er hatte hellgraue Augen, die sich auf den kleinsten Reiz hin abrupt weiteten. Seine Brauen wölbten sich, tiefe Furchen bildeten sich dann zwischen ihnen, und für einen Augenblick schien er die Welt nicht anzusehen, sondern in sie hinein. Er litt an der Intensität seiner Wahrnehmung – und lebte anscheinend auf einer so entrückten Ebene, daß man das Gefühl hatte, in seiner Gegenwart zu verblassen, und spürte, ein wie hohler oder hochstaplerischer Mensch man war. Die meisten freien Mitarbeiter sind nervöse, ergebene Geschöpfe – kein Wunder bei dem dürftigen Leben, das sie fristen –, doch dieser hier war stolz, er wußte, wie gut er schrieb, und beugte sich nie, wenn ich anderer Meinung war. Schon dadurch bildete er eine Klasse für sich.

Er war von schmächtiger Gestalt und hatte ein gutgeschnittenes, bartloses Gesicht und schütteres fahles Haar. Er schritt steifbeinig durch die Stadt wie ein weit größerer Mann. Wenn er den Broadway entlangging, wehte sein offener Offiziersmantel wie ein Cape hinter ihm her. Martin gehörte jener Nachkriegsgeneration an, für die Kriegsutensilien ironische Kunst- oder Modeobjekte waren. Er und seine Freunde bildeten kleine soziale Nischen der Ironie. Einmal erklärte er mir, der Krieg habe nicht zwischen der Union und den Aufständischen stattgefunden, sondern zwischen zwei konföderierten Staaten, und eine Konföderation habe eben siegen müssen. Ich bin jemand, der sich als Präsidenten nie einen anderen als Abe Lincoln wird vorstellen können, da können Sie sich denken, wie eine solche Bemerkung bei mir ankam. Aber die Weltsicht dahinter faszinierte mich. Mir selbst war unsere moderne Industriekultur nicht gerade ein Labsal.

Martins bester Freund war ein Künstler, ein riesiger, feister Bursche namens Harry Wheelwright. Wenn er nicht gerade reiche Matronen bedrängte, ihm Porträtaufträge zu geben, zeichnete Wheelwright Kriegskrüppel, die er auf der Straße auflas . . . mit gezieltem Blick für ihre Entstellungen. Ich betrachtete seine Zeichnungen als die Entsprechung zu Martins taktlosen, aber kundigen Rezensionen und kultur-kritischen Artikeln. Was mich anging, so waren meine Journalistenfühler interessiert aufgerichtet. Mein Thema ist immer schon die Seele der Stadt gewesen, und es ist eine wendige Seele, die sich dreht und Saltos schlägt, sich formt und verformt, sich verdichtet und wieder entfaltet wie treibende Wolkenmassen. Diese jungen Männer waren eine wachsame Generation, illusionslos . . . Revolutionäre in gewisser Hinsicht . . . wenn auch vielleicht zu verletzlich, um je etwas zu vollbringen. Der Trotz, mit dem sich Martin seinem Leben und seiner Zeit unterwarf, war offenkundig – aber man fragte sich, wie lange er so würde weitermachen können.

Im allgemeinen war ich nicht drauf erpicht, etwas über den Hintergrund eines freien Mitarbeiters zu wissen. In diesem Fall aber wußte ich zwangsläufig Bescheid. Martin kam aus reichem Haus. Sein verstorbener Vater war der berüchtig-te Augustus Pemberton gewesen, der alles getan hatte, um seine Nachkommen auf Generationen hinaus zu beschämen und in Verlegenheit zu bringen, indem er ein Vermögen damit erwarb, daß er die Armee der Nordstaaten mit Stiefeln belieferte, die auseinanderfielen, mit Decken, die sich im Regen auflösten, mit Zelten, die an den Ösen rissen, und mit Uniformtuch, das Farbe abgab. Unser Wort dafür war »Schund«. Aber Schund verkauft zu haben war noch nicht die schlimmste Sünde des alten Pemberton. Ein noch größeres Vermögen hatte er als Eigner von Sklavenschiffen gemacht. Man könnte annehmen, der Sklavenhandel wäre ausschließlich über die Häfen im Süden gelaufen, doch Augustus betrieb ihn von New York aus – auch, nachdem der Krieg begonnen hatte, noch im Jahr 62. Er hatte ein paar Portugiesen als Partner, und die Portugiesen waren Spezialisten im Sklavenhandel. Sie ließen ihre Schiffe hier von der Fulton Street aus nach Afrika absegeln und dann zurück über den Ozean nach Kuba, wo die Ladung an die Zuckerplantagen verhökert wurde. Die Schiffe wurden versenkt, weil man den Gestank nicht mehr aus ihnen herausbekam. Doch der Profit war so enorm, daß sie neue Schiffe kaufen konnten. Und danach wieder neue.

Das also war Martins Vater. Verständlich, daß der Sohn wie zur Buße das karge Leben eines freien Journalisten gewählt hatte. Martin hatte von allem gewußt, was der Alte getan hatte, und als sehr junger Mann dafür gesorgt, daß er enterbt wurde – wie, das erläutere ich gleich. Zunächst will ich darauf hinweisen, daß August Pemberton, um von New York aus Sklavenschiffe entsenden zu können, die Hafenmeister in der Tasche haben mußte. Die Laderäume eines Sklavenschiffes waren so gezimmert, daß man so viele Menschen wie möglich, ohne Abstand zwischen Köpfen und Decke, hineinpferchen konnte – niemand konnte an Bord eines Sklavenschiffs gehen, ohne zu erkennen, was es war. Als daher 1870 Augustus Pemberton nach langer Krankheit starb und im Anschluß an einen Trauergottesdienst in der episkopalischen Kirche St. James an der Laight Street bestattet wurde, überraschte es kaum, daß die führenden Würdenträger der Stadt bei der Beerdigung auftauchten, ihnen voran Boss Tweed persönlich samt Angehörigen des Rings – dem Kämmerer, dem Bürgermeister –, mehreren Richtern, Dutzenden von Wall-Street-Dieben . . . und daß ihn jede Tageszeitung mit umfänglichen Nachrufen ehrte, einschließlich des *Telegram*. O mein Manhattan! Die großen Steinstelen der Brücke nach Brooklyn wuchsen auf beiden Ufern des Flusses in die Höhe. Leichterschiffe, Paketboote und Frachter liefen zu jeder Tages- und Nachtzeit in den Hafen ein. Die Piers ächzten unter den Kisten, Fässern und Ballen mit den Gütern der Welt. An welcher Ecke ich auch gerade stand, ich hätte schwören können, daß ich die telegraphischen Botschaften in den Drähten singen hörte. Gegen Ende des Handelstags an der Börse erfüllte das Tickern der Fernschreiber die Atmosphäre wie Grillengezirpe in der Dämmerung. Wir lebten in der Nachkriegszeit. Findet man die Menschheit einmal nicht in den Ketten der Geschichte, dann ist das der Himmel, der ereignislose Himmel.

Ich erhebe keinerlei Anspruch auf seherische Fähigkeiten, aber ich weiß noch, was ich Jahre zuvor geahnt hatte, als Präsident Lincoln starb . . . Sie werden einfach darauf vertrauen müssen, daß dies, wie alles, was ich Ihnen erzähle, mit der Geschichte zu tun hat. Im Gleichschritt trugen sie seinen

Katafalk den Broadway hinauf zum Eisenbahndepot, und noch Wochen danach flatterten entlang der Strecke an den Fenstern Überbleibsel und Fetzen von Trauerkrepp. Ausgelaufene schwarze Farbe befleckte die Fassaden und die Markisen der Geschäfte und Restaurants. In der Stadt war es unnatürlich still. Wir erkannten uns nicht wieder. Die Veteranen, die vor A. T. Stewarts Kaufhaus standen, sahen die Münzen nur so in ihre Blechschüsseln prasseln.

Aber ich kannte meine Stadt und war auf das gefaßt, was kommen mußte. Es gab hier schließlich keine leisen Stimmen. Man brüllte, Wörter wurden herausgeschleudert wie Bleiklümpchen aus unseren Doppelwalzendruckpressen. Ich hatte über die Tumulte berichtet, die es gab, als der Preis pro Barrel Mehl von sieben auf zwanzig Dollar stieg. Ich hatte die bewaffneten Killerbanden beobachtet, die sich auf den Straßen mit der Armee anlegten und das Heim für farbige Waisen in Brand steckten, nachdem die Wehrpflicht eingeführt worden war. Ich hatte Bandenkriege und Kämpfe mit der Polizei gesehen und war dabei, als auf der Eighth Avenue die Iren-Verbände den Aufmarsch der protestantischen Nordiren angriffen. Ich bin absolut für Demokratie, aber ich habe in dieser Stadt Zeiten erlebt, kann ich Ihnen sagen, in denen ich soweit war, daß ich mich nach dem verdummenden Frieden der Könige sehnte ... nach dem Gleichmut, der durch Verbeugungen und Kratzfüße im blendenden Schein königlicher Autorität entsteht.

Daher wußte ich, daß sich eine höhere Absicht hinter Mr. Lincolns Tod verbarg, doch welche? Irgendein seelenloser gesellschaftlicher Vorsatz mußte seinem Grab entfleuchen und wiederauferstehen. Doch ich sah nicht voraus ... daß dies mein junger freier Mitarbeiter bewirken würde, auf dessen Schultern der Offiziersmantel so schwer lastete wie Friedhofserde und der eines nassen regnerischen Nachmittags in meinem Büro stand und wartete, während ich seinen Text las. Ich weiß nicht, warum es anscheinend immer regnete, wenn Martin vorbeikam. An diesem Tag jedoch . . . an diesem Tag war er übel zugerichtet. Schlammverschmierte, zerrissene Hosenbeine, das hagere Gesicht mit Schrammen und blauen Flecken übersät. Die Tinte seines Artikels war verlaufen, die Blätter waren mit Dreck bespritzt, und ein Handabdruck, der nach Blut aussah, bedeckte die erste Seite. Und doch las ich nur eine weitere verächtliche Rezension, brillant geschrieben und für die Leser des *Telegram* viel zu gut.

»Irgendein armer Teufel hat ein Jahr seines Lebens geopfert, um dieses Buch zu schreiben«, sagte ich.

»Und ich habe einen Tag meines Lebens geopfert, um es zu lesen.«

»Das sollten wir in einen Kasten setzen. Die Intellektuellen dieser großartigen Stadt werden Ihnen dankbar sein, daß sie vor einem weiteren Pierce-Graham-Roman errettet wurden.«

»In dieser Stadt gibt es keine Intellektuellen«, sagte Martin Pemberton. »Nur Pastoren und Zeitungsverleger.«

Er kam um meinen Schreibtisch herum und starrte aus dem Fenster. Von meinem Büro aus überblickte man den Printing House Square. Der Regen lief über die Scheibe, so daß alles dort draußen, die Scharen schwarzer Regenschirme, die Einspänner, die schwerfälligen Omnibusse, sich unter Wasser zu bewegen schien. »Wenn Sie eine Hymne wollen, warum geben Sie mir dann nicht etwas Anständiges zu lesen«, sagte Martin. »Geben Sie mir doch mal was für den Aufmacher. Ich werde es zu schätzen wissen.«

»Das glaub' ich kaum. Die Erhabenheit Ihrer Ansichten steht im entgegengesetzten Verhältnis zum Zustand Ihrer Garderobe. Jetzt erzählen Sie mir mal, was passiert ist, Pemberton. Sind Sie mit einem Zug zusammengestoßen? Oder sollte ich besser nicht danach fragen?«

Hierauf herrschte Schweigen. Dann sagte Martin Pemberton mit seiner rauhen Stimme: »Er lebt noch.«

»Wer lebt noch?«

»Mein Vater. Augustus Pemberton. Er lebt noch. Er lebt.«

Ich wähle diese Szene aus dem Strom kritischer Momente, aus dem der Zeitungstag bestand. Einen Augenblick darauf war Martin Pemberton, eine Gutschrift für den Buchhalter in der Hand, gegangen, sein Artikel war auf dem Rollwagen unterwegs in die Setzerei, und ich suchte mir die Sache aus dem Kopf zu schlagen. Ich tadele mich nicht dafür. Auf indirekte Weise war meine Frage beantwortet . . . als habe, was immer geschehen sein mochte, Bedeutung nur insofern, als es Martin ein moralisches Urteil entlockt hatte. Ich deutete, was er gesagt hatte, als Metapher, als poetische Charakterisierung der elenden Stadt, die keiner von uns beiden liebte, aber von der auch keiner von uns loskam.

# 2

Dies müsste irgendwann im April 1871 gewesen sein. Danach sah ich Martin Pemberton nur noch einmal, und dann war er verschwunden. Bevor er untertauchte, ließ er wenigstens zwei weitere Personen – Emily Tisdale und Charles Grimshaw, den Pfarrherrn von St. James, der die Trauerrede auf den alten Knaben gehalten hatte – wissen, daß Augustus Pemberton noch lebe. Natürlich wußte ich das damals noch nicht. Miss Tisdale war Martins Verlobte, auch wenn es mir schwerfiel zu glauben, daß er die wilden Stürme in seiner Seele gegen den Hafen der Ehe eintauschen würde. Hierin täuschte ich mich nicht allzusehr: Anscheinend machten er und Miss Tisdale eine schwierige Zeit miteinander durch, und ihre Verlobung, wenn es denn eine war, stand sehr in Frage.

Auf ihre Weise nahmen sowohl Miss Tisdale als auch Dr. Grimshaw wie ich an, daß Martin seine Aussage nicht wörtlich gemeint haben konnte. Miss Tisdale war an seine Dramatisierungen so gewöhnt, daß sie darin nur einen weiteren erschreckenden Anlaß erblickte, um ihre Verbindung zu fürchten. Grimshaw ging einen Schritt weiter und hielt Martins Verstand für gefährdet. Im Gegensatz dazu argumentierte ich, daß Augustus Pemberton nun doch gewiß eine repräsentative Gestalt gewesen sei. Falls Sie sich vorstellen können, wie das Leben in unserer Stadt verlief ... Die Augustus Pembertons unter uns wurden von einer ganzen Kultur getragen.

Wir befinden uns nunmehr im Reich des öffentlichen Lebens – dem billigsten, gemeinsten Reich, dem Reich gedruckter Nachrichten. In meinem Reich.

Ich erinnere Sie daran, daß William Marcy Tweed die Stadt regierte wie keiner zuvor. Er war der Messias der Stadtbezirkspolitiker, die Vollendung jener Demokratie, an die sie glaubten. Er hatte seine Richter in den Gerichten des Staates sitzen, im Rathaus seinen eigenen Bürgermeister, Oakey Hall, und sogar seinen eigenen Gouverneur, John Hoffmann, in Albany. Er hatte als Stadtkämmerer einen Anwalt namens Sweeny, der über die Richter der Stadt wachte, und er hatte Slippery Dick Connolly, der als Schatzmeister die Bücher führte. Dies war sein Ring. Darüber hinaus waren vielleicht zehntausend Leute von Tweeds Großmut abhängig. Er gab den Einwanderern Arbeit, und sie stopften für ihn die Wahlurnen voll.

Tweed kontrollierte Bankdirektorensessel, ihm gehörten Anteile von Gaswerken und Omnibus- und Straßenbahngesellschaften, ihm gehörten die Druckereien, die alles für die Stadt druckten, ihm gehörte der Steinbruch, der den Marmor für die öffentlichen Gebäude lieferte.

Jeder, der mit der Stadt Geschäfte machte – jeder Bauunternehmer, Zimmermann und Kaminfeger, jeder Lieferant, jeder Fabrikant –, zahlte zwischen fünfzehn und fünfzig Prozent dessen, was er für seine Dienste erhielt, an den Ring zurück. Jeder, der einen Job wollte, vom Hausmeister einer Schule bis zum Polizeikommissar, mußte vorweg eine Gebühr entrichten und dann auf ewig einen Prozentsatz seines Gehalts an Boss Tweed abführen.

Ich weiß, wie Leute dieser Generation denken. Sie haben Ihre Automobile, Ihre Telephone, Ihre elektrischen Lampen ... und Sie blicken liebevoll auf Boss Tweed zurück, diesen wundervollen Hochstapler, diesen legendären Schurken des alten New York. Doch was er trieb, war mörderisch, und zwar im modernen Sinn des Wortes. Unübersehbar mörderisch. Können Sie seine ungeheure Macht erfassen, die Furcht, die er einflößte? Können Sie sich denken, wie es sich in einer Stadt der Diebe lebt, heiser vor Verstellung, in einer Stadt, die zerfällt, in einer Gesellschaft, die nur dem Namen nach eine ist? Was kann Martin Pemberton, der als Junge nach und nach erfuhr, woher der Reichtum seines Vaters stammte, schon anders gedacht haben, als daß er im Gemenge der Stadt geheckt worden war? Als er überall erzählte, sein Vater Augustus lebe noch, da meinte er es wörtlich. Er meinte, daß er ihn in einem städtischen Omnibus, der den Broadway hinauffuhr, gesehen hatte. Dadurch, daß ich Martin mißverstand, fand ich die übergeordnete Wahrheit heraus, obwohl ich dies erst begreifen sollte, als alles vorbei und ausgestanden war. Es war eine jener intuitiven Eingebungen, die uns durch den Kopf spuken, bis wir sie uns mit den normalen Erkenntnistechniken erschließen.

All dies mag eine Abschweifung sein. Aber es ist wichtig,

19

daß Sie wissen, wer die Geschichte erzählt. Ich habe mein Leben im Zeitungsgewerbe zugebracht, das die kollektive Geschichte von uns allen schreibt. Ich kannte Boss Tweed persönlich, ich hatte ihn seit Jahren beobachtet. Ich habe mehr als einen Reporter gefeuert, den er bestochen hatte. Und wen er nicht schmieren konnte, den schikanierte er. Jeder wußte, was er trieb, und niemand konnte ihm etwas anhaben. Wenn er mit seiner Entourage ein Restaurant betrat, spürte man offenkundig seine Macht . . . wie eine Druckwelle. Er war ein fettes, rotgesichtiges Schwein, an die drei Zentner schwer. Kahlköpfig, rotbärtig, mit einem gewinnenden Glitzern in den blauen Augen. Er zahlte für die Getränke und übernahm die Essensrechnungen. In den raren Momenten aber, in denen es keine Hand zu schütteln und keinen Trinkspruch zu schmettern galt, erloschen seine Augen, und man erblickte die Seele eines Wilden.

Sie mögen meinen, daß Sie in modernen Zeiten leben, im Hier und Jetzt, doch das ist unweigerlich die Illusion einer Epoche. Wir haben uns nicht so verhalten, als wären wir die Vorläufer Ihrer Zeit. Wir hatten nichts Pittoreskes oder Farbenprächtiges an uns. New York nach dem Krieg war, ich versichere es Ihnen, als Gesellschaft schöpferischer, grausamer, genialer als heute. Unsere Rotationspressen warfen fünfzehn-, zwanzigtausend Zeitungen für einen oder zwei Cent auf die Straße. Gewaltige Dampfmaschinen trieben die Fabriken und Walzwerke an. Gaslampen erleuchteten des Nachts die Straßen. Dreiviertel eines Jahrhunderts der industriellen Revolution lagen hinter uns.

Als Volk kultivierten wir die Übertreibung. Übertreibung in allem – in greller Pracht, endloser Schufterei, im Vergnügen und im Tod. Umherstreunende Kinder schliefen in den Hintergassen. Lumpensammeln war ein Beruf. Eine demonstrativ selbstzufriedene Klasse Neureicher mit schwachem Intellekt prangte vor einem Hintergrund von Massenelend. Draußen an den Rändern der Stadt, am North River, in Washington Heights oder auf den Inseln im East River, lagen hinter Mauern und hohen Hecken unsere Wohltätigkeitseinrichtungen, unsere Waisenhäuser, Irrenhäuser, Armenhäuser, unsere Taubstummenschulen und Missionsheime für gefallene Magdalenen. Sie bildeten eine Art Ringstraße für unsere verehrungswürdige Zivilisation.

Walt Whitman war – neben anderem – der Barde der Stadt, und nicht einmal allzu unbekannt. Er ging als Matrose kostümiert umher, in Seemannsjacke und mit Bändern an der Mütze. Ein Preisender, ein Lobsänger und meiner Meinung nach ein Narr wegen dem, was er besingenswert fand. Aber es gibt bei ihm diese bekennenden Verse über seine Stadt, die weniger poetisch sind als gewöhnlich, als schöpfe er Atem, bevor er zum nächsten Panegyrium anhebt:

*Etwas hat mich betäubt. Nehmt Abstand!*
*Laßt mir ein wenig mehr Zeit, als mein benommener Kopf,*
*als Schlummern, Träumen, Gaffen es verlangen . . .*

Der Sezessionskrieg machte uns reich. Als er vorüber war, konnte nichts mehr den Fortschritt aufhalten – keine antiken Ideentrümmer, kein Aberglaube, der die zivile republikanische Inbrunst hätte hemmen können. Es mußte nicht so viel zerstört oder umgestürzt werden wie in den europäischen Kulturen mit ihren römischen Siedlungen und mittelalterlichen Zünften. Ein paar holländische Farmen wurden ausradiert, Dörfer mit Städten verschmolzen, Städte bis auf Besiedlungsspuren niedergebrannt, und auf einmal wurden mit Flaschenzügen die Marmor- und Granit-Residenzen der Fifth Avenue errichtet, und stämmige Polizisten mühten sich durch den blockierten Verkehr des Broadway, klatschten Pferden auf die Flanken, zerrten Kutschenräder auseinander und fluchten auf das unbekümmerte Gewirr aus Fuhrwerken, Omnibussen, Blockwagen und Zweispännern, in denen wir uns durch den Geschäftstag bewegten.

Über Jahre waren unsere höchsten Gebäude die Türme der Feuerwehr gewesen. Wir erlebten ständig Brände, wir brannten gewohnheitsmäßig. Die Feuerwächter telegraphierten, wenn sie etwas erspäht hatten, und die Freiwilligen kamen herbeigerannt. Wenn die Sonne schien, war alles blau, das Licht unserer Zeit war ein blaues Schweben. Nachts säten die lodernden Schornsteine der Gießereien längs des Flusses Fackellicht über die alten Piers und Lagerschuppen. Aschespuckende Lokomotiven fuhren mitten durch die Straßen. Die Dampfer und Fähren wurden mit Kohle gefeuert. Die Herde in unseren Wohnungen verzehrten Kohle, und an einem windlosen Wintermorgen stiegen in ordentlichen Reihen schwarze Federn aus den Kaminen, flirrenden Bürgern einer Nekropole gleich.

Natürlich neigten besonders die alten Viertel dazu, in Flammen aufzugehen, die alten Tavernen, die Hütten, Ställe, Biergärten und Gebetshallen. Das alte Leben, die Vergangenheit. Somit atmeten wir beißende Luft – wir erhoben uns morgens, klappten die Fensterläden zur Seite, atmeten das schweflige Zeug tief ein, und in unserem Blut wallte Ehrgeiz auf. Fast eine Million Menschen nannten sich New Yorker, und mit munterer Verderbtheit beschaffte sich jeder, was er brauchte. Nirgendwo sonst auf der Welt gab es eine solche Beschleunigung der Energien. Auf einem Feld erhob sich plötzlich ein Herrenhaus. Am nächsten Tag stand es an einer städtischen Straße, über die Kutschen fuhren.

# 3

IN EINER HINSICHT IST ES bedauerlich, daß ich persönlich in das hineingezogen wurde, was ich vorläufig einmal diese Pemberton-Sache nennen will. Professionell versuchen Sie, so nah wie möglich an die Dinge heranzukommen, doch nie so weit, daß Sie hineingezogen werden. Wäre der Journalismus nicht ein Handwerk, sondern eine Philosophie, dann würde ich sagen, daß im Universum keine Ordnung herrscht, kein erkennbarer Sinn ohne . . . die Tageszeitung. Also erfüllen wir armen Kerle, die das Chaos in Sätze pressen, welche sich zu Spalten auf einer Zeitungsseite fügen, eine bedeutende Pflicht. Wenn wir die Dinge so sehen sollen, wie sie sind, und den Redaktionsschluß einhalten wollen, dann lassen wir uns besser nicht hineinziehen.

Das *Telegram* war eine Abendzeitung. Gegen zwei, halb drei am Nachmittag war die Nummer gesetzt. Gegen vier war sie ausgedruckt. Um fünf ging ich zu Callaghan's um die Ecke, stellte mich mit einem Humpen an die mächtige Eichentheke und kaufte dem Jungen, der mit den Zeitungen hereinkam, eine ab. Das war mein größtes Vergnügen . . . mein eigenes Blatt zu lesen, als ob ich es nicht selbst gemacht hätte. Nachzuempfinden, wie die Nachrichten bei einem normalen Leser ankommen, die von mir zusammengestellten Nachrichten, wie die Apriori-Schöpfung einer höheren Macht – das objektive Ding an sich, das in Lettern vom Himmel regnet.

Woran sonst konnte ich mich denn auch halten, um mich der Stabilität der Welt zu vergewissern? An Callaghan's Eichentheke? Über mir war die dunkle Decke aus Blechkarrees mit den wiederkehrenden Prägemustern, hinter mir die ehrlichen unlackierten Tische und Stühle und unter den Füßen ein Boden aus achteckigen Kacheln mit sauberem Sägemehl darauf.

Callaghan selbst aber, ein rotgesichtiger Mann mit pfeifendem Atem, war ein verhängnisvoll guter Kunde seiner Waren, und im Fenster hatten im Lauf der Jahre schon mehr als zwei- oder dreimal Anschläge mit dem Hinweis *behördlich geschlossen* gehangen. Soviel zur Festigkeit von Eiche. Sollte ich mich dann an den Zeitungsjungen halten? Der von der Tür aus hereinkrähte? Ich würde lügen, wenn ich behauptete, es wäre immer derselbe gewesen. Zeitungsjungen führten ein kriegerisches Leben. Sie kämpften mit Fäusten, Zähnen und Schlägen um ihre Straßenecken, sie gingen listig, dreist und brutal miteinander um. Sie zahlten Schmiergelder, um früher an ihre Zeitungen zu kommen. Sie stiegen die Stufen zu Haustüren hinauf und klingelten, sie verdrängten einander mit Schultern und Ellenbogen an den Omnibushaltestellen, sie flitzten zwischen Pferdewagen hindurch, und wenn sie Ihren Blick einfingen, hatten Sie schon eine gefaltete

Zeitung in der Hand und begehrliche kleine Finger unter dem Kinn, bevor Sie nur ein Wort sagen konnten. In der Branche hieß es, Zeitungsjungen seien die Staatsmänner, Investoren und Eisenbahnmagnaten der Zukunft. Doch kein Verleger wollte zugeben, daß sein gewichtiger Besitz auf den schmächtigen, gebeugten Schultern eines Achtjährigen lastete. Sollten aus den Kreisen dieser Bengel je Investoren und Staatsmänner hervorgegangen sein, dann haben sie sich mir nie zu erkennen gegeben. Viele von ihnen starben an venerischen Krankheiten und Lungenleiden. Wenn sie überlebten, dann um den moralischen Gebrechen ihrer Klasse Ausdruck zu verleihen.

Ich hätte mich an Martin Pemberton halten können, den aus eigenem Willen verarmten Sohn eines Vaters, den er verleugnet oder der ihn verleugnet hatte: Ich hatte seine verläßlich taktlosen Ansichten schätzengelernt – das wenigstens stand fest! Eines Nachmittags, als ich bei Callaghan's stand und meine Kulturseite flach und uninteressant fand, fragte ich mich, wo zum Teufel er in letzter Zeit gesteckt hatte, dieser Pemberton, denn ich hatte ihn seit Wochen nicht gesehen. Fast im gleichen Moment, so wenigstens kommt es mir jetzt vor, kam ein Bote mit einem Päckchen von meinem Verleger durch die Tür. Mein Verleger schickte immer Sachen durch die Gegend, von denen er meinte, daß ich sie kennen sollte. Heute war es zweierlei. Zunächst die neueste Nummer dieser Postille der sogenannten intellektuellen Kultur, *The Atlantic Monthly,* in der er den Artikel von niemand Geringerem als Oliver Wendell Holmes angestrichen hatte. Holmes ereiferte sich über gewisse ignorante New Yorker Kritiker, die nicht genügend Ehrfucht vor seinen ebenfalls dreinamigen literarischen Mitstreitern im Geiste Neuenglands bewiesen, vor James Russell Lowell, Henry Wadsworth Longfellow und Thomas Wentworth Higginson. Wenn Holmes die anstößigen Kritiker auch nicht beim Namen nannte, wurde aus seinen Anspielungen doch klar, daß Martin Pemberton dazu zählte – ich hatte ein paar Wochen zuvor seinen Artikel zu diesem Thema gebracht, in dem er über jene Männer – Mr. Holmes inbegriffen – bemerkte, ihre Namen seien zu lang für die Werke, die sie herausbrachten.

Nun, das war erheiternd, die zweite Sache aber ebenso, ein Brief von keinem anderen als Pierce Graham, dem Autor des Romans, über den Martin Pemberton eine so gründliche Rezension geschrieben hatte . . . die von mir an jenem Regentag im April so prompt in Satz gegeben worden war.

Der Name Pierce Graham wird Ihnen nichts sagen; er hatte flüchtigen Ruhm als ein Schriftsteller erlangt, der seine Themen in den Territorien fand, indem er die Städte an der Grenze, die Grubenarbeitercamps durchstreifte oder mit der Kavallerie Indianer abknallte. Er war ein Sportsmann und gestandener Trinker, der sich in Kneipen mit Vorliebe bis zum Gürtel entkleidete und an Preisboxkämpfen beteiligte. In einem Schreiben aus Chicago ließ Mr. Graham uns wissen, er gedenke, falls im *Telegram* keine Entschuldigung erscheine, Strafanzeige wegen Verleumdung zu erheben und, um die Sache abzurunden, nach New York zu kommen und den Verfasser der Kritik zu Brei zu hauen.

Welch triumphaler Tag für das *Telegram!* Nach meiner Erinnerung war es uns noch niemals gelungen, beide Enden des literarischen Spektrums zu kränken – die Blaublütigen und die Rothäutigen, die Hochwohlgeborenen und die Plebejer. Martin schrieb seine Artikel, und die Leute redeten darüber. Soweit ich mich erinnern konnte, hatte noch nie etwas in unserer Zeitung Publiziertes einen Menschen wütend gemacht.

Natürlich würde sich Martin Pemberton niemals für etwas, das er geschrieben hatte, entschuldigen, und solange ich am Ruder war, ich auch nicht. Ich blickte von meiner Lektüre auf. Callaghan stand hinter seiner Theke und lächelte die Gemeinde braver Männer auf den Barhockern vor ihm segnend an. Ich stellte mir jedoch vor, wie Tische und Stühle beiseite geschoben wurden, eine Deckenlampe auf das Sägemehl herabstrahlte, Callaghan die Glocke in der Hand hielt und – umgeben von einer Menge brüllender Männer – mein freier Mitarbeiter bis zum Gürtel entkleidet dastand, so daß der Brustkorb das hervorstechende Merkmal an ihm war, und eine Faust um die andere hoch brachte, und seine grauen Augen sich weiteten, während er nachdenklich auf den eitlen Idioten blickte, der vor ihm auf und nieder hopste. Das Bild war so erheiternd, daß ich laut auflachte.

»He, Callaghan«, rief ich, »noch eine Runde. Und für Sie auch ein Glas!«

Am nächsten Morgen sandte ich einen Boten zu Pembertons Pension an der Greene Street mit der Nachricht, in der Redaktion vorbeizukommen. Er tauchte weder auf, noch antwortete er schriftlich, und daher begab ich mich zwei, drei Tage später nach der Arbeit selbst dorthin.

Greene Street war bekannt für die Prostituierten dort – eine Straße der roten Lampen. Ich fand die Adresse – ein kleines Haus mit Holzfassade, das zurückgesetzt in einer Reihe von Werkstätten mit Blechfassaden lag. Es hatte dringend Reparaturen nötig. Die zur Haustür führende Treppe war, typisch für die widerwilligen Verbesserungen in New York, aus Gußbeton, hatte aber kein Geländer. Eine krumme alte Frau, deren Hurenzeiten längst vorüber waren, mit Titten, die ihr in der Bluse bis zur Taille hingen, und einer Pfeife zwischen den Zähnen, kam auf mein Klopfen heraus und wies mit der sparsamsten aller verächtlichen Kopfbewegungen die Treppe hinauf, als verdiene die Person, nach der ich gefragt hatte, von niemandem mehr Beachtung.

Martin mitten unter Dirnen . . . Ich konnte mir vorstellen, wie er in seiner Dachstube all seine Geringschätzung zu Papier brachte, während unter seinem Fenster die Nachbarinnen, einzeln und in Paaren, die ganze Nacht auf und ab spazierten und nahenden Galanen ihre lasziven Begrüßungen zuriefen. Im Haus warf mich der widerliche Geruch kochenden Kohls fast um und wurde sogar noch schlimmer, je höher ich die Stufen hinaufstieg. Ganz oben war kein Treppenabsatz, nur eine einzige Tür. Mein Brief lag ungeöffnet auf der hölzernen Schwelle. Die Tür gab nach, als ich sie nur berührte.

Augustus Pembertons Sohn wohnte in einem Giebelstübchen, das vom unerträglichen Küchengestank irgendwelcher anderen Leute erfüllt war. Ich versuchte ein Fenster aufzumachen – es gab zwei, die nah am Boden ansetzten und mir bis zum Gürtel reichten, und beide klemmten. Das ungemachte Bett war eine Art Seemannskoje in einem Alkoven an der Seitenwand, ohne Kopfbrett, aber mit einer Schublade unter der Matratze. An Haken ein paar Kleidungsstücke. Lehmbedeckte Stiefel, die in eine Ecke geschleudert

worden waren. Überall Bücherstapel . . . ein mit handbe-
schriebenen Blättern bedeckter Tisch. Im Kamin steckten,
mit den Ecken in einer Schicht kalter Asche, drei ungeöffne-
te Briefe aus uniformblauem Velimpapier – im trüben Licht
glichen sie fernen Segeln auf dem Meer.

Hier spielte sich ein zurückgezogenes Leben ab, gleichgültig gegenüber weltlichen Dingen. Martin war ein Asket, gewiß, doch ohne die knappen, reinlichen Gewohnheiten des
Asketen. Nichts, was ich da anstaunte, hatte den spröden
Nimbus des Fadenscheinigen erlangt. Diese Bude war
schlicht ein Saustall. Und doch fand ich in dem Zimmer Martins Courage wieder. Ich sah die Bürde, die auf einem gebil-
deten Geist lastet. Ich sah auch, daß ihn jemand liebte . . . ich
begriff, daß ich hierhergekommen war, ohne mir einzugeste-
hen, daß mich dieser arme Teufel von freiem Mitarbeiter magnetisch anzog. Da stand ich und war bereit, ihn anzustellen
und ihm ein Auskommen zu verschaffen . . . nur, wo war er!
Einen verstohlenen Blick auf seine Papiere gestattete ich mir
nicht. Als ich die Treppe hinuntergegangen war und vor dem
Haus stand, wo ich wieder atmen konnte, traf ich die alte
Frau, die ihren Abfall in eine Tonne warf. Von ihr erfuhr ich,
daß Pemberton ihr drei Wochen Miete schuldete und daß
sie, falls er bis morgen nicht auftauchte, seine Sachen auf die
Straße werfen würde.

»Sie haben ihn also in dieser Zeit nicht gesehen?«

»Nicht gesehen, nicht gehört.«

»Ist das schon mal passiert?«

»Würd' ich mir das denn zweimal bieten lassen? Einmal
reicht, oder? Ich lebe von dem Haus hier, es ist mein Lebensunterhalt, und zwar ein mieser, denn das Papier von der

Bank hängt über mir, und der Gerichtsvollzieher wartet gleich um die Ecke.«

Sie prahlte, wie gesucht ihre Zimmer wären, daß sie Martins Bude für das Doppelte dessen vermieten könnte, was sie ihm berechne. Und dabei sei er so hochnäsig! Dann lebte die Händlerinnenlist in ihr auf, und mit einer hochgezogenen Braue, die Pfeife wie eine Pistole auf mich gerichtet, fragte sie, ob ich nicht die Schuld des jungen Herrn begleichen wolle, um seines guten Namens willen.

Genau das hätte ich natürlich tun sollen, schon damit sein Zimmer unberührt blieb. Aber diese Frau war widerwärtig. Sie hatte mich die Treppe hinaufgeschickt, obwohl sie wußte, daß Martin nicht da war. Ich hatte für sie kein Mitgefühl. Und zu jener Zeit war die Vorahnung, die in mir schwelte, noch nicht voll entfaltet. Sie zeigte sich erst als vager Schatten, der auf meine Überlegungen fiel ... daß der melancholische junge Mann, der ständig an der Gesellschaft verzweifelte, in der er sich befand, mich und das *Telegram* am Ende doch dem städtischen Verderben ausgeliefert habe. Wie mächtig seine urteilsstarke Persönlichkeit auf mich wirkte, ließ sich daran ermessen, daß ich sein verlassenes Zimmer als einen Kommentar auf mich und meine Zeitung verstand.

Somit trat ich beunruhigt den Rückzug an. Es war mir keine große Genugtuung, daß ihn, wenn ich ihn nicht finden konnte, auch kein Säufer aus Chicago aufspüren würde, falls es dazu käme.

Nach dem Bild, das ich nun von Martin hatte, war die Einsamkeit, in der er lebte, in die er sich zerschlagen und blutig aus dem Regen gerettet hatte und die sich in hochmütigen Ansichten äußerte, unantastbar. An jenem Abend fiel mir auf einmal die Bemerkung über seinen Vater wieder ein, die er während meines letzten Gesprächs mit ihm gemacht hatte. Ich hörte sie erneut in Martins rauhem Ton ... daß sein Vater noch lebe, noch unter uns sei ... und obwohl der Tonfall sich nicht geändert hatte, war ich mir nicht mehr so sicher, ob ich noch das gleiche hörte.

Martin ließ nicht zu, daß man Hoffnungen in ihn setzte, aber er ließ sich auch nicht ignorieren. Woran Sie sehen können, wie widersprüchlich meine Empfindungen waren ... halb die des Reporters, halb die des Redakteurs ... die Vorsicht des einen gegenüber diesem sonderbaren jungen Mann und seinen Visionen ... aufgehoben von dem ... Gefühl des anderen, daß eben dieser junge Mann sich behaglich in der Zeitungsbranche etablieren sollte. Ich glaubte an Ehrgeiz – warum sollte nicht auch er daran glauben können? Wenn ich mich jedoch im nachhinein eindringlich prüfe, muß ich auch gewußt haben, daß, falls es Menschen gibt, die allein durch ihr intensives Wesen ein unheimliches Schicksal auf sich ziehen, mein freier Mitarbeiter einer von ihnen war.

# 4

NUN HABE ICH WOHL schon erwähnt, daß ich Martin Pemberton noch ein weiteres Mal traf, bevor er verschwand ... obwohl ich da keine Gelegenheit hatte, mit ihm zu sprechen. Sie sollten natürlich wissen, daß ein freier Mitarbeiter auf mehrere Auftraggeber angewiesen ist. In Martins Fall dürften die Aufträge vom *Telegram* die besten gewesen sein, mit denen er rechnen konnte. Häufiger mußte er sich dazu herablassen, für die Wochenblätter zu arbeiten ... für *Tatler* oder *Gazette* ... von denen er ein paar Dollars dafür bekam, daß er eine Spalte mit dem geistlosen gesellschaftlichen Treiben jener Klasse von Neureichen füllte, die ihn einst zu ihresgleichen gezählt hatten. Er mußte sich dadurch in seinen empfindlichen Punkten härter getroffen fühlen als durch die schlechten Romane, die ich ihm zu rezensieren gab.

Wie dem auch sei, ein paar Wochen nachdem er sein feuchtes, blutbeflecktes Manuskript abgeliefert hatte, sah ich ihn bei einem Ball im St. Nicholas Hotel. Dazu muß ich sagen . . . ich verabscheute Bälle. Während der Saison veranstalteten sie fast jeden Abend einen . . . vermutlich wegen des maßlosen Bedürfnisses der Aufsteiger, die Huld der schon länger Aufgestiegenen zu erlangen. Joseph Landry, mein Verleger, fühlte sich verpflichtet, diese Bälle zu fördern . . . und dann war es die Pflicht seiner unglücklichen Angestellten, ihn zu vertreten. Und so kam ich an jenem Abend murrend und brummend zu einer Veranstaltung, die meiner Erinnerung nach das jährliche Fest der New Yorker Reformgesellschaft war. Ich glaube, um aus einer mißlichen Angelegenheit das Bestmögliche zu machen, hatte ich dazu meine Schwester Maddie eingeladen, eine Volksschullehrerin, die nie geheiratet hatte und nicht oft aus dem Haus kam.

Ich bin mir sicher, daß es beim Ball der Reformgesellschaft war, denn hinter den Polizeiabsperrungen machte bei flakkernder Gasbeleuchtung eine glanzvolle Straßengesellschaft von Trunkenbolden, Nichtstuern und alten Vetteln beleidigende Bemerkungen, sehr komische darunter, über jedes einzelne Paar, das aus seiner Kutsche stieg und in das Hotel schritt. Schallendes Gelächter, Gejohle, Pfiffe eben von dem Volk, für das die Reformer sich opferten! Als ich Maddie am Ellbogen durch die Tür steuerte, hatte ich das Gefühl, daß ich hinter die Absperrung gehörte, und jeden Stein, der durch die Luft geflogen wäre und mir den Zylinder vom Kopf gefegt hätte, hätte ich als vollauf verdient empfunden.

Sie werden sich an das alte St. Nicholas am Broadway nicht erinnern. Es zählte zu den besten Hotels der Stadt und hatte als erstes Aufzüge. Und der große Ballsaal war so lang wie der ganze Straßenblock.

Stellen Sie sich das Getöse der Unterhaltungen an fünfzig, sechzig Tischen vor – es gemahnt an das Rumoren eines tropischen Vulkans, zumal bei diesem Klappern von Geschirr und Knallen von Korken, die einem wie Steine vor den Füßen landen. Ein Kammerorchester spielt unter dem Marmorbogen am einen Ende des Saals. Die Geiger sägen emsig vor sich hin, und die Hände der Harfinistin wogen, aber man hört keinen Ton, die Musiker könnten ebensogut Verrückte aus einer Anstalt sein, es fiele keinem auf.

Unsere Tischgefährten waren andere Redakteure und Reporter, die für das *Telegram* schrieben, Männer, die ich den ganzen Tag über sah und mit denen zu reden mir kein Bedürfnis war. Wie gute Journalisten überall wußten sie, worauf es ankam, und konzentrierten sich auf ihr Mahl. Das Menü wird mit frischen Austern begonnen haben, das war unvermeidlich, ganz New York war verrückt nach Austern, sie wurden in den Hotels serviert, in »Austernbars«, in Kneipen, sie wurden auf der Straße von Schubkarren verkauft – wunderbare, frische Austern im Überfluß, kalt, unversehrt, lebendig, mit scharfer roter Sauce. Falls wir eine Nation waren, stellten sie unser Nationalgericht dar . . . Dann Lammkoteletts, darauf war Verlaß, die einem nicht im üblichen Sinn des Wortes serviert, sondern eher vorgeworfen wurden. Die Ausdünstungen des ungewaschenen Sommeliers überlagerten das Bouquet des Weins, den er einschenkte. Aber egal. Die Zeitungsleute bildeten im Getöse eine Insel stiller Versunkenheit.

Da fiel mein Blick auf Pemberton, der mit seiner schlaffen Krawatte und seinem schmuddligen Hemd zwischen den Tischen umherging. Wie gesagt, die Tageszeitungen widmeten einer Veranstaltung wie dieser nicht mehr als einen Satz, aber die Wochenblätter machten daraus ein folgenschweres Ereignis. In der erstickenden Hitze des Ballsaals wirkte mein Mitarbeiter siech und welk, fast grünlich. Sollte ich mich bemerkbar machen, oder wäre es freundlicher, das zu unterlassen?

Und dann stand er an dem Tisch hinter mir, an dem eine üppige Frau in extravaganter Robe saß, über die meine Schwester Maddie bereits verblüfft getuschelt hatte. Ich hörte, wie Pemberton sich vorstellte und diese Frau bat, ihm doch zur Aufklärung seiner Leser zu beschreiben, was sie trage.

»Das ist mein rosa Atlas«, gellte die Frau. »Die Stickerei ist weiß, der Rock hat drei gekräuselte und gesmokte Volants in Stufen übereinander, mit cremefarbenem Spitzenbesatz oben an jedem Volant.« Mit solcher Genauigkeit sprachen unsere Damen von derlei Dingen.

»Ihr . . . rosa . . . Atlas«, murmelte Pemberton.

»Die Schleppe ist mit Lama eingefaßt und mit winzigen Perlen bestickt, die sich den Rock hinauf fortsetzen, wie Sie sehen, sowie rings um die griechischen Ärmel. Alles, Corsage, Rock und Schleppe, ist mit weißer Seide gefüttert.«

»Ja, die Schleppe aus Lama, danke schön«, sagte Pemberton und trat in dem Versuch, sich zu entfernen, einen Schritt zurück.

Ich spürte einen Ruck. Die Frau hatte sich abrupt erhoben, und ihr Stuhl war gegen den meinen geprallt. »Meine Stola ist aus Brüsseler Spitze«, sagte sie. »Mein Fächer ist aus Jade mit Emaille-Intarsien. Mein Taschentuch ist geklöppelt, Point d'Alençon, und diesen Stein«, sagte sie und zog

36

einen tropfenförmigen Brillantanhänger aus dem Busen, »hat mir mein lieber Gatte Mr. Ortley für diesen Anlaß geschenkt.«

Sie wies über den Tisch auf einen strahlenden, schnurrbärtigen Herrn. »Allerdings ist der Stein von so beträchtlichem Karatgewicht, daß Sie ihn wohl besser nicht erwähnen. Soll ich ›Ortley‹ buchstabieren?«

Pemberton entdeckte mich, errötete, warf mir einen ärgerlichen Blick zu und gestattete sich ein Glas Champagner von dem Tablett eines vorbeikommenden Kellners. Ich mußte einfach lachen. Ich gebe zu, es bereitete mir fast Vergnügen, einmal zu sehen, wie verletzlich er in diesem Milieu war. Glücklicherweise wurde Mrs. Ortley durch den Auftritt des Baritons abgelenkt. Applaus hob an. Die Kellner dämpften die Beleuchtung. Ich sagte zu Maddie, ich ginge eine Zigarre rauchen, und folgte Pemberton, der in den Arkaden rings um den Ballsaal verschwunden war.

Im Schatten einer Topfpalme blieb ich stehen, um mir meine Zigarre anzuzünden . . . und hörte ihn sagen: »Und welche verweigert sich denn der Unsterblichkeit?«

Die Antwort kam von einer rundlichen Silhouette, in der ich seinen Künstlerfreund Harry Wheelwright erkannte. »Die blöde Seekuh dort. Mrs. Van Reijn. Die in Blau.«

»Mal meine Mrs. Ortley in ihrer Robe«, sagte Martin. »Und du bist unser Goya.«

»Ich könnte auch den ganzen verfluchten Ballsaal hier pinseln und unser Brueghel werden«, sagte Harry Wheelwright.

Sie betrachteten die Szene. Der Bariton sang Lieder. Lieder waren ganz nach dem apodiktischen Geschmack der

37

Reformer ... Sang er Schuberts »Erlkönig«? *Du liebes Kind,
komm, geh mit mir! Gar schöne Spiele spiel ich mit dir . . .«*

»Zum Teufel mit der Kunst«, sagte Harry. »Suchen wir uns
eine anständige, gottesfürchtige Kneipe.«

Im Fortgehen sagte Martin: »Ich glaube, ich verliere den
Verstand.«

»Das hätte ich auch nicht anders erwartet.«

»Du hast doch mit niemandem darüber –«

»Warum sollte ich? Ich will nie mehr daran denken. Es ist
aus den Akten gelöscht. Du hast Glück, daß ich überhaupt
noch mit dir rede.«

Bei diesen letzten Sätzen hatten sie den Ton bis zum kon-
spirativen Murmeln gedämpft. Dann waren sie außer Hör-
weite.

Ich hatte Maddie nach Hause zu bringen, sonst wäre ich ihnen in ihre Kneipe gefolgt. Was ihren Stil als Trinker anging,
so zählte Martin zu denen, die stumpf und brütend einer einmal gefaßten Absicht folgen, während Harry Wheelwrights
Stil der des Genußmenschen war – selbstsicher in seiner Gier,
jedoch leicht zum Lachen oder Weinen oder jedem tiefen Gefühl bereit, wie es die Situation gerade erforderte. Wheelwright mochte der Pöbelhaftere und Lautere sein, zudem
massiger als sein schmächtig gebauter Freund, aber Martin
war der Willensstärkere. Dies alles würde mir erst nach und
nach deutlich werden. In diesem Augenblick verspürte ich
nur jenes Gefühl überraschender Empfänglichkeit für das
Unbekannte, wodurch dieses zu einem . . . ganz spezifischen
Unbekannten wird – wie wenn wir im Dunkeln etwas ausmachen, das nur vage erkennbar ist und uns anzieht. Mehr nicht.
In den folgenden Wochen fiel mir kaum auf, daß ich Pember-

ton nicht in der Redaktion sah. Ich bemerkte vielleicht, daß die Bücher, die ich von ihm rezensiert haben wollte, schon einen kleinen Stapel bildeten ... und Tage später fiel mir dann auf, daß der Stapel gewachsen war. Im modernen Großstadtleben kann man durchaus eine Offenbarung erleben und sich im nächsten Moment etwas anderem zuwenden. Christus hätte nach New York kommen können, und ich hätte dennoch eine Zeitung herausbringen müssen.

Somit war es dem *Atlantic* und Pierce Graham zu verdanken, daß ich begonnen hatte, mich um meinen Mitarbeiter zu sorgen.

Ich wußte nicht, warum er verschwunden war, und fand es eigentlich unumgänglich, den Grund herauszufinden. Es mochte eine einfache Erklärung geben, sogar ein Dutzend davon, auch wenn ich das letzten Endes nicht glauben konnte. So war es für mich naheliegend, Martins Freund Harry Wheelwright aufzuspüren, mit dem er seine Geheimnisse teilte. Und doch schreckte ich davor zurück. Ich kannte Harry Wheelwright und traute ihm nicht. Er war ein Trinker, Schürzenjäger und Speichellecker. Unter seinem ungekämmten Lockenschopf hatte er die blutunterlaufenen Augen und fetten Wangen, die fleischige Nase, den wulstigen Mund und das Doppelkinn eines Mannes, dem es recht gut gelang, sich Speis und Trank zu verschaffen. Und doch stellte er sich gern als Märtyrer der Kunst dar. Er hatte in Yale Kunst studiert. Recht früh schon hatte er sich einen gewissen Namen gemacht, dadurch daß er Stiche von Kriegsszenen für *Harper's Weekly* anfertigte. Er nahm die groben Skizzen, die andere Zeichner aus dem Feld schickten, und stellte in seinem Studio an der Fourteenth Street danach Stahlstiche her. Das allein war noch kein Verbrechen. Wenn die Leute jedoch seine Gravuren bewunderten, weil sie meinten, sie seien an der Front unter Beschuß entstanden, klärte er sie nicht darüber auf . . . daß er nie unter irgendwelchem Beschuß gestanden hatte, es sei denn dem seiner Gläubiger. Er hielt die Leute gern zum Narren, dieser Harry, lügen war für ihn ein Sport. Da Wheelwrights bereits hundert Jahre vor der Revolution von ihren eisigen Kanzeln herunter gepredigt hatten, konnte ich letztlich nicht glauben, daß seine Pose ironischer Überlegenheit den Leuten gegenüber, von denen er lebte, gänzlich frei vom Snobismus seiner Neuengland-Herkunft war.

Im Gegensatz dazu war die kalte Verweigerung meines Mitarbeiters eine ehrliche Sache, die reine, tief empfundene Haltung seiner Generation. Martin war integer. Manchmal hatte er einen verwundeten Blick, in dem zugleich die Hoffnung zu liegen schien, die Welt könnte im allernächsten Moment die Erwartungen erfüllen, die er an sie stellte. Wenn ich mich wirklich um ihn sorgte, dann sollte ich ihm auch, so kam es mir vor, seine Integrität zugestehen und von neuem bedenken, was er über seinen Vater gesagt hatte. Ich würde diskret auf der Basis dessen, was ich wußte, was er mir erzählt hatte, vorgehen, die ethischen Regeln unseres gemeinsamen Berufs tunlichst beachten. Um die Wahrheit zu sagen, ich witterte neben allem anderen auch eine Geschichte. Wenn Sie die in der Nase haben, gehen Sie nicht als erstes zu jemandem, der vielleicht ein Interesse daran hat, daß Sie die Geschichte nicht kriegen. Daher beschloß ich, zunächst nicht mit Harry zu sprechen, sondern die Ausgangshypothese zu überprüfen. Und wenn Sie wissen wollen, ob jemand noch am Leben ist, was tun Sie dann? Sie gehen natürlich ins Leichenschauhaus. Ins Archiv.

# 5

UNSERE SCHNELLEN ROTATIONSMASCHINEN waren 1845 aufge-
kommen, und seit der Zeit entstand durch die Menge der
Nachrichten, die eine Zeitung drucken konnte, und die Zahl
der konkurrierenden Blätter naheliegenderweise das Bedürfnis nach so etwas wie historischer Selbstdarstellung,
nach einem Gedächtnisspeicher unserer Arbeit. Auf diese
Weise hätten wir ein Archiv unserer früheren Erfindungen
zur Verfügung und müßten unsere Sätze nicht immer wieder
aus dem Nichts ersinnen. Im *Telegram* wurde mit diesem Un-
terfangen zunächst ein alter Mann unten im Keller betraut,
der nur dazu taugte, täglich die neuste Nummer auf die vor-
hergegangenen zu legen, flach, in tiefe Eichenschubladen,
die er gewissenhaft polierte. Erst als der Krieg kam und es
sich für den Verleger abzeichnete, daß man die gesammelten
Kriegsberichte der Zeitung als verkäufliche Bücher würde
herausgeben können, begann man ernstlich, nach Stichwor-
ten zu archivieren. Nun hatten wir dort unten drei, vier junge Männer mit Scheren und Leimtöpfen sitzen, die nie mehr

als zwei, drei Monate im Rückstand waren – immerhin wurden ihn täglich fünfzehn New Yorker Tageszeitungen auf den Tisch geworfen –, und ich konnte mich darauf verlassen, in einer Schublade eine Mappe mit der Aufschrift *Pemberton, Augustus* zu finden.

Er war uns erstmals als einer der Zeugen aufgefallen, die vor den Ausschuß zur Aufklärung von Kriegsgewinnlertum geladen worden waren, einen Unterausschuß des Senatsausschusses für Armee und Marine. Dieser Bericht aus Washington datierte vom April 1864. Weiteres über die Angelegenheit fand sich nicht – was Augustus tatsächlich ausgesagt hatte, welche Konsequenzen seine Aussage hatte oder ob der Unterausschuß je wieder zu welchem Zweck auch immer getagt hatte, war meinem geschätzten *Telegram* nicht zu entnehmen.

Ein lokaler Bericht aus demselben Jahr gewährte einen weiteren Einblick in Pembertons Geschäfte: Ein gewisser Eustace Simmons, vormals stellvertretender Hauptsekretär der Hafenmeisterei an der South Street, war im Süddistrikt von New York zusammen mit zwei Männern portugiesischer Nationalität unter dem Verdacht, gegen die Sklavereigesetze verstoßen zu haben, verhaftet worden. Die Kaution für ihn hinterlegte sein Arbeitgeber, der bekannte Kaufmann Mr. Augustus Pemberton.

Zu dieser Angelegenheit gab es einen weiteren Artikel, der sechs Monate später datiert war. Der Vorwurf gegen Mr. Eustace Simmons und seine beiden portugiesischen Partner, gegen die Sklavereigesetze verstoßen zu haben, war aus Mangel an Beweisen fallengelassen worden.

Unser Reporter war über die Entscheidung deutlich irritiert. Er beschrieb das Verfahren als – in Anbetracht der ernsten Vorwürfe – außergewöhnlich nonchalant. Der beschuldigte Simmons hatte vor dem Richterspruch noch allzu besorgt gewirkt und hinterher nicht allzu erleichtert, und während die portugiesischen Herren sich in die Arme gefallen waren, hatte Mr. Simmons seine Gefühle nur mit dem Anflug eines Lächelns bekundet, als er sich erhob . . . ein kantiger Mann mit von den Pocken gezeichnetem Gesicht . . . und nur den Anwälten knapp zugenickt, bevor er gleichmütig seinem Arbeitgeber Augustus Pemberton folgte, der mit großen Schritten aus dem Gerichtssaal strebte, vermutlich zum nächsten geschäftlichen Termin an diesem normalen Geschäftstag.

Nun ja, vielleicht schmücke ich hier ein wenig aus. Aber mein Eindruck von den Empfindungen des Reporters ist korrekt. Wir fanden es damals nicht so nötig, uns in unserer Berichterstattung eines objektiven Tons zu befleißigen. Wir waren noch ehrlicher und direkter und machten nicht so ein scheinheiliges Getue um die Objektivität, die letztlich nur ein Verfahren ist, dem Leser eine Meinung zu suggerieren, ohne ihm dies zu sagen.

Simmons war stellvertretender Hauptsekretär der Hafenmeisterei gewesen, als Augustus Pembertons Handelskontor ihn abwarb. Die Hafenmeisterei prüfte an Bord den Zustand der auslaufenden Schiffe, inspizierte die Fracht in den Lagerhäusern und beaufsichtigte ganz allgemein die Handelsschiffahrt an beiden Flüssen. Die Hafenmeisterei war natürlich eine städtische Behörde und eine verläßliche Einnahmequelle für Tweeds Ring. Simmons mußte daran beteiligt gewesen sein und hätte mit einer langen, einträglichen

Arbeitszeit rechnen können, so daß Augustus Pembertons Angebot äußerst bestechend gewesen sein mußte, wenn Simmons sich davon fortlocken ließ.

Hier will ich vorausschicken, daß dieser Simmons der verderbte Bursche war, der bis zum Ende bei Augustus Pemberton blieb, obwohl wir uns nun auf tückisches Terrain begeben. Ich kann gelegentlich nicht umhin, Ihnen manche Dinge abweichend von der Reihenfolge zu erzählen, in der ich sie erfuhr. Aber von Pembertons junger Witwe Sarah, der zweiten Frau von Augustus und Stiefmutter von Martin, hörte ich, wieviel näher Eustace Simmons dem Herzen ihres Mannes stand als sowohl sie oder Augustus Pembertons erste Frau . . . und daß Simmons es gewußt und ihr klargemacht hatte. »Keine Frau konnte sich in Mr. Simmons Gegenwart wohl fühlen«, berichtete mir Sarah Pemberton, als ich ihr Vertrauen gewonnen hatte. Sie errötete ein wenig, als sie darauf zu sprechen kam. »Es lag nicht an dem, was er sagte, er sagte nie etwas Ungehöriges. Aber er hatte einen Ton an sich, den ich zweideutig fand. Ich glaube nicht, daß dies ein zu starkes Wort ist. Er gab mir das Gefühl . . . nebensächlich zu sein. Ich nehme an, er schätzte Frauen ganz allgemein nicht sehr.«

Sie erzählte mir das, als Martins Verschwinden keine für sich stehende Angelegenheit mehr war, sondern sich mit anderen, ebenso beunruhigenden vermengt hatte. Obwohl mir keine Photographien von Pemberton Senior und seinem Faktotum vorlagen, stand mir ihr moralisches Bild durchaus klar vor Augen, wobei ich von ihrem Verhältnis zueinander ausging und davon, wie kennzeichnend es immer ist, für welche Vertrauensperson wir uns entscheiden. Und daß das

44

übergeordnete Böse sie beide stützte, bewiesen mir Anzahl und Rang der städtischen Würdenträger, die zu Augustus Pembertons Beerdigung gekommen waren, und, offen gesagt, der unterwürfige Ton des Berichts im *Telegram.*

Also, in schwarzen Worten auf diesem weißen Blatt: Mr. Augustus Pemberton, Kaufmann und Patriot, war im September des Jahres 1870 im Alter von neunundsechzig Jahren an einem Blutleiden verstorben und von der Episkopalischen Kirche St. James aus zur letzten Ruhe geleitet worden. Wir priesen den Tag, da er in Amerika angekommen war, ein mittelloser Engländer ohne Schulbildung, der sich die Schiffspassage durch seine Unterschrift unter einen Vertrag ermöglicht hatte, durch den er sich für sieben Jahre als Hausdiener verdingte. Wir bewunderten, daß er diese bescheidenen Anfänge nie beschönigt hatte. In seinen späteren Jahren drehte sich im Surveyors Club, dem er angehörte und an dessen Ehrentafel er häufig seinen Lunch einnahm, die Konversation nicht selten um sein Leben, das beispielhaft ein amerikanisches Ideal erfüllte. Himmel, was für ein Langeweiler er gewesen sein muß, neben allem anderen.

Ein Nachruf ist nicht der Ort, darüber zu reflektieren, daß man als Domestik den Wert von *Dingen* achten lernt und sich alle Geschmack und Stil betreffenden Finessen aneignen kann, an denen einem nur gelegen sein mag. Aber ich konnte mir Augustus Pembertons Lehrjahre des Gefühls für Geld und Besitz durchaus vorstellen. Nach Ablauf seines Kontrakts ging er bei einem Kutschenbauer in die Lehre und kaufte dem Mann, der ihn eingestellt hatte, anschließend das Unternehmen ab. Dann verkaufte er es und investierte seinen Gewinn in eine Schiffsausrüstungsfirma, womit sich bereits das Muster abzeichnete, daß seine Loyalität nicht einem bestimmten Unternehmen galt, sondern der Kunst, solche zu erwerben und zu veräußern. Durch diese und andere Investitionen war er mit Ende Dreißig in den Kreis prominenter Kaufherren der Stadt aufgestiegen. Von Sklavenhandel natürlich keine Rede. Nur, daß er ein glänzender Makler gewesen war und bald seine Prinzipien bei dieser Arbeit auf abstrakte Waren übertragen hatte – auf Geschäftsobligationen, Aktien, Pfandbriefe und Staatsanleihen. Durch ein Versehen wurde er Inhaber eines Sitzes an der New Yorker Börse. Wir stellten den alten Schurken als genügsamen, biederen Yankee dar. Er unterstrich seine Position im Geschäftsleben der Stadt nicht durch aufwendige, prunkvolle Kontorgebäude und führte keine große Belegschaft auf der Gehaltsliste. Kein Wunder, wozu denn auch. »Alles spielt sich nur da oben ab«, lautete sein berühmter Spruch, und dann wies er mit dem Zeigefinger auf seinen Kopf. »Mein Grips ist meine Zentrale, mein Lager, meine Buchhaltung.«

Er wird natürlich niemals Tom Paine gelesen haben, der erklärt hat: »Mein Geist ist meine Kirche.« Doch während deistische Überzeugungen selbst 1870 noch skandalös waren, galt Selbstvergötterung, wenn sie ein Vermögen von ein paar Millionen hinterließ, als ein Beispiel für uns alle.

Wie der Prediger Dr. Charles Grimshaw in seiner Trauerrede auf Augustus Pemberton sagte, wurde diesem im Sezessionskrieg Ehre zuteil, als er seine Fertigkeiten in den Dienst des Landes stellte und den Generalquartiermeister mit Gütern belieferte, die er bei Fabriken an so fernen Orten wie Peking (China) orderte und von dort importierte. Offenbar entfalten Kirchenmänner auf Grund ihrer Bettlerrolle ebensolche Sympathien für die besitzende Klasse wie Politiker. Jemand in Mr. Lincolns Stab war ebenso nachsichtig: Ich fühlte mich verloren wie ein Waisenkind, als ich in unserem Archiv saß und las, daß Augustus Pemberton zu der erlesenen Runde von Kaufleuten gezählt hatte, die eine dankbare Nation 1864 durch ein Diner mit dem Präsidenten im Weißen Haus ehrte.

# 6

Ich habe Charles Grimshaw gekannt und möchte, um ihm
Gerechtigkeit widerfahren zu lassen, sagen, daß er nach 1850
zu den Gegnern der Sklaverei unter den Pastoren unserer
mit dem Süden sympathisierenden Stadt gehörte und deshalb den Abfall eines erklecklichen Teils seiner Gemeinde
erleben mußte. Doch damals stand er in der Blüte seines
Lebens, und wenn er auch nie die Redekunst und die moralische Größe unserer namhaften Prediger erreichte, so genoß er doch den Respekt seiner Amtsbrüder und die traute
Ergebenheit seiner wohlhabenden Gemeindemitglieder.
Als Augustus Pemberton starb, hatten sowohl der Pfarrherr
wie seine Kirche ihre besten Tage hinter sich. Die Wohlhabenden waren nordwärts gezogen, in die breiteren Straßen
und sonnigeren Wohngegenden nördlich der Thirty-fourth
Street und dann über die Forty-second Street und das Wasserreservoir hinaus. An Stelle der Wohnhäuser standen hier
nun Geschäftsgebäude, und die Kirche St. James, die einst
stolz die Stadt überragt hatte, lag nun den halben Tag im

Schatten. Ihre düstere Sandsteinwürde wirkte jetzt wunderlich, und in dem kleinen Pfarreifriedhof wurden die verwitterten Steine bei ihrem unmerklichen Sturz durch die Epochen noch ein wenig schiefer . . . Somit erinnerte das Augusteiische Begräbnis an den vergangenen Glanz der Kirche, und für eine gute Stunde stieg St. James wieder zu eleganter Hochkirchlichkeit auf. Es fällt nicht schwer zu begreifen, warum die Trauerrede des Pfarrherrn über die Maßen pompös ausfiel.

Ich hatte doch gedacht, daß es genug Arme gab, mit denen man die Kirchenbänke füllen konnte. Wie mir der Reverend jedoch mit seiner stockenden, hohen Stimme erklärte, neigten arme Leute gemeinhin nicht der anglikanischen Glaubensgemeinschaft zu. So seien die neuen Immigranten überwiegend irische und deutsche Katholiken. Doch nicht der Katholizismus sei das Problem. »Sie sind schon länger hier als wir«, sagte er – hier auf der Erde, meinte er wohl. Nein, wenn er sein Kruzifix fest umklammert hielt, und in seinem Studierzimmer auf- und ablief, dann wegen der Proselytenmacher, die sich in der Stadt herumtrieben – Adventisten und Milleriten, Shaker und Quäker, Swedenborgianer, Oneida-Perfektionisten und Mormonen . . . »Es nimmt kein Ende, sie kommen aus dem ausgebrannten Viertel herunter und spazieren mit ihren eschatologischen Pappkartons auf Brust und Rücken über den Broadway. Sie sprechen Leute in den Biergärten an, sie besetzen die Straße vor dem Opernhaus. Sie besteigen die Fähren. Wissen Sie, daß ich gestern einen verscheuchen mußte, der auf unserer Kirchentreppe stand und dort predigen wollte? Vor Christi Kirche, stellen Sie sich das vor! Daß sie die Stimme für Gott erheben, macht diese Leute dreist. Christus möge mir verzeihen, aber ich zweifle doch nicht an ihrer Aufrichtigkeit, wenn ich sage, daß sie, soviel sie auch den Namen unseres Herrn im Munde führen, schlicht und einfach keine Christen sind?«

Er hatte unglaublich helle Haut, dieser hochwürdige Grimshaw, die Haut einer schönen alten Frau ... seidenpapierdünn, sehr weiß und spröde ... und sehr ebenmäßige Züge, ein Näschen, auf dem sich kaum das Pincenez balancieren ließ, und blanke, doch eindringliche und wache Vogeläuglein sowie schütteres, gewelltes Haar, durch das man die rosige Kopfhaut sah. Er war bartlos, straff und klein; alles an ihm, von den zierlichen Füßen, die ihn hin und her trugen, bis zu den winzigen flachen Ohren, war richtig proportioniert. Eine Statur, der Kleider gut stehen – sogar ein Priesterkragen und speckige schwarze Beffchen.

Hier muß ich beichten, falls dies das passende Wort ist, daß ich ein vom rechten Wege abgewichener Presbyterianer bin. Dafür hat letzten Endes die Diktion gesorgt, die abgenutzte, schäbige, armselige Kirchensprache, so verbraucht, daß sie für mich nach geistiger Armut klingt und nicht nach der Fülle des Geistes. Meine persönliche Einstellung zu den Straßenpredigern aus dem ausgebrannten Viertel war ... warum nicht? Sie erheben Anspruch auf Gott und nehmen deshalb die Enteignung an. Vielleicht wäre Gott sogar wahrer, unbehaust, Eigentum der bärtigen Fanatiker mit ihren eschatologischen Pappkartons. Warum gehörte es sich, in einer Kirche zu ihm zu sprechen, war aber draußen in der Gosse, wo die Kutschen vorbeifuhren und die Pferde äpfelten, deutlich Wahnsinn? Außerdem möchte ich sagen, daß Kirchen, welcher Richtung auch immer – ich kann es nicht mit gleicher Gewißheit von unseren Synagogen und Moscheen sagen, aber ich beziehe sie mit ein –, ob nun im gotischen oder romanischen Stil errichtet, mit orientalischen Ziegeln oder aus rotem Backstein, im Innern immer gleich riechen. Ich glaube, es ist der Geruch von Kerzenlicht oder von Rechtschaffenheit, oder es kommt von jenen säuerlichen Ausdünstungen versammelter erhitzter Leiber, deren fromme Drüsengerüche sich Jahr für Jahr auf kalten Steinen niederschlagen. Ich weiß nicht, wie dieser Geruch entsteht, aber er hing auch hier in Grimshaws Studierzimmer, wo sich Regalbrett über Regalbrett Ausgaben des Book of Common Prayer reihten . . . jenes Grundsteins der Heiligung.

Wie Sie vermuten dürften, ließ ich von diesen Empfindungen nichts verlauten. Grimshaw hatte mich noch am Abend des Tages, an dem ich eine Nachricht gesandt hatte, bereitwillig empfangen. Ich wartete geduldig ab, bis er mit seinem Donnerwetter fertig war. Als es verebbte, er wieder auf seinem Stuhl saß und ruhig war, brachte ich Martins Namen zur Sprache. Von meinen Befürchtungen sagte ich nichts . . . nur daß er eines Tages mir gegenüber geäußert habe, sein Vater sei noch am Leben.

»Ja«, sagte Grimshaw, »das scheint eine seiner Sorgen zu sein.«

»Und Sie mißbilligen das?«

»Lassen Sie mich nur soviel sagen: Martin Pemberton ist eine jener verwirrten Seelen, die erst noch aufblicken müssen, um ihren Heiland zu gewahren, der sie mit offenen Armen erwartet.«

»Wann haben Sie Martin denn gesehen?«

»Eines Abends hat er laut an die Pfarrhaustür geklopft.«

»Und das wäre wann gewesen?«

»Während dieser heftigen Regenfälle. Im April. Er war der letzte, den im Pfarrhaus zu sehen ich erwartet hätte. Er wartete nicht ab, bis meine Haushälterin ihn angekündigt hatte, sondern drängte sich an ihr vorbei. Sein Äußeres war . . . verwahrlost, Gott stehe uns bei. Ein schmutzstarrender Mantel über den Schultern, sein Anzug verdreckt und zerrissen. Das halbe Gesicht von einer schlimmen Schramme entstellt. Und doch ließ er sich auf den Stuhl fallen, auf dem Sie gerade sitzen, ohne eine Erklärung anzubieten, vielmehr sah er mich unter gerunzelten Brauen an, als wäre er ein General und ich . . . etwas, das seine Soldaten im Kampf erbeutet hatten. Er sagte: ›Ich habe da etwas gesehen, das ich Ihnen beschreiben werde, Mr. Grimshaw, und dann stelle ich Ihnen die Fragen, auf die ich eine Antwort haben muß, und Sie werden annehmen, daß ich den Verstand verloren habe, darauf können Sie sich verlassen.‹ Das sagte er wörtlich. Tja, als er hereinstürmte, las ich gerade eine Monographie über bestimmte sumerische Keilschriftzeichen, die jüngst entziffert worden sind und von derselben Flut berichten, die in der Schöpfungsgeschichte beschrieben ist . . . Daß ich recht unsanft aus dem Sumerischen gerissen wurde, muß ich wohl kaum erwähnen.«

Hier warf mir der gelehrte Herr flink einen Blick zu, der besagte, daß ich als Zeitungsmann mir etwas so Famoses doch nicht entgehen lassen könne. Ich tat ihm den Gefallen und sagte, ich hätte nicht gewußt, daß er ein Bibelforscher sei.

»Ach, du meine Güte«, sagte er bescheiden und lächelte bedauernd in sich hinein, »gewiß nicht im engeren Sinne. Aber

ich korrespondiere ständig mit jenen, die es sind. Die Forschungen, zumal die europäischen, zur Schrift und zum Leben Unseres Herrn, zeitigen gegenwärtig recht aufregende
Erlebnisse. Dieser sumerische Text ist sehr bedeutsam. Falls
Sie meinen, Ihre Leser möchten vielleicht etwas darüber
erfahren, würde es mir keine Mühe machen –.«

»Was hatte er denn gesehen?«

»Gesehen?«

»Martin. Er hat zu Ihnen gesagt, er habe etwas gesehen.«

Das riß ihn ein weiteres Mal aus dem Sumerischen. Der
Geistliche faßte sich mit einem Räuspern. »Richtig. Wissen
Sie, ich habe über die Jahre eine gewisse Erfahrung erwor-
ben ... mit Seelen, die des Beistands bedürfen ... oft geben
sie sich ablehnend oder überlegen. Das war natürlich bei
Martin der Fall. Er ertrug es nicht, etwas von mir zu erbitten,
ohne mich zuvor zu verunglimpfen. Was sagte er noch
gleich? ›Ich bringe Sie mit dem Tod in Verbindung, Reverend, nicht nur weil Sie der Trauerredner der Familie sind,
sondern weil Sie der Priester eines Todeskults sind.‹ Können
Sie sich das vorstellen? ›Ihr Jesus besteht nur aus Tod und
Sterben, auch wenn Sie ihm ewiges Leben zuschreiben. Bei
jeder Kommunion wird auf archaische Weise an seinem Tod
partizipiert, und das beherrschende Bild von ihm, sogar das-
jenige, das Sie da auf der Brust hängen haben, stellt seinen
schmerzensreichen, qualvollen, endlosen Tod dar. Also bin
ich genau an der richtigen Stelle ... Sagen Sie, ist es tatsächlich wahr, daß die Römer selbst später die Kreuzigung ab-
schafften, ein paar Jahre post annum domini, weil sie so grau-
sam war, das Legenden darum entstanden?‹

Nun, es mag Sie überraschen, aber solch eine Christologie

ist mir keineswegs unbekannt. Glaube bekommt alles zu hören, Mister McIlvaine, der Glaube wird von solchen Herausforderungen nicht erschüttert, dem wahren Glauben ist der abscheulichste Dünkel erstaunlich vertraut . . . Zudem treten Sie nicht unter ein Dach Gottes, um zu lästern, es sei denn, Ihr Geisteszustand ist angegriffen. Ich glaube, ich war bereit, ihm zuzubilligen, daß er den Verstand verloren hatte, ohne überhaupt die Frage zu hören, die er mir stellen würde.

›Schön‹, sagte Martin, nachdem er lange zu Boden gestarrt hatte, ›sei's drum. Tut mir leid, wenn ich Sie gekränkt habe. Mir schwirrt der Kopf. Wahrscheinlich würde ich von allem lieber sprechen als . . . von der Sache, die mich hierhergeführt hat.‹

›Und das wäre, Martin?‹

Er beugte sich vor, starrte mir in die Augen und sagte in einem Ton, von dem ich nicht wußte, ob er ernst oder scherzhaft sein sollte: ›Hochwürden, können Sie schwören, daß mein Vater tot ist?‹

›Wie bitte?‹ sagte ich. Ich wußte nicht, wie er das meinte. Ich war entsetzlich beunruhigt. Mir gefiel überhaupt nicht, wie er aussah oder wie seine Stimme klang.

›Es ist doch ganz einfach. Wir sind entweder lebendig oder tot, eines von beidem. Ich fordere Sie auf, meinen Vater einzuordnen.‹ Als ich ihn weiter ansah und nicht wußte, was ich sagen sollte, hob er gereizt die Hände. ›O Gott, so gönne diesem Hirn doch ein wenig Licht – verstehen Sie noch Englisch, Doktor Grimshaw? Antworten Sie mir! Ist Augustus Pemberton, mein Vater, gestorben? Können Sie bei Ihrem Gott schwören, daß dies der Fall ist?‹

›Mein lieber junger Mann, das ziemt sich nicht. Ich bin der Freund und der Seelsorger Ihres Vaters gewesen. Ich habe ihm die letzte Ölung erteilt und unseren Herrn Jesus Christus angefleht, ihn in Gnaden aufzunehmen.‹

›Ja, aber ist er tot? Ich habe ihn nicht als Toten gesehen, das weiß ich!‹

›Mir scheint, Sie verlangen da einen Trost höchst ungewöhnlicher Art. Vielleicht erinnern Sie sich an die Trauerfeier . . .‹

›Sie hat vor diesem Tribunal keine Beweiskraft. Ihre beeidete Aussage, Dr. Grimshaw!‹

Ich hatte das Gefühl mit einem Wahnsinnigen zu sprechen, aber ich sagte ihm, leider sei es so. Sein Vater sei verschieden. Martin seufzte tief. ›Also, so schwer war das doch nicht, oder? Nun, da Sie das gesagt haben, berichte ich Ihnen von etwas, das geschehen ist, und Sie sagen dazu, was Sie zu sagen haben, und dann denken wir nicht mehr an die Sache. Und ich werde schlafen können.‹

Er schritt im Zimmer auf und ab und erzählte seine Geschichte . . . Sie war schon außerordentlich. Er ging auf und ab und redete genausoviel mit sich wie mit mir. Er schilderte alles so drastisch, in so lebhaften Farben, daß es mir vorkam, als sei ich dabeigewesen, an seiner Seite . . . An eben jenem Morgen ging er vor dem Regen den Broadway hinunter zum Printing House Square. Natürlich – zum *Telegram.* Zu Ihnen! In seiner Tasche steckte eine Buchbesprechung, die er geschrieben hatte. Schreibt Martin gut, schreibt er so gut, wie er spricht?«

»Er dürfte der beste Schreiber sein, den ich habe«, sagte ich wahrheitsgemäß.

»Nun, das will etwas heißen. Dann kann ich wenigstens über ihn sagen, daß ihn seine Geistesgaben ernähren. Er hat sein Handeln nie bereut, auch wenn es ihn das beträchtliche Erbe gekostet hat, das ihm zustand. Er hat die Verantwortung übernommen.«

Man sollte doch meinen, daß ein Mann, der sein ganzes Leben Predigten gehalten hat, einigermaßen gelernt hätte, bei einer Sache zu bleiben. Nun denn – wie er sagte und wie ich es wiedergeben werde: An jenem Morgen war mein Mitarbeiter unter regenschwerem Himmel unterwegs zu mir, seine neueste Rezension in der Tasche. Er ging den Broadway hinunter. Dort, auf der Hauptroute für den Handel, ging es wie gewöhnlich chaotisch zu. Kutscher ließen die Zügel schnalzen, Gespanne scheuten und Pferde fielen in jene unrhythmische Gangart, die sie haben, wenn keine freie Fläche vor ihnen liegt. Klappernde Hufe erzeugten auf dem Kopfsteinpflaster eine mißtönende Hintergrundmusik. Die Schreie der Wagenlenker, das Klingeln der Pferdebahnen und das Summen ihres Spurkranzes auf den Schienen. Die ratternden Räder, dröhnenden Planken unzähliger Kutschen, Omnibusse, Buggies und Blockwagen.

Auf der Kreuzung von Broadway und Prince Street rollte auf der gegenüberliegenden Fahrbahn ein weißer städtischer Pferdeomnibus stadtaufwärts, die Türen mit dem üblichen Landschaftspanorama bemalt. Kutschen, Omnibusse waren sehr häufige Fahrzeuge. Doch auf der dunkler werdenden Straße schien von diesem ein seltsames Leuchten auszugehen. Martin stand erstarrt da, als er vorüberfuhr. Die Fahrgäste waren ausschließlich alte Männer in schwarzen Überziehern und Zylindern. Ihre Köpfe nickten im Gleichklang, wenn das Fahrzeug im stockenden Verkehr bremste, weiter-rückte und wieder bremste.

Überall sonst herrschte die typische New Yorker Unge-duld – Brüllen, Fluchen. Ein Polizist mußte auf die Fahrbahn treten, um das Verkehrsgewühl zu regeln. Und doch saßen die alten Männer stoisch in sich gekehrt da, allesamt gleich-gültig gegenüber dem Tempo, mit dem sie vorwärtskamen, dem Krach, sogar der Stadt, durch die sie fuhren.

Ich versuche, bei diesem Bericht hier, Pembertons unmit-telbare Wahrnehmungen wiederzugeben. Sie sollten nicht vergessen, daß dieser Bericht von Dr. Grimshaws Hirn gefil-tert ist und viele Jahre in meinem Kopf geschlummert hat ... Martin wird von den Passanten fast umgerannt. Fuß-gänger stauen sich an der Kreuzung und drängen dann auf die Fahrbahn. Er klammert sich an den Laternenpfahl. In die-sem Moment spiegelt sich ein Blitz am Himmel in den gro-ßen Fensterscheiben einer gußeisernen Ladenfassade direkt auf der anderen Straßenseite. Es folgt ein Donnerschlag. Pferde bäumen sich auf, alle suchen rennend Unterschlupf, als die ersten dicken Regentropfen fallen. Martin hört das hastige Geflatter der Tauben, die in Kreisen über den Dä-chern aufsteigen. Ein Zeitungsjunge ruft die Schlagzeilen aus. Ein verstümmelter Veteran in den verdreckten Über-resten einer Uniform der Armee des Nordens hält Martin einen Blechbecher unter die Nase.

Raschen Schritts überquert Martin die Straße, um dem Omnibus zu folgen. Er fragt sich, was die alten, schwarz ge-kleideten Männer eigentlich an sich haben, daß er sich von seinen Geschäften ablenken läßt. Er erhascht noch einen weiteren Blick auf sie, wie sie in dem verdunkelten Wagen sitzen. Regen strömt ihm über den Hutrand. Er sieht wie durch einen Vorhang: Es liegt nicht so sehr daran, daß sie alt sind, stellt er fest, sondern mehr daran, daß sie krank sind. Sie haben das elende, geschrumpfte, sieche Aussehen seines Vaters während dessen letzter Krankheit. Ja, das kommt ihm so bekannt vor! Sie sind alte Männer, oder so krank, daß sie alt aussehen und gespenstisch weltvergessen. Sie hätten eine Trauergesellschaft sein können, nur die schwarzen Girlanden fehlten an dem Wagen. Falls sie trauerten, so Martins sonderbarer Eindruck, dann um sich selbst.

Es ist dunkel geworden, der Regen strömt, und es wird nun schwieriger, durch die Fenster ins Innere zu sehen. Martin zaudert, ob er nebenher laufen soll, was er leicht könnte, aber er bleibt zurück, weil er befürchtet, von ihnen gesehen zu werden ... obwohl er sicher ist, daß diese sonderbaren Passagiere nichts wahrnehmen – daß sie zu ihm hinausschauen und glatt durch ihn hindurchstarren könnten, ohne ihn zu sehen.

An der Tenth Street, vor der Grace Church, wo der Broadway abbiegt, wird der Verkehr dünner, und der Omnibus der alten Männer fährt schneller. Martin rennt, um mitzukommen. Die Pferde fallen in Trab. Er weiß an Dead Man's Curve am Union Square, wo die Fahrspuren breiter werden, wird er das Rennen verloren haben. Er stürzt auf die Straße, packt die Griffe an der hinteren Tür und schwingt sich auf die Trittstufen. Der Hut fliegt ihm davon. Der Himmel leuchtet grünlich. Der Regen strömt. Verschwommen zieht der Union Square vorüber – die Reiterstatue, ein paar Bäume, einige Leute, die sich dem Sturm entgegenstemmen. Widerstrebend, furchtsam, mit angehaltenem Atem späht er durch das Rückfenster in den Omnibus hinein . . . und erblickt in diesem Gespenstergefährt voller alter Männer . . . den Rücken eines Mannes mit den ihm vertrauten, gebeugten Schultern seines Vaters . . . und Augustus' faltigen Hals und daran den wohlbekannten Grützbeutel, die glatte, weiße eiähnliche Beule, die Martin von Kindheit an geängstigt hat.

Im nächsten Augenblick findet er sich auf Knien auf der Straße wieder, denn die Pferde sind plötzlich gezügelt und ebenso abrupt angepeitscht worden, als habe ihn der Kutscher auf dem Bock vorsätzlich abschütteln wollen. Er hört jemanden brüllen und schafft es gerade noch, sich aufzurappeln, um nicht niedergetrampelt zu werden. Er taumelt aufs Trottoir, seine Nase blutet, seine Hände sind aufgeschürft, die Kleider zerrissen und durchweicht, und nichts von all dem ist ihm bewußt, als er nordwärts durch den Regen dem entscheidenden weißen Pferdeomnibus nachblickt und »Vater! Vater!« flüstert und all die Liebe, die er je gefühlt hat, in einem Moment absoluter Gläubigkeit wieder auflebt.

»Vater! Vater!« rief Dr. Grimshaw mit seiner dünnen Tenorstimme. Er war durch seinen Bericht ganz außer Atem gekommen.

# 7

Wenigstens wusste ich nun, warum mein Mitarbeiter mit einem blutbefleckten Manuskript im *Telegram* aufgetaucht war. Im Interesse meiner Recherchen gestattete ich mir nicht, an seine Qual zu denken. Ich behielt sie nur im Kopf als etwas, das sämtliche Informationen, die ich zusammentragen konnte, vergrößern, verzerren oder in alle Regenbogenfarben brechen würde . . . In der Tat war dies nicht das erste – wie soll man es bezeichnen? – Gesicht gewesen. Das erste hatte sich einen Monat früher ereignet, im März, während eines heftigen Schneefalls, und Martin hatte später seiner Verlobten Emily Tisdale davon erzählt, jedoch im Zusammenhang mit den Schwierigkeiten zwischen ihnen, so daß sie nicht glauben konnte, irgend etwas werde so dargestellt, wie es wirklich war.

Doch darauf komme ich noch zu sprechen.

Als Grimshaw seinen Bericht beendet hatte, saßen wir für einige Augenblicke still da, bis er sich wieder gefaßt hatte. Dann fragte ich ihn, wie er auf Martins Geschichte reagiert habe. »Haben Sie tatsächlich gesagt, was Sie seiner Meinung nach dazu zu sagen hatten?«

»Ja, ich glaube schon. Ich empfand natürlich unermeßliches Mitgefühl ... Ich sage Ihnen offen, ich habe Martin nie geschätzt. Ich hielt seine Einstellung seinem Vater gegenüber für recht gewissenlos. Immer war er aufsässig gewesen, streitsüchtig – immer. Jedem gegenüber. Wenn er an die Tür von St. James klopfte ... dann mußte das schon ein Akt der Verzweiflung sein. Offenkundig bereitete ihm die Erscheinung seines Vaters geistige Qualen. Ein Phantomereignis, das von seinen Schuldgefühlen heraufbeschworen worden war. Nun, es konnte sich dabei um sein erstes blindes Tasten nach Vergebung handeln. Ich bin kein Nervenarzt, doch in der Seelsorge nicht eben unbewandert. Hier war etwas zu bewegen, hier bot sich für Christus eine Möglichkeit, denn warum sonst wäre der junge Mann zu mir gekommen?

Zunächst einmal fragte ich ihn, ob er sich wohl an irgendwelche Einzelheiten an dem Omnibus erinnere.

›Nur, daß es einer der weißen Busse der Städtischen Transportgesellschaft war.‹

Es sei doch ungewöhnlich, daß ein städtischer Pferdeomnibus nur eine bestimmte Art Fahrgäste befördere, erklärte ich ihm. Öffentliche Verkehrsmittel werden von jedermann genutzt – die Menschheit in ihrer ganzen Vielfalt drängelt sich in diesen Kästen.

›Da haben Sie natürlich recht‹, sagte er. Er lachte auf. ›War es dann ein Traum?‹ Er befühlte seine verschrammte Stirn. ›Doch, von blutsaugerischen Träumen habe ich schon gehört.‹

›Sie haben nicht geträumt‹, sagte ich. ›Wahrscheinlich hatte eine Loge oder Gesellschaft von Gelehrten den Omnibus gemietet. Das würde die Versammlung alter Männer erklären. Und gestürzt sind Sie tatsächlich, das sehe ich.‹

›Ich bin Ihnen ja so dankbar!‹ Er hatte nun wieder Farbe im Gesicht und hörte zu wie jemand, der sich gut unterhält.

›Und was die alten Männer angeht – sie verhalten sich überall so‹, sagte ich. ›Sie schlafen bei jeder denkbaren Gelegenheit ein, sogar, wie ich Ihnen versichern kann, während einer Predigt, und sei sie noch so eloquent.‹

›Schon wieder ein Punkt für Sie!‹ Er runzelte die Stirn und rieb sich die Schläfen. ›Bleibt nur mein Vater.‹

›Ihr Vater – oder sein Ebenbild, in der Dunkelheit durch Regenschlieren gesehen . . . Ich kann nur sagen, daß die Wiederauferstehung gemäß der christlichen Lehre wahrhaft eine solche Ausnahme darstellt, daß sie sich in der Geschichte bislang nur einmal ereignet hat.‹ Sehen Sie, ich meinte, ein wenig Leichtfertigkeit sei vielleicht nicht fehl am Platz. Ich glaubte, er werde den Scherz goutieren, aber eigensinnig wie immer erhob sich Martin von seinem Stuhl und sah finster auf mich herab. ›Ich muß Sie um Verzeihung bitten, Reverend, so töricht wie die meisten Ihres Standes sind Sie nicht. Ich hatte befürchtet, Sie wären vielleicht einer der Pastoren, die insgeheim an Séancen teilnehmen. Sie tun das nicht, habe ich recht?‹

›Nein, da kann ich Sie beruhigen.‹ Er nickte. ›Da bin ich aber froh. Wir sollten einmal miteinander plaudern. Sie glauben doch nicht etwa, ich hätte einen Geist gesehen, oder?‹

›Nicht einen Geist‹, sagte ich und blickte dabei geradeaus. ›Ich meine, wir müssen nach der Erklärung für das, was Sie gesehen haben, in Ihrer Geschichte suchen.‹ Dies brachte ihn auf. ›In meinem Oberstübchen, wollen Sie sagen? In meinem armen heimgesuchten Oberstübchen? Da sollen wir suchen?‹ Er legte die Hände flach auf meinen Schreibtisch, beugte sich mit dem Gesicht weit zu mir herüber und starrte mir in die Augen – eine äußerst rüde, gewalttätige Geste, wie ein Schläger, wie ein gemeiner Straßenräuber. ›Dann suchen Sie mal, wenn Sie wollen, Hochwürden. Und lassen Sie mich wissen, was Sie da gefunden haben.‹ Und damit riß er die Tür auf und war fort.«

Der Tee wurde serviert. Reverend Grimshaw goß ein, und als er mir die Tasse über den Schreibtisch reichte, klirrte sie auf der Untertasse. Seinen Bericht stellte ich nicht in Frage. Er war von jener wohlüberlegten Genauigkeit, die ein Opfer aufbietet. Immer spürte man den Zusammenstoß zweier Kulturen, wenn jemand mit Martin in Kontakt kam, als brächte er seine Gewitter mit, wofür er auch kam. Grausamer noch, er hatte mit dem alten Geistlichen ein Spiel getrieben, sich bestätigen lassen wollen, daß die ganze Sache nur eine Täuschung gewesen war – »Sie werden sagen, was Sie zu sagen haben, und dann kann ich ein wenig schlafen« –, und als er die Bestätigung prompt erhielt, hatte er das Grimshaw verübelt.

Ich fragte mich jedoch auch, ob Martin nicht vielleicht daran geglaubt hatte – ob nicht der eigentliche Zweck seines Besuchs gewesen war, dem alten Mann in die Augen zu schauen und herauszufinden, inwiefern der ein Lügner war. Grimshaw hatte die Trauerrede auf seinen Vater gehalten. Jede Mauer von St. James war mit Pemberton-Geld gespickt. Die alten Familien waren entflohen, der einstige Leibeigene auf Zeit jedoch war treu geblieben. Martins Vision war stimmig – und ihr Hintergrund war die lärmerfüllte, unauffällige Alltäglichkeit einer ganz normalen Szene in New York. Augustus Pemberton befand sich unter den Lebenden. Er war der alte Mann, der zweimal gesehen worden war, als er in einem öffentlichen Omnibus durch die Straßen von Manhattan fuhr. Das wußte ich zu jener Zeit noch nicht, vom zweiten Mal sollte ich erst noch hören, doch es war begreiflich, selbst wenn Wahnsinn als eine der Erklärungen, die meinem Mitarbeiter zur Verfügung standen, vorzuziehen gewesen wäre ... denn schlimmer als der Verdacht, er sei wahnsinnig, war schließlich das Wissen, daß er es nicht war ... daß nichts, was Grimshaw sagte, etwas daran ändern konnte, daß es eine reale Erfahrung gewesen war, und als der Reverend andeutete, die Lösung stecke in den Vorstellungen, in die sich Martin hineingesteigert hatte, da war die Möglichkeit für Christus und den heilenden Einfluß der Seelsorge vertan.

All dies hing mehr, als Grimshaw wußte, mit jenen fanatischen Sandwich-Männern zusammen, die durch die Straßen zogen und seine Kirchentreppe für ihre Andachtsübungen nutzten. Ein Prophet des Tausendjährigen Reichs Christi hätte die Vison von dem weißen Omnibus verstanden, seine Hände auf Martin Pembertons Kopf gelegt, ihn auf dem Pflaster von New York auf die Knie gedrückt und lauthals den Herrn gepriesen, der diesem jungen Mann die Kraft gegeben hatte, Satan wahrzunehmen und das Böse zu erkennen, in welch hinterhältig liebender Gestalt es auch auftrat ... und hätte damit nicht weit gefehlt. Charles Grimshaw dagegen dürstete hinter seinen Mauern in seinem Pfarrhaus, dessen Kirchturm im Schatten von Fabriken lag, nach historischer

Verifizierung für die Worte der Schrift. Er hatte recht, wenn er in der sumerischen Schilderung der Sündflut im Gilgamesch-Epos ein gutes Thema für das *Telegram* vermutete. Wir brachten ständig solche Lückenbüßer – wie alle Zeitungen: Mrs. Elwood, eine englische Reisende, berichtete, daß sie im Morgengrauen bei Kosseir am Ufer des Roten Meers gestanden und die Sonne über dem Wasser nicht in der gewohnten Form habe aufgehen sehen, sondern in Form einer schimmernden Säule. Das brachten wir unten auf Seite eins . . . als eine Bestätigung der Feuersäule, die vierzig Jahre lang den Israeliten in der Wüste geleuchtet hatte. Doch das war für die im Glauben Unvollkommenen unter unseren Lesern. Ob Grimshaw wohl begriff, daß die Suche nach Bestätigung der uralten Aussagen zu katastrophaler, alles verdunkelnder . . . Versündigung führen konnte?

Ich hatte nichts gegen den guten Reverend, außer daß er verbraucht war wie alle; und seine Religion besaß keine Autorität mehr . . . es sei denn als ein sein tägliches Leben und Verhalten regelndes und seine Wahrnehmungen ordnendes System. Damals in den siebziger Jahren war die Phrenologie der letzte Schrei, und natürlich war sie Unsinn, aber als Ordnungssystem für Wahrnehmungen taugte sie genausogut. Aus den Schädelformen konnte man auf drei Grundtemperamente schließen, wobei Martin mit seinem leichten Körperbau, doch hohen klugen Stirn dem mentalen Temperament angehörte – Grimshaw war ein schwächer ausgeprägtes Exemplar davon –, während die beiden anderen das begehrliche Temperament (eine Beschreibung von dem asthenischen Knochenbau, dem reizlosen Antlitz und verläßlichen logischen Denken des verblichenen Präsidenten und vielleicht auch von meinem störrischen, schottisch-irischen Charakter) sowie das vitale Temperament waren, welches die fleischliche, lebensfrohe Gier und Vulgarität von jemandem wie Harry Wheelwright bezeichnete. Natürlich waren dies die Merkmale in ihrer reinen Ausprägung, wohingegen die meisten Leute, nicht so rein, Anteil an mehr als einem Temperament hatten, und es kam auch auf die Frage an, ob nicht für das weibliche Geschlecht besondere Schädeldeutungen erforderlich seien ... Es war absoluter Quatsch, ohne den geringsten wissenschaftlichen Wert, aber eine praktische Denkfigur, wie die Astrologie oder die Aufteilung der Zeit in die sechs Wochentage und den Sonntag. Ich will Ihnen noch einen Lückenbüßer vorführen: 1871 fanden Archäologen am Monte Circeo an der Küste des Tyrrhenischen Meers eine heilige Höhle mit Gebeinen und entdeckten den Schädel eines Neandertalers, der inmitten eines Kreises aus Steinen zwischen den Knochen von Hirschen, Pferden, Hyänen und Bären begraben war ... das Schädeldach war vom Kiefer und vom Stirnbein abgetrennt und als Trinkgefäß gebraucht worden. Und so erfuhren wir endlich, wie alt Gott war – so alt ... wie der Totenkult des Volks aus dem mittleren Paläolithikum vor der letzten Eiszeit.

Nachdem Martin aus dem Pfarrhaus gestürmt war, griff Grimshaw zur Feder und schrieb der Witwe Pemberton auf ihrem Landsitz am Hudson in Piermont, New York, einen Brief, in dem er sie davon unterrichtete, daß seiner Ansicht nach der Geisteszustand ihres Stiefsohnes gefährdet sei, was, vielleicht auf Grund von Schuldgefühlen, eine quälende Sinnestäuschung ausgelöst habe. Er legte ihr nahe, daß er jederzeit bereit sei, sie aufzusuchen, wenn sie sich in Manhattan aufhalte, oder mit dem größten Vergnügen die Fahrt nach Ravenwood zu unternehmen . . . so hieß der Landsitz . . . In jedem Falle aber möge sie versichert sein, daß er als Diener Christi der Familie Pemberton zur Verfügung stände wie eh und je. Dies war ein vernünftiger Schritt, doch offenbar der einzige, den er unternahm. Er hatte Martin am Abend desselben regnerischen Tages gesehen, an dem ich ihn gesehen hatte, und in dem mehr oder weniger selben abgerissen, blutigen Zustand. Und er hatte sich seitdem nicht bemüht, ihn wiederzusehen. Welcher Art also war sein Glauben, wie tief seine Besorgnis? Sarah Pemberton hatte auf seinen Brief nicht geantwortet, was mir zu denken gegeben hätte, ihn aber offenbar nicht so erstaunte, als daß er seine Bemühungen wiederholt hätte. War er nur verbraucht . . . bis zum Niveau von Laien? So daß er dem rüden, herablassend ironischen jungen Mann letztlich doch nicht vergeben konnte? Oder bestand da eine zwingende Loyalität dem Vater gegenüber, der Drang, irgend etwas zu beschützen, was ich mir nicht vorstellen konnte, was in mir jedoch die Vorstellung weckte von einem Hund, der seinem verlorenen Herrn nachbellt?

Es war dunkel, als ich das Pfarrhaus verließ. Grimshaw begleitete mich hinaus und blieb mit mir im Kirchhof stehen. Im Licht von der Straße warfen die alten Grabsteine Schatten. Um sie herum wuchs das Gras, das nicht gemäht worden war.

»Welches ist denn Mr. Pembertons Grab?«

»Oh, er ruht nicht hier. Und er wäre auch nicht auf dem Kirchhof bestattet, sondern im Mausoleum beigesetzt worden, das den Gemeindeältesten vorbehalten ist. Ich habe es ihm angeboten, aber er lehnte ab. Er meinte, er sei dessen nicht würdig.«

»Das hat Augustus Pemberton gesagt?«

Grimshaw lächelte befriedigt, das gleiche ängstliche, gewinnende Lächeln, das ihn durch all die Arten von Freud und Leid geführt hatte, die Tag und Nacht die vielen Jahre seines Pastorats durchzogen hatten. »Wer ihn nicht kannte, ist überrascht, wenn er von Augustus' Demut hört. Ich räume ein, daß er sich nicht immer – wie soll ich sagen? – so selbstlos verhielt, wie es ihm möglich gewesen wäre. Doch so ist es. Nein, auf seinen eigenen Wunsch hin liegt er in Fordham bestattet, auf dem Friedhof von Woodlawn.«

Nun, das ist doch wenigstens ein feiner Ort, dachte ich bei mir. Zu jener Zeit war das die blaublütigste unserer Begräbnisstätten, der geweihte Boden der Elite. Offenbar war Dr. Grimshaw nicht gesinnt, sich zu fragen, warum der Mann, der in seinem langen Leben seine Bande zur Kirche von St. James nicht gekappt hatte, sie angesichts der viel längeren Dauer seines Todes aufgab.

# 8

EMILY TISDALE WAR BEREIT, mich zu empfangen, weil sie von mir als Martins zeitweiligem Auftraggeber wußte und annahm, ich hätte eine Nachricht über ihn, wenn nicht gar von ihm, und könnte ihr sagen, wo er war. Da ich in Wirklichkeit dies aber von ihr erhoffte, brauchte ich nur eine Sekunde, um zu begreifen, daß die junge Frau, die vor mir saß und deren intelligente braune Augen weit aufgerissen waren in Erwartung der Neuigkeiten, die ich brächte, den Kopf jedoch im Vorgefühl, es könnten schlechte Neuigkeiten sein, eine winzige Spur abgewendet hielt, nicht mehr wußte als die Verfasserin jener ungeöffneten blauen Velimbriefe, die ich in der Greene Street gesehen hatte, wo sie mit den Ecken in der Asche des Kamins steckten.

Ich stattete ihr meine Visite an einem Sonntagnachmittag ab. Wir saßen in einem Raum mit hoher Decke und gebohnerten breiten Dielen, der mit bequemen Sofas, Sesseln und schönen abgenutzten Teppichen eingerichtet war. Dies war kein protziger Raum. Ein Lüftchen hob die Gardinen vom

Fenstersims und trug durch das große offene Fenster gelegentlich die Geräusche einer vorüberfahrenden Kutsche und die Schreie spielender Kinder herein. Die Wohnhäuser am Lafayette Place waren harmonisch aufeinander abgestimmt, alle im Unionsstil und mit einem kleinen Vorgarten, der von einem niedrigen schmiedeeisernen Zaun umgeben war. Die mit Säulen geschmückten Eingänge lagen nicht einige Stufen über dem Niveau der Straße, sondern auf deren Höhe. Dies war ein Viertel der alten Stadt, das sich dem Fortschritt noch nicht gebeugt hatte, wenn das auch wenige Jahre darauf geschehen sollte.

Miss Tisdale war zierlich, aber resolut, und gab sich freimütig und unaffektiert. Auch wenn sie keine Schönheit war, gewann sie durch ihre hohen Wangenknochen, die helle Haut, die leicht schräg stehenden Augen und die melodische Stimme, die dazu neigte, auf den Höhepunkten der Sätze reizvoll zu brechen. Die üblichen Taktiken weiblicher Selbstdarstellung interessierten sie anscheinend nicht. Sie trug ein dunkelgraues Kleid, schlicht geschnitten und mit weitem Kragen. Daran war eine Kameenbrosche befestigt, die sich wie ein kleines Schiff auf See kaum merklich mit ihrem Busen hob und senkte. Ihr braunes Haar war in der Mitte gescheitelt und hinten mit einer Spange gefaßt. Sie saß auf einem Stuhl mit gerader Rückenlehne und hielt die Hände im Schoß gefaltet. Ich fand sie bezaubernd. Merkwürdigerweise hatte ich dadurch jedoch das Gefühl, in Martin Pembertons Privatleben in einem Maße einzudringen, das er unerträglich gefunden hätte. Emily Tisdale war immerhin die Seine. Oder womöglich doch nicht? Mit mir hatte sich der Kreis der um Martin Besorgten vergrößert, bislang war sie allein gewesen . . . und so machte sie mich recht bereitwillig zu ihrem Vertrauten. »Zwischen uns stand es nicht zum besten. Als ich Martin zum letzten Mal sah, sagte er: ›Ich lebe immer mit dieser Last, daß du auf mich wartest. Immer muß ich mir sagen, Emily wartet auf mich. Begreifst du denn nicht, welche Hölle dir bevorsteht? Entweder ich bin wahnsinnig und sollte eingewiesen werden, oder über allen Pembertons schwebt ein Verhängnis.‹ Lauter solche schwülstigen, wagnerianischen Dinge . . . daß die Pembertons eine Familie von Verdammten seien, die einer grausigen Unterwelt entstammten und verflucht seien, dorthin zurückzukehren . . . Wie reagiert man auf so etwas?«

»Er hatte seinen Vater gesehen«, sagte ich.

»Ja, er hatte den verblichenen Mr. Pemberton in einem Omnibus durch die Stadt fahren sehen.«

»Auf dem Broadway, meinen Sie«, korrigierte ich sie.

»Nein, nicht auf dem Broadway. Als er am Wasserreservoir an der Forty-second Street vorbeiging. Es schneite.«

»Es schneite? Wann war das?«

»Im März. Während des großen letzten Schneefalls.«

Bis Martin sich ihr schließlich anvertraute, war der Schnee geschmolzen, und in New York herrschte Frühling, man merkte es daran, daß Krokusse, Gladiolen und Fingerhutsträuße auf den Blumenkarren am Washington Market feilgeboten wurden und die Stutzer begonnen hatten, ihre Traber auf dem Hippodrom oben in Harlem rennen zu lassen. Da nun das Wetter milder geworden war, nahmen die Leute ihre Gepflogenheit wieder auf, Besuche abzustatten, und so suchte auch Martin Emily in ihrem Hause auf und erklärte ihr nachdrücklich, sie könne alle Hoffnungen, je einen

Heiratsantrag von ihm zu erhalten, fahrenlassen, weil – jedenfalls insoweit sie seiner Logik folgen konnte – Augustus Pemberton noch auf Erden weile.

Ich muß Ihnen sagen, daß ich diesen früheren Vorfall ominöser, deutlich noch bestürzender fand als den anderen. Warum, weiß ich nicht genau. Es gab dabei kein so entsetzlich präzises Detail wie den Grützbeutel am Hals des alten Mannes . . . Martin geht im Schatten der Staumauer des Wasserreservoirs auf der Forty-second Street ostwärts, dem Wind entgegengebeugt, eine Hand am Kragen. Aus den Schneeböen, die über die Hauptverkehrsstraße wehen, taucht ein Fahrzeug auf, ein öffentlicher Omnibus. Martin blickt hin. Die Pferde galoppieren, und obwohl der Kutscher, in einen langen Pelzmantel gehüllt, sie noch mehr anpeitscht, ziehen sie würdevoll und lautlos vorüber. In einer Wolke von aufgewirbeltem Schnee gleitet der Wagen vorbei . . . Und in dem reifbedeckten Fenster sieht Martin wie gestochen das Gesicht seines Vaters Augustus, dessen starrer, gleichgültiger Blick ihn im selben Moment streift. In der nächsten Sekunde hat der Schneesturm die ganze Equipage verschluckt.

Nun setzte das Frösteln ein. Martins Stiefel waren gefroren. Sein Offiziersmantel schien die Feuchtigkeit aus der Luft aufzusaugen. Der fallende Schnee roch metallisch, wie maschinell erzeugt, und als Martin zum milchig weißen, flockigen Himmel aufsah, kam es ihm vor wie ein . . . industrieller Vorgang. So berichtete er es Miss Tisdale.

Sie seufzte und saß noch gerader auf ihrem Stuhl.

Ich bin, wie Sie wissen, ein alter, lebenslänglicher Junggeselle, und Leute meines Schlags verlieben sich in der Tat sehr leicht. Und natürlich stumm und geduldig, bis es vorüber ist. Ich glaube, ich habe mich an jenem Tag in Emily verliebt. Sie brachte mich auf eine Theorie . . . auf die Idee, daß sich in Amerika unbemerkt ein exotischer Protestantismus herausgebildet hat. Ich meine – sollte es so etwas wie eine Sinnlichkeit der Tugend geben, sollte keusche, standhafte Loyalität ein physisches Paradies verheißen, dann war das hier bei diesem Mädchen mit gebrochenem Herzen der Fall.

Ich stellte fest, daß ich meinem freien Mitarbeiter übelnahm, wie er sie behandelte. Sie sah mich mit wachem Blick an. Sie habe sich in der Lehrerinnenbildungsanstalt an der Sixty-eighth Street eingeschrieben, sagte sie, mit dem Ziel, Kinder an öffentlichen Schulen zu unterrichten. »Meinen Vater schockiert das sehr. In seinen Augen ist der Lehrerinnenberuf nur etwas für Frauen aus der Arbeiterklasse – völlig unpassend für die Tochter des Begründers der Tisdale Eisenwerke! Aber ich bin dort so glücklich. Ich habe alte Geschichte, physikalische Geographie und Latein belegt. Ich hätte auch Französisch wählen können, ich kann ein wenig Französisch, aber Latein liegt mir. Nächstes Jahr belege ich die moralphilosophischen Vorlesungen, die Professor Hunter hält. Nur etwas ist hart – wir haben wöchentlich eine Wiederholungsstunde in englischer Grammatik und – grauenhaft! – Arithmetik. O je, im Rechnen werden die Kinder sich noch über mich lustig machen.«

Hier kam ihr Vater herein, und sie stellte mich vor. Mr. Tisdale war ein schon alter Mann mit weißem Haarkranz, der sich die hohle Hand hinter das Ohr hielt, um besser zu hören. Er war einer dieser ledrigen, sehnigen Yankees, die ewig leben. Wie es alte Leute an sich haben, unterrichtete er mich umgehend über alles, was ich über sein Leben wissen sollte. Mit lauter Stimme vertraute er mir an, daß er, nachdem Emilys Mutter bei der Niederkunft gestorben war, nie wieder geheiratet, sondern sich ganz der Erziehung seines Kindes gewidmet habe. Emily warf mir einen stummen Blick der Abbitte zu. »Sie ist das Licht meines Lebens, mein Trost und Stolz bis an das Ende meiner Tage«, sagte ihr Vater, als wäre sie nicht im Raum. »Da sie aber ein sterbliches Geschöpf ist, kann ich nicht von ihr erwarten, vollkommen zu sein. Sie ist schon vierundzwanzig und, wenn ich so sagen darf, störrisch wie ein Maultier.«

Er spielte auf einen Heiratsantrag an, den Emily abgewiesen hatte. »Sie wären meiner Meinung, Sir«, sagte er, »wenn ich Ihnen den Namen der Familie nennen würde.«

Irgendwie gelang es seiner Tochter, uns taktvoll, aber nachdrücklich zu entschuldigen, indem sie sich erkundigte, ob ich nicht den Garten sehen wolle. Ich folgte ihr durch einen Flur zur Rückseite des Hauses in einen großen Salon mit breiten, bleiverglasten Flügeltüren, die auf eine Granitterrasse führten. An der Balustrade blieben wir stehen.

Was sie den Garten genannt hatte, war in Wirklichkeit ein privater Park, der sich über das gesamte Areal hinter den Stadthäusern am Lafayette Place erstreckte. Ein gewundener Kiesweg führte durch ordentliche Blumenrabatte, und schmiedeeiserne Bänke luden im Schatten von Bäumen zum Sitzen ein. Es war ein malerischer, beschaulicher Ort mit Sonnenuhren auf Postamenten, Vogelbädern und einer bröckelnden Ziegelmauer, die schon seit langem von Efeuranken erobert worden war. Hier und dort in der Mauer befand sich eine Bogennische mit der Büste eines verwitterten, blicklosen Römers.

»Gleich nebenan, in Nummer zehn, haben die Pembertons gewohnt. Als Martins Mutter noch lebte. Wir liefen in beiden Häusern ständig ein und aus, wir machten da keinen Unterschied. Der Garten hier war unser Spielplatz«, sagte Emily.

So paradiesisch hatte es also begonnen. Ich blickte hinaus und stellte mir Emily und ihren Martin vor, den Drang ihrer jungen Seelen, sich aufzuschwingen, ich hörte ihre Stimmen, die in diesem Garten vom Morgengrauen bis zur Abenddämmerung so munter zwitscherten wie die Vögel ... und dachte an das Privileg der Kindheit, wenn man Liebe erlebt, ohne zu wissen, daß sie so heißt. Kann denn die Liebe, die man später erfährt, je mächtiger sein? Gibt es im Erwachsenenalter eine Liebe, die sich nicht nach jener zurücksehnte?

»Ich fürchte um meinen Freund«, eröffnete sie mir. »Was kommt es schon darauf an, wo er den Omnibus mit seinem Vater sieht ... in seinem Kopf oder in der Welt ... wenn es ihn gleichermaßen quält? Ich möchte Sie um einen Gefallen bitten. Lassen Sie mich bitte wissen, wenn er Ihnen schreibt oder wieder nach einem Auftrag fragt. Würden Sie das tun?«

»Umgehend.«

»Martin hat sich immer furchtbar wenig um das eigene Wohlergehen gekümmert. Ich will damit nicht sagen, daß er jemand wäre, der leicht vor einen Zug liefe. Er ist nicht zerstreut. Aber er neigt zu fixen Ideen. Seine Überzeugungen werden übermächtig und scheinen dann fast ein Eigenleben in ihm zu führen ... wo andere Leute lediglich ... Ansichten haben. Er ist unbesonnen, vermessen unbesonnen. Er war schon immer so. Auch als Kind war er nicht unterwürfig.

75

Ihm fiel alles mögliche auf, und er wies darauf hin. Oft waren es komische Dinge. Er konnte wundervoll Leute imitieren, als wir Kinder waren, er machte Erwachsene nach – die Köchin mit ihrem irischen Akzent und wie sie sich die Hände an der Schürze abtrocknete, die sie erst hochhob ... und den Polizisten, der hier in unserer Straße patrouillierte, die Fußspitzen nach außen und eine Hand auf dem Knüppel, als hätte er ein Schwert im Gürtel stecken, und den Kopf nach hinten geneigt, damit der Helm ihm nicht über die Augen rutschte.«

Es machte sie glücklich, über ihren Martin zu sprechen, und für eine kurze Weile konnte sie über ihn plaudern, als wäre nichts geschehen – wie es Menschen, die Kummer haben, gerne tun.

»Martin war ein Schelm! Er parodierte auch Mr. Pemberton, meistens, indem er ihn als irgendein Tier darstellte ... Das war wirklich komisch. Natürlich hörte das alles auf, als er älter und schwermütiger wurde ... bis auf das eine Mal, als er – damals war er schon auf dem College – mit dem Brief zu mir kam, durch den er enterbt wurde ... er hatte sein parodistisches Geschick überhaupt nicht verlernt! Ich fand, da sei eine Katastrophe passiert, aber Martin stand vor mir und las den Brief mit der knurrenden Stimme seines Vaters vor, stolperte wie sein Vater über gewisse Wörter, die offenkundig von einem Anwalt aufgesetzt worden waren ... und amüsierte sich damit, die schwierigen Wörter zu wiederholen, mit wutgeschwellten Adern auf der Stirn, die Unterlippe vorgestülpt wie eine Bulldogge ...«

Nun, ich gebe hier Dinge wieder, die mir eine Frau, die vor vielen Jahren jung war, geschildert hat – bei all dem sollte

Ihnen bewußt bleiben, daß ich Ereignisse beschreibe, deren einziger überlebender Zeuge offenbar ich bin. Aber bei jenem Besuch, da bin ich mir ziemlich sicher, begriff ich, daß mein launenhafter, hervorragender Mitarbeiter sich keinesfalls aus freien Stücken von seinem Pensionszimmer und seinem Job absentiert hatte . . . und von seiner Emily . . . die, trotz der Briefe, die er in den Kamin geworfen hatte, unausweichlich die wundervolle Gefährtin in all seinen Kümmernissen blieb, die Gefährtin, die er verlassen, doch zu der er zurückkehren mußte, die einzige, die ihn kannte, die Zwillingsseele. Und ich überlegte mir, daß eine städtische Behörde, wenn sie von diesen Umständen erführe, Martin Pemberton zu Recht für vermißt erklären würde.

# 9

EINEN LEICHT ABWEICHENDEN BERICHT über Martins Erlebnis
im Schatten der Reservoirmauer sollte ich noch hören . . .
wie er es Harry Wheelwright dargestellt hatte und dieser es
sehr viel später, nachdem alles vorüber war, mir erzählte.
Zuerst war Martin vom Anblick der Kutsche nicht sonderlich überrascht. Er hielt sie für eine Halluzination, die auf die
hinter ihm liegende Nacht zurückzuführen war. Er hatte allen Grund, an eine Einbildung zu glauben, es war sehr früh
am Morgen, und Martin mag nicht ganz nüchtern gewesen
sein . . . nachdem er die Nacht in einer Schenke an der West-
side mit einem jungen Dienstmädchen verbracht hatte,
dessen Seele nichts anderes kannte als Dienst . . . so daß . . .
eine delikate Sache . . . so daß er, als sie vor ihm kniete, er
ihren Kopf hielt und die Bewegungen ihrer Kiefermuskeln
sowie das rhythmische Saugen ihrer Wangen spürte, in sich
die Anmaßung seines Vaters entdeckte, die Grausamkeit seines Vaters, die sich grinsend im Dunkeln erhob, als bräche
die ererbte Bestie aus ihm hervor . . . und er empfand nicht

Lust, sondern die Brutalität eines Mannes, den er haßte wie keinen anderen.

Erst später kamen ihm Zweifel. Er kam zu der Überzeugung, Kutsche und Fahrgast mußten so echt gewesen sein, wie sie ihm erschienen waren. In derselben Weise, wie wir alle mit unseren Krankheitssymptomen verfahren, sie abwechselnd leicht und ernst nehmen, erlebte er zyklisch seine Qualen, mal seinem Geist, mal der Außenwelt entspringend, und zwischen beiden pendelnd – wenn auch hektischer, stelle ich mir vor . . . mit seinem rasenden Sinneswandel wie ein elektromagnetischer Motor.

Ich muß Ihnen hier gestehen, daß ich an jede düstere Vision zu glauben bereit war, wenn sie sich am Croton-Wasserreservoir zutrug. Das heute natürlich verschwunden ist. Dort steht nun unsere öffentliche Bibliothek. In jenen Jahren jedoch überragten die massiven, efeubedeckten Mauern eine Gegend, in der eine erhabene Stille herrschte . . . Die wenigen Residenzen aus dunklem Sandstein und Marmor auf der anderen Seite der Fifth Avenue hielten hochmütig Distanz zur lärmenden Geschäftigkeit im Süden. Nur einen Block weiter nördlich wohnte unser Mr. Tweed und wahrte das gleiche Schweigen. Es war ein unheimliches Ding, dieses Reservoir. Die aus erratischen Blöcken gefügten Mauern waren acht Meter dick und ragten, sich nach oben verjüngend, dreizehn Meter in die Höhe. Das Bauwerk war im ägyptischen Stil gehalten. Die Ecken wurden von kurzen Türmen in der Form einer stumpfen Pyramide betont, und die Mitte jeder langen Mauer durch Tempeltore markiert. Man ging hindurch, stieg über eine Treppe zum Mauerkamm hinauf und kam im Himmel heraus. Aus dieser Höhe schien die aufsteigende Stadt vor sich etwas zurückzuziehen, das keine Stadt war, sondern eine rechtwinklige schwarze Wasserfläche, ja eigentlich eine geometrische Unstadt.

Ich räume ein, dies war meine ganz persönliche Empfindung. Die New Yorker liebten ihr Reservoir. Arm in Arm spazierten sie wohlgemut über die Mauerbrüstung. Sehnten sie sich im Sommer nach einer Brise, hier wehte sie. Der leiseste Windstoß kräuselte das Wasser. Kinder schickten ihre Spielzeugschaluppen auf große Fahrt. Der Central Park, ein gehöriges Stück weiter nördlich gelegen und noch nicht fertiggestellt, bestand aus Schlammlöchern, Gräben und Wällen aus aufgeschütteter Erde – ein Park nur in den Augen seiner Planer. So war für uns das Reservoir das Idyllischste, was wir hatten.

Aber ich bin empfänglich für Architektur. Ungewollt kann sie das Monströse der Zivilisation zum Ausdruck bringen. Als Komplizin und Verkörperung der Ideale geregelten menschlichen Lebens kann sie Grauen erwecken. Und dann geschieht etwas, das ihr entspricht, möglicherweise ihrem bösen Einfluß entspricht . . .

Einige Jahre, bevor Martin im Schatten der Reservoirmauer entlangging, rutschte am Westrand ein Junge von den runden Steinen ab und ertrank. Ich war dabei, ich ging parallel zur Fifth Avenue auf dem Mauerkamm entlang – mit der einzigen Frau, die zu heiraten ich je ernstlich erwogen habe. Fanny Tolliver hieß sie, eine großmütige, liebenswerte Frau mit einem herrlichen Schopf kastanienbraunen Haars, die mich sehr amüsant fand . . . jedoch nur wenige Monate darauf einem Herzversagen erliegen sollte . . . Es war nicht ersichtlich, was passiert war, ich hörte Schreie, Leute rannten umher. Gleißendes Sonnenlicht lag auf der Wasserfläche. Und dann, als wir uns der Brüstung näherten, klärte sich die Szene . . . Das Kind wurde an den Füßen von einem Mann aus dem Wasser gezogen, der . . . das habe ich seitdem für mich entschieden . . . einen Bart trug, und dieser bärtige Mann hüllte das Kind in seinen Überzieher und hastete mit ihm direkt an uns vorbei die Treppe zur Straße hinunter, wo – das sah ich, als ich mich über die efeubewachsene Mauer beugte – dieser . . . Schwarzbart in Hemdsärmeln eine wartende Droschke herbeirief und dann mit seiner Last über das Kopfsteinpflaster der Avenue südwärts davonratterte – zu einem Krankenhaus, nahm ich an. Doch dann kam wankend die Mutter des Jungen auf die Mauerbrüstung gestürzt, raufte sich schreiend das Haar, schluchzte. Es ging um ihr Kind und den Mann, der gesagt hatte, er sei Arzt, kannte sie überhaupt nicht . . . Und Fanny sank auf die Knie, um die verstörte Mutter in die Arme zu nehmen, und in der Nachmittagssonne sah ich auf dem glitzernden Wasser das Spielzeugboot des Kleinen dahinsegeln, wie ein Klipper auf hoher See, noch immer auf dem Kurs, den das Kind bestimmt hatte, der Bug hob und senkte sich in den kleinen Wellen, und die Segel blähten sich in der sanften Junibrise, während das Schiffchen inmitten der Diamantsplitter von Licht und Wasser tanzte.

Wer die Leute dort auf der Mauerpromenade waren, wie sie hießen, wo sie wohnten, welche Umstände sie dort zusammengeführt hatten, ob der Junge überlebt hat oder gestorben ist, ob der Schwarzbart nicht nur ein Kidnapper, sondern auch ein Mörder war: das sind Fragen, auf die ich keine Antwort weiß. Ich berichte, das ist mein Beruf, ich berichte so, wie ein lauter Knall von einer Feuerwaffe kündet. Ich habe den Ereignissen meines Lebens und meiner Zeit die Stimme geliehen und von den ersten schüchternen Artikelchen des Schreiberlehrlings an habe ich gelobt, dies gut und wahrheitsgemäß zu tun, bis zum heutigen Tag. An jenem Sonntag am Wasserreservoir aber war ich nicht dazu in der Lage; es sollte kein Bericht von mir darüber im *Telegram* erscheinen.

Erinnerungen gewinnen, wenn man sie sich jahrelang immer wieder von neuem vor Augen führt, an Leuchtkraft, sie verknüpfen sich miteinander . . . man feilt an ihnen und versteht sie immer besser . . . bis schließlich die Dinge, die man als geschehen in Erinnerung hat und die auch wirklich geschehen sind, nicht mehr und nicht weniger sind als . . . Visionen. Der Fairneß halber muß ich Sie warnen: Was ich berichte, sind heute die Visionen eines alten Mannes. Aus ihrer Gesamtheit ergibt sich eine Stadt, eine große Hafen- und Industriestadt des neunzehnten Jahrhunderts. Ich steige in diese Stadt hinab und finde die Menschen, die ich kennengelernt habe und um deren Leben ich fürchte. Ich berichte Ihnen, was ich sehe und höre. Die Bewohner dieser Stadt nennen sie New York, aber Sie mögen dem nicht zustimmen. Sie finden vielleicht, daß diese Stadt sich zu Ihrem New York von heute wie das Negativ eines Panoramas verhält, auf dem Licht und Schatten vertauscht . . . die Jahreszeiten umgekehrt sind . . . wie eine gleichartige Stadt von der anderen Seite.

Die Szene jenes Tages hat sich mir unauslöschlich eingeprägt, ist jedoch in dem versiegelt, was ich mitgeteilt habe, und die Augenblicke danach vermag die Gedächtniskraft nicht mehr heraufzubeschwören – was wir unternahmen, was wir jener Frau anboten, wohin sie ging. Das macht es für mich nicht leichter, nun zu bekennen, daß ich damals stellvertretender Chef vom Dienst meiner Zeitung war.

Aber gibt es denn eine Straße, eine Gegend, eine Stelle in der Stadt, die nicht irgendwann zum Schauplatz verheerenden Unheils wird, wenn man nur lange genug wartet? Die Stadt bringt Unheil, muß es. Die Geschichte akkumuliert es – zugegeben. De facto war das Reservoir ein Wunder der Ingenieurkunst: Hoch oben im Staat New York wurde der Croton River durch einen Damm gestaut, das Wasser floß in Röhren durch Westchester, überquerte auf einem von fünfzehn römischen Bögen getragenen Aquädukt den Harlem River und erreichte an Fifth Avenue und Forty-second Street den Speicher. Sobald er in Betrieb war, verminderte sich die Gefahr bei Bränden beträchtlich – Pumpstationen wurden errichtet, und die Feuerwehrleute verfügten nun über Wasser, das unter Druck stand, und waren städtische Angestellte. Es war also dringend notwendig, unser Reservoir. Entscheidend für eine moderne Industriestadt.

Zufällig war ich jedoch bei der Einweihung dabei, an einem 4. Juli. Unsere unbestechliche Regierung hatte Jahre gebraucht, bis sie uns damit beglückte – erst muß das Geld frei fließen, bevor das Wasser fließen kann – Jahre, in denen Männer mit Zylinderhüten über Plänen brüteten, die Arme hoben, auf dieses oder jenes deuteten und den unerschütterlich zu Diensten stehenden Ingenieuren Anweisungen erteilten . . . Sprengungen, das Hallen von Spitzhacken auf dem Schiefer von Manhattan . . . Karrengespanne, die unter Schotterladungen ächzten . . . Ein umgekehrter Tempelbau . . . Und hier haben wir nun den jungen McIlvaine in seinen ersten Monaten als Berichterstatter über monumentale Neuigkeiten. Sein mageres Gesicht ist blank und faltenlos . . . er braucht zu dieser Zeit seines Lebens noch keine Brille . . . Es ist der Unabhängigkeitstag des Jahres 1842. Vom Krieg zwischen den Staaten trennen uns noch zwei Jahrzehnte . . . Der junge Reporter steht auf dem erhöhten Rand eines gewaltigen kubischen Kraters. Er hat den Geruch von nassem Sand in der Nase, die naßkalten Ausdünstungen frischen Mauerwerks. Auf dem südlichen Damm sind in feierlichen schwarzen Reihen die Vertreter des städtischen Lebens in all seinen Schattierungen angetreten – der Bürgermeister, frühere Bürgermeister, Möchtegern-Bürgermeister, Stadträte, Bevollmächtigte für dieses und jenes, Schwätzer von der Handelskammer, politische Handlanger und andere arme Zeitungsteufel. Und nachdem pathetische Reden von rücksichtsloser Länge geschwungen worden sind, Oratorien der Selbstbeweihräucherung, wird das Band zerschnitten, die Räder werden gedreht, die Schleusentore öffnen sich, und das Wasser donnert herein . . . als wäre dies überhaupt kein Reservoir, sondern ein Taufbecken für die gigantische Absolution, deren wir als Volk bedürfen.

# 10

Ich bin mir nicht sicher, warum ich es als meine Pflicht emp-
finde, Ihnen eine Ahnung davon zu vermitteln, in welchem
Rahmen sich diese Sache abgespielt hat, in welchem Grade
mein Bewußtsein jeweils von regulären Pflichten in Anspruch genommen worden war oder gar davon, wie ich
diese expandierende, pulsierende Stadt erlebte, die ihre un-
bändigen Energien in alle Himmelsrichtungen verströmte
te ... nur daß all dies natürlich bezeichnend und höchst
bedeutsam für die Geschichte war, der ich nachspürte, so
wie jeder beliebige Punkt auf dem Kompaß Sie zum Mittel-
punkt der Erde führt ... Wahrscheinlich wäre es sogar gerechtfertigt, wenn ich Ihnen alle zwölf Seiten unseres Blattes
aus mehreren Nachkriegsjahren Tag für Tag vortrüge, von
den Schiffahrtsmeldungen bis zu den Berichten über den
Getreide- und Baumwollhandel, über die an der Börse ge-
machten und verlorenen Vermögen, die neusten techni-
schen Wunderwerke unserer Erfinder, die Mordprozesse,
die Gesellschaftsskandale, die politischen Nachrichten aus

Washington und die ach so ruhmreiche Ausrottung von Völkerstämmen im Westen. Doch hier geht es um eine lokale Angelegenheit, eine lokale Angelegenheit . . . und ich sollte mich an die Straßen hier halten, ob sie nun gepflastert sind oder erst, wie in den nördlicheren Stadtbereichen, mit Schnüren über lehmigem Grund markiert. Auf jeden Fall werden Sie feststellen, daß wir stets genau das entdecken müssen, was wir bereits wissen.

Irgendwann in diesen Wochen, im Mai oder Anfang Juni, begannen die Arbeiter in verschiedenen Industriezweigen spontan ihre Arbeitsplätze zu verlassen, um für die Idee des Achtstundentags einzutreten. In der Tat war der Achtstundentag schon einige Jahre zuvor von der Legislative gesetzlich festgelegt worden, doch die Arbeitgeber in unserer Stadt hatten das einfach ignoriert . . . und nun legten Brauereiarbeiter, Mechaniker, Zimmerleute, Maurer, Schmiede ihr Werkzeug nieder, nahmen ihre Lederschurze ab und gingen auf die Straße. Selbst die gleichgültigen Bürger der Flügel- und Klavierfabrik Steinway ließen alles stehen und liegen. Überall in der Stadt versammelten sich Männer in Sälen, hielten Reden, marschierten durch die Straßen, organisierten in Windeseile Streikposten, und Polizeieinheiten wurden entsandt, die diese Versammlungen auflösen, diese Demonstranten verhaften, diesen Rednern die Köpfe einschlagen sollten – diesen Friedensstörern, die sich weigerten, für einen ehrlichen Tageslohn ein ehrliches Tagewerk zu leisten. Am dritten Tag wurden die Ereignisse in unserer Schlagzeile ›Generalstreik‹ genannt. Ich beobachtete grimmig meinen Redaktionssaal, damit sich nur ja kein Reporter den Lustbarkeiten anschlösse. Statt dessen schwärmten sie über ganz

Manhattan aus und kamen wieder, um ihre Kriegsberichte abzuliefern. Von der Elizabeth Street bis hinaus zum Gaswerk, von den Schlachthöfen mit ihren an Haken hängenden Rinderkadavern an der Eleventh Avenue bis zur Water Street mit ihren Werften, lieferten sich Polizisten und Arbeiter Schlachten. Ich stand am offenen Fenster meines Büros und bildete mir ein, ich könne im Hintergrund eine Art Gesang vernehmen, als blickte ich über eine Wald- und Feldlandschaft, mit murmelnden Bächen und zwitschernden Vögelchen in den Wipfeln.

Unser Verleger diktierte für die erste Seite einen Leitartikel des Inhalts, daß die infamen kommunistischen Ideen der ausländischen Arbeiterinternationalen schließlich doch im amerikanischen Boden Wurzeln geschlagen hätten. Andere Blätter verliehen ähnlichen Empfindungen Ausdruck. Nach ein paar Wochen und einer Reihe von symbolischen Vereinbarungen, die im wesentlichen alles so beließen, wie es war, beruhigte sich die Lage, und jedermann ging wieder zur Arbeit. Ich erwähne dies hier nur, um Ihnen nachdrücklich vorzuführen, was für ein Realist ich bin . . . und wie hart diese Stadt, historisch betrachtet doch ist . . . daß sie damals die gleichen Zustände erlebte wie heute, daß sich ein Teil von ihr zur Maßlosigkeit aufschwingen und wieder absinken kann – eine Stadt von Seelen, über deren Erregungen zu berichten sich immer schon gelohnt hat, die immer jenen nervösen, stimmgewaltigen, erschöpfenden und doch unerschöpflichen Gefechten verfallen waren, die einen New Yorker kennzeichnen, selbst wenn er gestern erst von Bord gegangen ist. Dies ist meine Warnung, falls Sie allmählich meinen sollten, ich gedächte aus dem weißen Omnibus, in dem der alte Pemberton passenderweise eben durch jene Straßen fährt, in denen sich zufällig gerade sein Sohn aufhält, so etwas wie . . . eine spiritistische Erscheinung zu machen. Für mich ist ein Geist ein so müder, abgenutzter Phantasieartikel wie der papistische Dünkel von Freund Grimshaw. Derlei Banalitäten verabscheue ich allesamt. Ich erzähle eine Geschichte – es ist eine Erfahrung, die ich selbst gemacht habe, eine wahrheitsgemäße Wiedergabe der Ereignisse und Erklärungen, Behauptungen, Proteste und Gebete der Seelen: alles stelle ich so dar, wie ich es gesehen oder gehört habe . . . so daß mein Leben gänzlich mit dem Erzählten verwoben ist und kein Faden für andere, mir möglicherweise vorschwebende Zwecke übrigbleibt. Ich würde mich doch nicht einer uralten Konvention wegen solcher Risiken aussetzen, da sei der Himmel vor. Dies ist keine Gespenstererzählung. Eigentlich verwende ich nicht einmal zu Recht das Wort *Erzählung* . . . Wüßte ich ein anderes Wort, das nicht etwas von Menschen Verfaßtes bezeichnete, sondern vielmehr eine ehrfurchtgebietende Lektion des Himmels, hier würde ich es gebrauchen . . .

Falls Sie sich jedoch hinter dem Salonglauben verschanzen, dann möchte ich Sie daran erinnern, daß nach Ihren eigenen Maximen Geister nicht in Scharen auftreten. Geister sind von Natur aus Einzelgänger. Zweitens wohnen sie an bestimmten Orten, als da sind Speicher, Kerker oder Bäume. Sie spuken seßhaft – sie lassen sich nicht abkommandieren, einsammeln und in öffentlichen Omnibussen durch die Stadt kutschieren.

Nein, die Welt, die ich hier im flachen Licht der Wirklichkeit vor Ihnen entfalte, ist die Welt auf Zeitungspapier mit

ganz gewöhnlichen, normalen, alltäglichen Dampferunter-
gängen, Boxkämpfen, Rennergebnissen, Zugunglücken und
Zusammenkünften der Vereine für moralische Reformen, all
dies ereignet sich gleichzeitig mit dieser geheimen, in denselben Zeilen unsichtbar gegenwärtigen Geschichte. Jeden Tag
kaufte ich auf dem Weg zur Arbeit eine Blume von einem
kleinen Mädchen namens Mary, das mit einem Korb zerzau-
ster Vortagsblumen am Arm vor dem *Telegram*-Gebäude
stand. Die Pemberton-Sache war aus etwas ebenso Norma-
lem und Alltäglichem entstanden ... so normal wie die
kindlichen Vagabunden, die mitten unter uns und um uns
herum existierten, doch Welten von uns getrennt und jenseits unseres Bewußtseins. Blumen-Mary nannten wir die
Kleine. Scheu und würdevoll betrieb sie ihren Handel, eine
Range mit einer Fülle ungewaschener brauner Locken, in
einem zerlumpten Kittelkleidchen und den Schnürstiefeln
und rutschenden Strümpfen eines Jungen. Man konnte sie
zum Lächeln bringen, als ich ihr aber einmal Fragen stellte –
wo sie wohne und wie sie mit Nachnamen heiße –, erstarrte
das Gesichtchen, und mit der Andeutung eines Knicks war
sie verschwunden.

Alle hatten sie ihre Familiennamen eingebüßt, diese her-
umstreunenden Blumen-Marys, diese Jacks, Billys und Ro-
sies. Sie verkauften Zeitungen oder Blumen vom Vortag, sie
zogen mit den Drehorgelspielern umher und übernahmen
die Rolle des Äffchens, sie verdingten sich bei den Austern-
oder Süßkartoffelverkäufern. Sie bettelten – in jeder warmen
Nacht schwärmten sie in die Straßen und Hintergassen der
Hurenviertel aus. Sie wußten, wann in den Theatern der
Vorhang fiel und wann die Leute aus der Oper kamen ... Sie

erledigten in Werkstätten die Dreckarbeit und bereiteten sich am Ende des Tags ihr Lager auf dem Werkstattboden. Sie machten Botengänge für die Unterwelt, leerten Spülwassereimer, trugen leere Bierkrüge in die Kneipen und schleppten sie gefüllt zurück in die Behausungen ihrer Beschützer, die sie je nach Laune mit einer Münze oder einem Tritt bezahlten. Mehr als nur ein Bordell war auf sie spezialisiert. Oft tauchten sie in den Krankenhäusern und kirchlichen Hospizen auf, so verstört von den Mißhandlungen, denen sie ausgesetzt gewesen waren, daß sie nicht mehr verständlich sprechen, sondern nur noch geduckt in ihren Lumpen dahocken und die freundlichsten Krankenschwestern oder Philanthropen mit abgründiger Angst anstarren konnten.

Diese Bälger – oder Straßenratten, wie wir sie nannten – waren so alltäglich und unauffällig wie Pflastersteine. Meine Beschreibung der Szene, in der Martin Pemberton in seinem Offiziersmantel unter einem bedrohlich düsteren Himmel den Broadway hinunterschreitet, wäre genauer ausgefallen, wenn ich auch die Ladenbesitzer in weißen Schürzen dargestellt hätte, die ihre Markisen herunterlassen, den Kofferhändler, der seinen Regenschirmständer vor die Ladentüre schiebt, einen Millenarier, der sich langsam zwischen den Kauflustigen hindurchbewegt und seine von Gott geschriebenen Fünf-Cent-Broschüren zwischen die Finger gewickelt hält, die ruhelosen Tauben, die unentwegt vom Trottoir aufflattern . . . und die Kinder, die allgegenwärtigen, nur den eigenen Befehlen gehorchenden Kinder, die sich zwischen Trauben von Broadwaypassanten hindurchschlängeln, nur flüchtig durch einen wirren Haarschopf oder einen verstohlenen Blick zurück auffallen und im nächsten Moment unsichtbar werden, als wäre nicht Luft das Medium, in dem sie sich bewegen, sondern dunkles strömendes Wasser.

Natürlich hatten wir Missionsheime, Kinderhilfsvereine, Waisenhäuser und Gewerbeschulen, aber diesem Überschuß einer auf Hochtouren laufenden Demokratie waren sie nicht gewachsen. Auf jedes von Vater, Mutter oder Vormund als vermißt oder ausgerissen gemeldete Kind kamen hundert Kinder, deren Verschwinden von zu Hause allenfalls mit einem Fluch oder Achselzucken registriert worden war. Als Langweiler offenbarte sich da der Leitartikler, der noch eine weitere Untersuchung zu dem Problem forderte, als naiv der Politiker, der seinen Kollegen sozialpolitische Vorschläge zum Schutz der Jugend unterbreitete. Die Öffentlichkeit fand an dem Thema keinen Geschmack, so wenig wie eine Herde von Wiederkäuern sich versammeln würde, um zu beraten, was zu tun sei, wenn einer aus ihrer Schar von Wölfen gerissen und verspeist worden war.

So war die Welt, in der dieser geisterhaft weiße Omnibus verkehrte. Es war eine harte Welt, aber sind wir heute denn weniger hart? Die entsetzlichen Versäumnisse einer Gesellschaft wechseln von Epoche zu Epoche, werden aber, auch wenn es der jeweiligen Generation nicht völlig verborgen bleibt, doch eher geduldig hingenommen . . . Für gewisse empfindsame fromme Zirkel erfüllten solche Kinder die unergründlichen Ratschlüsse Gottes. Für moderne Leute zitierte man Darwin und die Gesetze der Natur. So waren das Blumenmädchen Mary, die Zeitungsjungen und all die übrigen Bettelkinder, die unter uns lebten, Verluste, die unsere Gesellschaft tolerieren konnte. Wie die Natur war unsere Stadt verschwenderisch und produzierte genügend Reich-

tum, um schwere Verluste ohne merklichen Schaden zu überstehen. Mit solchen Nebenkosten war beim Geschäftema-
chen zu rechnen, und unterdessen schritt der Selektionspro-
zeß innerhalb der menschlichen Gattung erbarmungslos
voran, und New York strebte, wie eine noch nie dagewesene
Lebensform, blindlings nach Vollendung.

Nichts davon war mit dem Verschwinden meines freien
Mitarbeiters Martin Pemberton unvereinbar. Tag für Tag
kaufte ich meine zerzauste Zinnie und ging zur Arbeit . . .
und während ich meine Zeitung machte, mir aus Ausschnit-
ten, Kabeldepeschen und angebotenen Artikeln das Welt-
bild zusammenklaubte, das ich für meine Leser erfinden würde, während ich meine Aufträge erteilte und meine Befehle
bellte, um an die Nachrichten zu kommen, die ich bringen
mußte, weil alle anderen sie brachten, jedoch auch, um an die
Nachrichten zu kommen, die ich bringen mußte, weil keiner
sonst sie brachte . . . nahm zugleich meine nebulöse Geschichte insgeheim Gestalt an, löste sich auf, verwandelte
sich und löste sich von neuem auf, während ich ihre denkbaren Formen erwog.

Noch immer scheute ich davor zurück, Harry Wheelwright aufzusuchen. Ich erinnerte mich an die dunkle An-
spielung in dem Gespräch zwischen Martin und ihm, von
dem ich im St. Nicholas Hotel einige Fetzen mitangehört
hatte. Als Martins Freund und Vertrauter stand er unter dem
Verdacht, ein Mitverschwörer zu sein. Sollte er wissen, wo
Martin steckte, würde er es mir nicht sagen. Sollte er es nicht
wissen, konnte er es mir auch nicht sagen. In beiden Fällen
konnte er arglistig Wissen oder Nichtwissen vortäuschen.
Oder sein Hang zur Ironie würde ihn dazu verleiten, mir le-

diglich das anzuvertrauen, was ich seiner Meinung nach bereits wußte. Einem solchen Burschen wollte ich mich nicht ausliefern – er war nun einmal nicht die Person, der man unbewaffnet gegenübertrat.

Doch ich entdeckte mich dabei, wie ich an Sarah Pemberton dachte . . . daß sie Dr. Grimshaws Brief nie beantwortet hatte. Ich wußte nichts über das Verhältnis zwischen ihr und ihrem Stiefsohn, aber selbst wenn es kaum vorhanden oder sehr oberflächlich war, wie konnte sie denn ein Schreiben, in dem Martins Geisteszustand als bedroht geschildert wurde, völlig ignorieren? War sie aus dem gleichen Holz wie ihr Mann geschnitzt, war dies eine durch und durch und für alle Zeit kampfwütige Familie? Doch selbst dann mußte es für diese Unhöflichkeit einem besorgten Pastor – einem erwiesenen Freund ihres Gatten – gegenüber einen Grund geben. Auch falls jede Verbindung zwischen Sarah Pemberton und Martin abgerissen war, würde sie doch antworten, und sei es nur, um eben dies zu erklären.

Die Lösung lieferte der Reverend selbst. In einem kurzen Schreiben informierte er mich, daß er nunmehr mit Mrs. Pemberton zusammengetroffen sei, die im Hause von Mrs. Thornhill, der Schwester ihres verstorbenen Mannes, an der East Thirty-eighth Street zu Besuch sei. Dies also war die banale, tröstliche Erklärung. Sarah Pemberton und ihr Sohn Noah hielten sich nicht in Ravenwood auf, und der Brief hatte sie schlicht mit einiger Verzögerung erreicht. Jedenfalls hatte sie Grimshaws Beobachtungen von Martins Geisteszustand durchaus ernst genommen und darüber mit . . . Emily Tisdale gesprochen. Nun hoffe sie, schrieb mir der Reverend, auf meinen Besuch, »damit man die Frage erörtern« könne.

Nun war ich also mittendrin, ich, der ich mich ehrlich als Außenstehender fühlte ... aber ich muß gestehen, es schmeichelte mir auch, daß man mich in den privaten Gedankenaustausch zwischen Familie, Verlobter und Seelsorger einbezog. Ich richtete es so ein, daß ich meinen Besuch am frühen Abend machte, als die letzte Ausgabe des *Telegram* unter den Armen der Heimkehrenden steckte.

Mrs. Thornhill bewohnte in der East Thirty-eighth Street das Haus Nummer sechzig, das in einer Reihe von Stadthäusern aus dunklem Sandstein stand, an einem von Bäumen gesäumten Trottoir. Dies war eine von wohlhabenden Leuten bevorzugte Wohngegend im Norden der Stadt ... übrigens nur ein paar stille Querstraßen vom Reservoir entfernt. Ich weiß nicht, wie ich mir eine Stiefmutter vorgestellt hatte, aber Sarah Pemberton war das holdeste, friedfertigste Geschöpf, das man nur finden kann, eine reife Schönheit von Ende Dreißig, würde ich sagen, äußerlich von ihren Schicksalsprüfungen nicht gezeichnet, fraulicher als die reizvolle, aufrichtige Miss Tisdale, fülliger und größer von Gestalt und von unerwartet sanftem Wesen. Sie hatte hellblaue, klare Augen. Ihr dunkles Haar trug sie in der Mitte gescheitelt und an den Schläfen glatt anliegend. Eine wundervoll gewölbte, klare, alabasterweiße Stirn ... wie die Behausung einer Seele. Sie war eine gelassene, gutaussehende Frau, eine von jenen, die ihre anmutige Erscheinung fast ohne eitlen Aufwand wahren ... von unangestrengter Grazie wirkte sie in jeder Hinsicht harmonisch, ungezwungen und sprach mit einer melodischen Altstimme – und doch machte all dies auf mich letztlich einen sonderbaren Eindruck, in Anbetracht der Umstände, die mir bald mitgeteilt werden sollten.

»Soll ich Kaffee oder Tee kommen lassen? Sie murren zwar, aber sie bringen ihn.«

Ich nahm an, sie meinte Mrs. Thornhills Dienstboten, die ihre Loyalität vermutlich nicht auf Gäste des Hauses übertrugen.

Die Atmosphäre war bedrückend. Sehen Sie, wir hatten Sommer, der Unabhängigkeitstag lag noch nicht lange zurück – von der Droschke aus war mir aufgefallen, daß manche Leute noch das rote und blaue Seidenpapier mit den brennenden Kerzen dahinter auf den Fenstersimsen hatten. Der Salon war mit einem Plüschsofa ausgestattet, mit mosaikgeschmückten Beistelltischen, Petitpoint-Sesseln, die zu schmal waren, als daß man bequem darauf hätte sitzen können, und ziemlich schlechten, europäischen Landschaftsgemälden. Das Erkerfenster verhüllten tiefdunkelrote Draperien. Dieser Raum machte keinerlei Zugeständnisse an den Sommer.

»Mrs. Thornhill ist schon sehr vorgerückten Alters«, sagte Sarah erläuternd. »Sie ist empfindlich gegen Zug und klagt häufig über Kälte.« Dann tadelte sie sich lächelnd selbst. »Wissen Sie, wir alten Witwen sind nun einmal so.«

Ich fragte sie, seit wann sie ihren Stiefsohn nicht mehr gesehen habe.

»Seit ein paar Wochen . . . einem Monat vielleicht. Ich nahm an, er sei beschäftigt. Er sagt, er wird nach Wörtern bezahlt. Da wäre schließlich jeder sehr beschäftigt, nicht wahr? Ich nahm an, Sie nähmen ihn so in Anspruch, Mr. McIlvaine.«

»Leider nicht.«

»Seit ich mit Dr. Grimshaw gesprochen habe, kann ich nur hoffen, daß Martin das tut, was er immer schon getan hat . . .

sich in die Einsamkeit zurückzuziehen. Das hat er schon als Junge gemacht. Er brütet, er schmollt. Ich kann nicht glauben, daß ihm etwas widerfahren könnte, das er nicht unter Kontrolle hat.«

»Mir hat er erzählt, und Grimshaw auch . . .« Ich zögerte. ». . . sein Vater lebe noch, ich weiß. Mein armer Martin. Sie müssen bedenken, daß durch den Tod von Augustus alles zwischen den beiden ungeklärt geblieben ist. Er ist gestorben, ohne daß es zu . . . der Versöhnung kam, die sein Sterben für sie beide leichter gemacht hätte. Bei Martin führte das seitdem zu mehreren Phasen von . . . Trauer sonderbarer Art. Man kann das schwer erklären. Im Leben dieser Familie hat es immer beängstigende Spannungen gegeben.«

Dann faßte sie für mich die Familiengeschichte zusammen.

Ein Jahr nach dem Tod seiner ersten Frau hatte Augustus Pemberton Sarah einen Heiratsantrag gemacht, den sie annahm. Aus welchen Kreisen sie selbst stammte, erwähnte Sarah nicht, aber sie nannte mir ihren Mädchennamen: van Luyden. Die van Luydens zählten zu jenen alten holländischen Familien Neu-Amsterdams, die als Tabakpflanzer reich geworden waren, als Manhattan-Tabak noch ebenso geschätzt war wie Virginia-Tabak. Im Verlauf von zwei Jahrhunderten war ihr Vermögen jedoch dahingeschwunden. In bestimmten Kreisen mußte Sarahs Verbindung mit Augustus Pemberton viel Aufsehen . . . und Bedauern . . . erregt haben – wenn es in der Gesellschaftschronik auch keinesfalls an Präzedenzfällen mangelte, daß eine reizende junge Frau sich mit einem draufgängerischen, dreißig Jahre älteren Neureichen verband.

Als neuen Wohnsitz für sie beide hatte Augustus das Landhaus in Piermont erbaut – auf einem Felsvorsprung über dem Hudson, zwanzig Meilen nördlich von Manhattan – und es hochtrabend nach den Raben benannt hatte, die in der Gegend zahlreich vorkamen. »Martin hat unter dem herrischen Naturell seines Vaters sein Leben lang gelitten«, sagte sie. »Ich habe über die Jahre hin selbst meine Erfahrungen damit gemacht . . . Sein Trost war seine Mutter. Unsere Hochzeit, so bald nach ihrem Tod, empfand er als Verrat am Andenken seiner Mutter. In diesem Alter ist man besonders verwundbar, wenn man seine Mutter verliert . . . Ich hoffte, ich könnte sie ihm mit der Zeit ersetzen.

Als Ravenwood fertiggestellt war, verkaufte Augustus das Haus am Lafayette Place, in dem Martin geboren und aufgewachsen ist . . . ohne zu bedenken, sein Sohn könnte anderes im Sinn haben, als mit zu uns zu ziehen. Der Junge weigerte sich. Er würde seine Schulkameraden verlieren und so fort . . . das einzige Leben, das er kannte. Augustus gab nach und meinte, so sei es ihm ebenso recht. Martin wurde an der Lateinschule in Pension gegeben, und von da an – er war damals vierzehn – lebten sie getrennt. Ich mußte mich an diese . . . Männerfamilie erst gewöhnen. Ob es mir gelungen ist, weiß ich noch immer nicht recht.

Martin besaß jedoch einen flinken Verstand und ein natürliches, jungenhaftes Ehrgefühl . . . das machte ihn mir lieb. Ich überredete ihn dazu, in den Ferien nach Ravenwood zu kommen. Ich habe ihm regelmäßig geschrieben und ihn mit Büchern und Kleidung versorgt. Das stimmte ihn zwar in seinem Urteil über mich milder, verbesserte aber sein Verhältnis zu Augustus nicht im geringsten.«

Sarah Pembertons Wangen röteten sich, als sie von dem großen, endgültigen Bruch berichtete. Martin studierte zu der Zeit bereits an der Columbia University. Im dritten Jahr schrieb er für ein moralphilosophisches Kolleg eine Arbeit über die Geschäftspraktiken gewisser Privatunternehmer, die während des Krieges die Unionsarmee beliefert hatten . . . und wies nach, daß sie Kriegsgewinnlerei betrieben, Waren von minderer Qualität geliefert hatten und so fort. Um dies zu dokumentieren, benutzte er als zentrales Beispiel das Handelskontor von Augustus. Mein Gott, wie mich das beeindruckt hat. Es war so brillant . . . unverfroren, finden Sie nicht? Sich als Reporter die eigene Familie vorzunehmen? Später habe ich versucht, mir die Arbeit zu beschaffen . . . Ich nahm an, sie müßte in irgendeinem Archiv der Universität aufbewahrt sein. Aber dort behaupteten sie, sie nicht zu haben.

Jedenfalls erhielt Augustus – so wenigstens hat Sarah Pemberton es mir erzählt – eine Reinschrift zugesandt und wurde vom Verfasser höflich aufgefordert, zu seiner Verteidigung eine Erklärung abzugeben, die, so wurde ihm versichert, in die Endfassung aufgenommen werden würde. »Natürlich war das unverschämt von Martin, aber ich hoffte doch, man würde sich diplomatisch mit ihm einigen können. Ein Blick auf meinen Mann sagte mir, daß dies nicht in Frage kam. Ich hatte Augustus noch nie so aufgebracht erlebt. Der junge Mann wurde nach Ravenwood beordert, und er war kaum im Haus, als ich hörte, wie ihn sein Vater schmähte. Ein . . . Grünschnabel und Schwachkopf sei er . . . habe keine Ahnung von der Realität, über die er so geschwind seine anmaßenden Urteile fälle. Augustus hatte tatsächlich vor einem

Kongreßausschuß in Washington ausgesagt, wie Martin geschrieben hatte ... jedoch nicht als vorgeladener Zeuge, sondern, wie er sagte, auf eine schlichte Einladung hin, die er als Gentleman und Patriot unverzüglich angenommen habe. Mehrheitlich habe der Ausschuß entschieden, die Vorwürfe, die gegen seine Firma erhoben wurden, seien unbegründet. Anderenfalls hätte der zuständige Staatsanwalt in New York Klage erhoben. Es gebe aber keine Anklage. Und Martin sei es in seinem moralphilosophischen Traktat gelungen, die Tatsache unerwähnt zu lassen, daß sein Vater unter den Unternehmern und Lieferanten war, für die Präsident Lincoln in Anerkennung ihrer Verdienste um die Union ein Essen im Weißen Haus gegeben hatte.

Auf diese Argumente hatte Martin schockierende Dinge zu erwidern. Er behauptete ... Augustus wäre zweifellos angeklagt worden, hätte er nicht sowohl den Mitgliedern des Kongreßausschusses wie auch der New Yorker Staatsanwaltschaft bedeutende Summen zukommen lassen ... Das Essen im Weißen Haus habe zu einem Zeitpunkt stattgefunden, als die belastenden Tatsachen noch nicht herausgekommen waren, und es habe ein Präsident dazu eingeladen, der das Böse zwar aus einiger Entfernung wahrnehmen könne, nicht aber, wenn es von hinten herankrieche. Da stand mein Mann auf und ging sichtlich voller Zorn auf Martin los – Augustus war stämmig, breitschultriger als sein Sohn – so daß ich dazwischentreten mußte.

Ich wünschte, ich hätte den erregten Wortwechsel nie gehört – Martin brüllte, daß Augustus mit Schund Handel triebe, sei noch die geringste seiner Sünden, und daß er ihm, wenn er mehr Zeit gehabt hätte, auch noch ein Seefahrtsunternehmen hätte nachweisen können, das . . . Sklaven-schiffe ausgerüstet habe . . . Und Augustus versicherte ihm mit erhobener Faust, er sei ein erbärmlicher . . . heimtücki-scher, verlogener . . . *Hund,* um nur das harmloseste Wort wiederzugeben . . . und wenn die Columbia University im Namen der Bildung solche Verleumdungen gutheiße, dann sei sie keine Universität, der er einen Beitrag für Unterricht und Logis zu zahlen bereit sei.

Wissen Sie, Mr. McIlvaine, ich komme aus einem sehr . . . stillen Haus. Ich war das einzige Kind. Nie habe ich erlebt, daß meine verstorbenen Eltern in all den Jahren, die sie zu-sammenlebten, die Stimme erhoben hätten. Ich kann Ihnen nicht sagen, wie bestürzt ich war über diesen . . . offenen . . . Krieg. Ich wußte nichts über Augustus' Geschäfte. Bis zum heutigen Tag weiß ich nicht, was von all dem stimmte und was nicht. Aber Augustus verstieß seinen Sohn . . . verstieß ihn auf der Stelle, enterbte ihn und versicherte ihm, daß er nie einen Cent des Erbteils zu Gesicht bekommen werde, das ihm zugestanden hätte. Und Martin sagte . . . ›Dann bin ich erlöst!‹ Und stürmte aus dem Haus und ging zu Fuß zum nächsten kleinen Bahnhof, denn die Kutsche für ihn zu ru-fen, hat Augustus mir verboten.«

»Und damit war es aus?«

»Damit war es aus. Abgesehen davon, daß ich meinen Mann hintergangen und Martin aus meiner eigenen Schatul-le Geld gesandt habe, damit er sein Studium beenden konn-te . . . und als er dann für die Zeitungen zu schreiben begann, schickte er mir gelegentlich genauso heimlich seine veröf-fentlichten Artikel. Ich war sehr stolz auf ihn . . . ich hoffte, es käme einmal eine Zeit, da ich meinem Mann einiges von dem zeigen könnte, was Martin geschrieben hatte . . . Aber Augustus wurde krank, vor zwei Jahren ist er dann gestorben . . . und die Versöhnung hat niemals stattgefunden. Solch eine traurige, schreckliche Fügung, nicht wahr? Denn die Folgen davon dauern an. Das Unwiderrufliche . . . es hallt nach.«

Ich hätte mich an diesem Punkt wohl fragen können, ob die Dinge, von denen sie durch ihren Stiefsohn erfahren hatte . . . der Schock . . . Sarah nicht hätte veranlassen können zu handeln, selbst etwas zu unternehmen – ich weiß nicht, was. Sie wäre von ihrem Mann wohl niemals geschäftlich ins Vertrauen gezogen worden, auch nicht teilweise, weil sie ganz offenkundig nicht die Art Mensch war, die seine Praktiken gebilligt hätte. Und doch war ihr Leben, trotz der Anschuldigungen von Martin, anscheinend weiterverlaufen wie vorher, was für Zweifel sie auch immer gehegt haben mochte. Sie hatte sich nicht bemüht, zu einem triftigen Urteil zu kommen . . . wie es Frauen tun, denen keine andere Wahl bleibt, als den Kurs ihres Lebens selbst zu bestimmen und niemals davon abzuweichen. Oder hatte sie eher in ständiger Unentschiedenheit gelebt, wie es angesichts unserer moralischen Konflikte die meisten von uns tun?

Ich merkte, daß ihre klaren schönen Augen mich fest ansahen und daß der Hauch eines Lächelns ihr Gesicht erhellte . . . und da kam die Antwort auf meine Fragen in den Raum, ein flachsköpfiger Junge von acht, neun Jahren, der unverkennbar ihr Sohn und unverkennbar ein Pemberton war. Ein hübscher, wohlgestalter Junge – an dem mich manches an Martin erinnerte, wie der ernste, verwundet wirkende Blick, aber ich fand auch die Ausgeglichenheit seiner

Mutter in ihm wieder. Er nahm mich nicht zur Kenntnis, sondern ging mit der Zielstrebigkeit, die Kindern manchmal eigen ist, sogleich zu ihr. Er hielt ein Buch in der Hand und fragte, ob er draußen, auf der Treppe vor dem Haus, weiterlesen dürfe, solange es noch hell sei.

»Noah, zunächst einmal . . . das ist Mr. McIlvaine«, sagte sie und neigte den Kopf in meine Richtung. Noah wandte sich mir zu und sagte brav guten Tag. Als ich ihn dann meinerseits begrüßte, hatte er eine Hand besitzergreifend auf die Schulter seiner Mutter gelegt . . . mehr Liebhaber als Sohn.

Sie sah zu ihm auf, und ihre Mutterliebe wirkte auf mich wie allumfassende Ruhe. »Noah ist an die weiten Flure und Veranden, an das weite Land von Ravenwood gewöhnt. Er braucht viel Auslauf. Er kann es kaum abwarten, daß wir all das hier geklärt haben.« Und dann zu ihm: »Auf den Stufen, einverstanden. Aber bitte nicht davonspazieren, junger Herr.«

Das Buch, das der Junge in der Hand hielt, war ein Roman von Scott, *Quentin Durward,* eine recht erwachsene Lektüre für einen Neunjährigen. Als er gegangen war, trat seine Mutter ans Fenster und schob die Vorhänge beiseite, um zu sehen, ob er auch einen sicheren Platz gefunden hatte.

»Martin hat gesagt, er würde sich um Noah kümmern und ihm die Stadt zeigen. Noah verehrt ihn.«

Sie wandte sich wieder in den Raum um und setzte sich. Da war es wieder, das Bedenkliche an dieser Frau, diese eigentümliche Gelassenheit, diese stete Duldsamkeit im Angesicht von Unheil, die sie leugnen ließ, daß irgend etwas nicht in Ordnung sein könnte . . . die sie sicher sein ließ, es gebe eine vernünftige Erklärung für Martins Abwesenheit ... sogar noch, nachdem sie von Grimshaw erfahren hatte, Martins Geisteszustand sei möglicherweise angegriffen ... und obwohl ihr doch dieser Besuch eines ... Vorgesetzten deutlich machen mußte, wie sehr sich andere sorgten. Doch Sarahs Stimme schwankte nie, noch trat ihr eine Träne in die Augen. Was in ihrer Familie geschehen war – und noch geschah –, hätte schmerzlicher nicht sein können, und ihre Worte deuteten dies auch an, doch in so leisem, so selbstbeherrschtem Ton – und ihr schönes Gesicht zeigte nie einen heftigeren Ausdruck als ... Nachdenklichkeit –, daß ich mich fragte, ob sie nicht emotional ... gleichgültig war ... was letzten Endes für mangelnde Intelligenz gesprochen hätte.

Doch sie räumte ein, daß Martin ihr eine sonderbare Frage gestellt hatte, als sie ihm zuletzt begegnet war. Er hatte wissen wollen, was den Tod seines Vaters herbeigeführt hatte. »Er litt an einer Blutkrankheit, einer Anämie ... Augustus hatte immer wieder Phasen von Schwäche, in denen er sich kaum vom Bett erheben konnte. Und eines Tages wurde er ohnmächtig. Ich dachte, Martin hätte das gewußt.«

»Das war –«

»Beim letzten Mal, vor einem Monat. Es schien ihn sehr zu beschäftigen.«

»Nein, ich meinte, wann Mr. Pemberton krank wurde.«

»Im April sind es drei Jahre gewesen. Ich hatte seinem Arzt ein Telegramm gesandt, und er kam mit dem Zug aus New York. Martin wollte auch wissen, wie der Arzt hieß. Es war Dr. Mott, Dr. Thadeus Mott. Ein in der Stadt sehr angesehener Mediziner.«

»Ja, ich kenne Mott.«

»Er hat die Diagnose gestellt. Er wollte meinen Mann in das Presbyterian Hospital legen. Er sagte, es handle sich um eine sehr ernste Krankheit. Haben Sie meinen Mann eigentlich gekannt, Mr. McIlvaine?«

»Ich hatte eine gewisse Vorstellung von ihm.«

Sie lächelte. »Dann können Sie sich wohl auch vorstellen, wie er reagiert hat. In ein Krankenhaus zu gehen, kam für ihn nicht in Frage. Er verlangte von Dr. Mott ein Stärkungsmittel, dann wäre er in ein paar Tagen wieder auf den Beinen. Also stritten sie, bis der Doktor mit dem Rücken zur Wand stand, wohin Augustus jeden brachte . . . Und schließlich hat der Arzt es ihm gesagt.«

»Ihm was gesagt?«

Sie senkte die Stimme. »Ich war nicht im Zimmer, aber draußen auf der Galerie verstand ich jedes Wort . . . Dr. Mott klärte Augustus darüber auf, daß er eine fortschreitende und im allgemeinen tödlich verlaufende Krankheit habe . . . daß sie in seltenen Fällen zurückgehe, er aber wahrscheinlich nicht mehr länger als sechs Monate zu leben habe.

Augustus schimpfte Dr. Mott einen Narren und versicherte ihm, er habe nicht die Absicht, in absehbarer Zeit zu sterben, und dann rief er nach mir. Ich sollte Dr. Mott hinausbegleiten. Gegen die Kissen gelehnt, saß mein Mann mit verschränkten Armen und vorgestrecktem Kinn da . . . Der Doktor legte den Fall nieder.«

»Dann hat er Ihren Mann nicht bis zum Schluß behandelt?«

»Er sagte, er sei nicht bereit, Verantwortung zu übernehmen, wenn er die Behandlung nicht bestimmen könne. Ich wollte einen anderen Arzt hinzuziehen, aber Augustus behauptete, die Krankheit sei harmlos. Ich konnte ihm gegenüber nicht zugeben, daß ich gelauscht hatte. Nach ein paar Wochen, als auch er nicht mehr übersehen konnte, daß er immer schwächer wurde, beschloß er, einen anderen Arzt zu konsultieren. In Decken gehüllt, saß er draußen auf einem Liegestuhl am Ende des Rasens, von wo er über den Fluß blicken und unter sich die Möwen kreisen sehen konnte.«

»Und welchen Arzt haben Sie gerufen?«

»Nicht ich – das machte der Sekretär. Mr. Simmons, Eustace Simmons, der Sekretär meines Mannes. Er hat täglich mit ihm konferiert. Augustus führte vom Rasen aus seine Geschäfte weiter. Simmons saß immer auf einem Sitzstock neben ihm, eine Aktentasche auf den Knien, und nahm Anweisungen entgegen und so weiter . . . Als Martin mich den Namen Simmons erwähnen hörte, konnte er nicht mehr still sitzen. Er sprang auf und lief hin und her. Er wurde beinahe . . . glücklich . . . übermütig sogar.

Eines Morgens sah ich, daß Augustus' Koffer gepackt waren. Eine Kutsche wartete vor der Haupttür, und mein Mann teilte mir mit, er begebe sich zur Kur in ein Sanatorium, nach Saranac Lake in den Adirondacks. Simmons reiste mit ihm. Er werde mir bald schreiben. Noah und ich traten auf den Vorplatz, um ihn abfahren zu sehen. Er hat Noah niemals . . . mit Aufmerksamkeit überschüttet, und seit seiner Erkrankung beachtete er ihn so gut wie gar nicht mehr. Noah liebte seinen Vater . . . wie kann ein Kind seinen Vater nicht lieben? Eher gibt es sich selbst die Schuld daran, wie Vater oder Mutter sich ihm gegenüber verhalten. Jedenfalls haben wir ihn da zum letzten Mal gesehen.«

»Haben Sie Martin davon erzählt – von Saranac?«

Sie nickte.

»Aber ich begreife da etwas nicht – Saranac ist doch für Tuberkulosekranke. Hat der zweite Arzt denn gesagt, Mr. Pemberton sei schwindsüchtig?«

Sarah Pemberton richtete ihren ruhigen Blick auf mich. »Genau das hat auch Martin gefragt. Aber ich habe nie mit dem Arzt gesprochen. Ich konnte zwar seinen Namen in Erfahrung bringen, Dr. Sartorius, aber das war auch alles. Gesprochen habe ich nie mit ihm. Ich durfte nie einen Besuch machen. Allerdings habe ich von dem Arzt ein Telegramm erhalten – nach knapp drei Monaten –, in dem er mich vom Tod meines Mannes benachrichtigte und mir sein Beileid aussprach. Die sterbliche Hülle kehrte mit dem Zug in die Stadt zurück, und die Trauerfeier fand in St. James statt. Immerhin hat er mich damit betraut . . . mein Mann, in seinem Testament . . . seine Beisetzung betreffende Wünsche auszuführen.«

Sarah Pemberton senkte den Blick. Doch dann sagte sie wie zu sich, mit kaum merklichem Lächeln: »Ich bin mir wohl bewußt, wie all dies auf einen Außenstehenden wirken muß, Mr. McIlvaine. Ich weiß . . . ich habe sagen hören . . . daß es Ehen zwischen Gleichberechtigten gibt . . . die ganz selbstverständlich in schlichter Zuneigung miteinander leben.«

Es war schon erstaunlich – welche Wirkung Mrs. Pembertons leises Eingeständnis auf mich ausübte, daß sie von dem Mann, dem sie ihr Leben anvertraut hatte, mit Verachtung behandelt worden war. Mit dieser allseitigen Verachtung hatte er auch bei ihr keine Ausnahme gemacht. Was ich für ihr zurückhaltendes Wesen gehalten hatte – war es nicht vielmehr die erlernte Selbstbeherrschung einer Aristokratin? Was verstand ich denn schon von diesen Dingen . . . von den guten Manieren, die befähigen, Leid zu ritualisieren . . . und feinsinnig in jedem ausgesprochenen Wort mitschwingen zu lassen?

Sie hatte jedoch solche Geduld für alles – Geduld mit dem betrügerischen, grauenhaften Gatten . . . Geduld mit dem abwesenden Stiefsohn . . . Geduld angesichts ihrer derzeitigen, rätselhaften Situation, auf die ich nun aufmerksam wurde. Wissen Sie . . . im Salon dieser alten Dame herrschte eine so entsetzlich bedrückende Atmosphäre! Ich sah nicht ein, wieso sich jemand mit einem Landgut um diese Jahreszeit freiwillig in Manhattan aufhielt. Doch Sarah Pemberton war mittellos. Durch Verpflichtungen, die ihr verstorbener Mann eingegangen war und die sie noch immer nicht durchschaute, hatte die Gattin und Erbin des Pemberton-Vermögens nicht nur den Familiensitz Ravenwood verloren, sondern war obendrein, was ihren und Noahs Unterhalt anging, auf die Wohltätigkeit ihrer Schwägerin angewiesen. Die Überraschungen, die diese Familie für mich bereithielt, nahmen kein Ende.

»Möchten Sie denn wirklich nicht eine Tasse Tee, Mr. McIlvaine? Sie murren zwar, aber sie bringen ihn.«

# II

IN DER NACHT NACH MEINER BEGEGNUNG mit Sarah Pemberton konnte ich nicht schlafen. Ich muß gestehen, daß ich ihre
schier unerschöpfliche Fähigkeit, sich jeden Urteils zu ent-
halten, je mehr ich darüber nachdachte, sehr . . . anziehend
fand. Das heißt . . . nun, diese innere Reserve, die sie so lie-
benswert, ja nobel machte, hätte jeden Mann angezogen, der
sich unerschöpfliche Empfänglichkeit, unerschöpfliche sanf-
te Empfänglichkeit für jeden Frevel wünschte, auf den er
verfallen würde. Doch da war auch noch der kleine Junge:
Ich hatte gar nicht gemerkt, wie sehr er mich rührte – ein kräf-
tiger, ernster, duldsamer Junge, der sein Buch las, ein Leser –
rührte mich das? Muß dem alten Junggesellen nur ein Kind,
das ein Buch liest, begegnen, und ist es dann schon um sein
Kritikvermögen geschehen?

Augustus Pemberton hatte Millionen besessen. Wie konnte es dann zu dieser Lage kommen, hatte ich die Frau gefragt.
Was um Himmels willen war geschehen?

»Jeden Tag spreche ich mit diesem Anwalt oder mit jenem

und stelle immer dieselbe Frage. Es ist zu meiner Hauptbeschäftigung geworden. Mein Mann war ein sehr verschwiegener Mensch. Für jede Angelegenheit beauftragte er einen anderen Anwalt. Auf diese Weise kannte keiner mehr als einen Teil seiner Geschäfte. Laut Testament sind wir, Noah und ich, die Alleinerben. Das steht nicht in Frage ... nur was genau mit unserem Erbe geschehen ist, wo es hingeflossen ist ... das ist nicht klar. Zumindest ein Teil davon wird sich aufspüren lassen, da bin ich sicher. Sobald ich alles entwirrt habe, reisen wir ab. Wir wohnen hier in der obersten Etage und müssen uns auf Fußspitzen bewegen wie die Mäuse.«

Sie glaubte also, es handle sich um einen Fehler. Worum auch sonst?

Ich sollte später Gelegenheit haben, mir Ravenwood anzusehen. Ein großes Herrenhaus, auf einer Klippe am Westufer des Hudson gelegen, mit vielen Fenstern und Erkern, holzgeschindelt und an drei Seiten von einer Veranda unter Doppelsäulen umgeben ... ein weitläufiges Haus, dessen Haupträume alle auf den Strom oder auf den Himmel über dem Strom blickten und dessen Giebeldach ein Belvedere krönte. In den vorherrschenden Partien viktorianisch, jedoch mit einem Anflug von italienisch getöntem Queen-Anne-Stil. Diverse Nebengebäude und tausend Morgen Land gehörten dazu. Die beherrschende Lage über dem Fluß verstärkte noch den trotzigen Eindruck, den viel Geld in Verbindung mit wenig Geschmack so oft hinterläßt.

Damals mußte ich an Noah denken, den Jungen, der dort aufgewachsen war. Hatte er wohl Spielgefährten gehabt? Kinder aus dem nächsten Ort? Die Kinder der Domestiken? Zur Entschädigung gab es für ihn die Pfade des herrlichen Waldes hinter seinem Zuhause ... oder die breiten Flure und Veranden, von denen seine Mutter gesprochen hatte und wo er sich verstecken, Spion spielen oder auf die Schritte seines Vaters horchen konnte. Der Rasen vor dem Haus war, als ich ihn zu sehen bekam, zugewuchert. Er führte in langem, sanftem Schwung hinunter zur Klippe ... die mehr einer Schanze glich. Und dahinter kam eine große, luftige Zäsur, eine Himmelsschlucht, die den Hudson ahnen ließ. Und dann begann das Land erneut, das Ostufer und seine Klippen.

Dieser ... Ozymandias des Sklavenhandels! Mit Ravenwood hatte er sich sein Denkmal errichtet. Und als Zierde seines Denkmals seine schöne Frau und seinen Sohn dorthin verpflanzt.

Eine Eisenbahnlinie führte durch das ein paar Meilen entfernte Dorf, aber eine Schaluppe, die regelmäßig den Flur befuhr, legte auch am Landesteg direkt unterhalb der Klippe an, wenn man die Flagge über der Treppe hißte. Ich war mir sicher, daß sie so von zu Hause aufgebrochen waren. Auf einmal hatte ich das Bild vor Augen ... wie sie, Mutter und Sohn, die mächtige Eichentür mit den ovalen Glaseinsätzen öffneten, die breiten Verandastufen hinabstiegen, die kiesbestreute Auffahrt überquerten und hinter ihrem Gepäck her über den Rasen zum Fluß hinuntergingen ... Überseekoffer und Zederntruhen an Gurten auf den Rücken der Männer, die sich durch das dichte Gras des Hangs ihren Weg bahnten, wie Safari-Träger in einem der Abenteuerbücher des Jungen. Am Rand des Steilufers, das jäh, ohne Geländer oder sonst eine Warnung, abfiel, blieb ich einen Moment lang stehen,

um selbst zu erfahren, was sie empfunden haben mußten . . .
die Illusion, im Himmel zu leben. Tatsächlich befand ich
mich in größerer Höhe als die beiden Möwen, die mit starken Flügelschlägen über dem Fluß südwärts zogen.

Durch eine abwärts führende Scharte gelangte man zum
Kopf der Treppe und begann auf einer Treppe, die nur aus
hölzernen Planken und einem Geländer bestand, den langen Abstieg in die Tiefe . . . Und Sarah verließ nun das Haus,
in dem sie von Augustus Pemberton in die Liebe eingeweiht
worden war. Und Noah dürfte natürlich das Schiff aufregend gefunden haben, ohne zu bedenken, daß er gerade die
einzige Heimstatt, die er je gehabt hatte, verließ.

Der katastrophale Verlust dieser Heimstatt war dann letztlich ein Vorgang von wenigen Momenten. Ich stellte mir vor,
wie sie zum Rand der Klippe gingen und die Treppe zum
Landesteg am Fluß hinunterstiegen . . . Gewiß geht Noah
als erster an Bord und sucht ihnen Plätze an der Backbord-
reling, wo ein ordentlicher Wind weht. Und während Sarah
unter den aufdringlichen Blicken anderer Passagiere einen
Schal über ihren Hut legt und unter dem Kinn zusammen-
knotet, steht Noah, eine Hand auf ihrer Schulter, neben ihr.

Der Kapitän tippt sich an die Mütze, die Taue werden gelöst, und die Schaluppe gleitet träge in der Flußmitte der
Sonne entgegen und nimmt Kurs auf Manhattan.

Ich bin auf Raddampfern der Day Line schon von Pough-
keepsie und Bear Mountain aus stromabwärts gereist . . .
Wind und Strömung beschleunigen ihre Fahrt nach New
York, so daß es Sarah vorkommen mochte, als jage ihr
Schicksal auf sie zu. In einer guten Stunde würden sie den ge-
schwärzten Himmel über der Stadt erblicken, rußig vom

Rauch der Schornsteine, Essen und Dampflokomotiven. Die Masten der Segelschiffe im Süden, an ihren Ankerplätzen am Fluß, würden wie Stiche wirken, mit denen Himmel und Erde zusammengenäht sind. Dann, wenn das Paketboot den Norden der Insel Manhattan erreichte, würde Sarah eine viel größere Welt aufscheinen sehen. Es ist ein eigenartiges Gefühl. Das Schiff, auf dem Sie sich befinden, wird . . . zum Spielzeug degradiert. Ganz plötzlich stecken Sie im brodelnden Verkehr der Fähren . . . das Wasser strömt und strudelt wie in New York . . . Sie gleiten an den Piers mit hohen Masten vorüber, hören das Gebrüll der Schauerleute, und dann fahren Sie die Battery herum mit dem Hafen voller Schlote und wogender Segel, stolzer Klipper, Indienfahrer, Küstendampfer und Leichterschiffe mit stählernen Rümpfen, in die laut hallend die Wellen schlagen und die manchmal so nah vorüberziehen, daß ihre schwarze Masse Ihnen die Sicht auf den Himmel versperrt.

Und damit waren Mrs. Pemberton und ihr Sohn in unserer Stadt eingelaufen, und in meinen entsetzlichen schlaflosen Visionen sah ich den Jungen, wie er ins Leben der namenlosen Kinder hier geriet. Ich definiere die moderne Zivilisation als das Versagen der Gesellschaft, jedem Kind seinen Namen zu lassen. Schockiert Sie das? In Dschungelstämmen oder unter viehzüchtenden Nomaden behalten die Kinder ihre Namen. Nur in unserer großartigen industriellen City nicht. Da, wo wir Zeitungen haben, die uns die Neuigkeiten über uns verkünden . . . haben Kinder nicht mehr die Gewißheit, ihren Namen zu behalten.

Am Pier dürfte Noah Pemberton begriffen haben, was er gegen eine Schiffsreise aufgegeben hatte. Er ist nicht mehr hingerissen. Nicht dieser Junge, nicht von meinem New York. Schwärme von Droschkenkutschern umgeben sie. Träger schultern ungebeten ihre Koffer. Und Bettler mit ausgestreckten Händen . . . und Bettlertauben. Und er soll bei seiner Tante Lavinia wohnen, einer alten Frau, von der er nur weiß, daß sie keine Kinder hat. Und dann sitzt er in einer Kutsche, und in seine Ohren gellt unaufhörlich die mißtönende Musik des hektischen Stadtlebens und seiner ratternden Vehikel. Die Droschke fährt auf der West Side die Eleventh Avenue hinauf, und zum ersten Mal atmet der kleine Junge vom Land die übelkeiterregende Luft des Meat District, der Vieh- und Schlachthöfe ein. Er denkt vielleicht, er sei nicht in New York, sondern auf dem Bauch eines ungeheuren Kadavers gelandet und atme den Gestank dieser gewaltigen blutigen Kreatur ein.

Mit der großartigen Gelassenheit, mit der Sarah Pemberton die unseligen Lebensumstände zu mildern weiß, in denen sie sich befinden, wird sie ihren Sohn bei der Hand genommen, ihn angelächelt und ihm gesagt haben, daß . . . doch was? Daß sie bald Martin sehen würden, daß Martin nun zur Familie gehöre.

Etwas aber hatte ich über Martin Pemberton erfahren, das mich endlich einschlafen ließ. Er lebte nicht nur für sich selbst. Er hatte eine Mutter, die in seiner Collegezeit für ihn gesorgt hatte . . . und einen kleinen Bruder, der ihn bewunderte. Wir können umherstolzieren und unsere Prinzipien hochhalten – auf jeden, dem wir begegnen, mit unserer harten, unnachgiebigen Weltsicht einhauen. Aber wir haben Mütter und Brüder, die wir dabei ausnehmen von . . . bei denen auch der unnachsichtigste Intellekt Nachsicht zeigt ... wie er es in meinem Fall bei meiner Schwester Maddie tut, der zuliebe ich sogar zu Festen der Reformgesellschaft gehe. Und wenn ich auch nicht sagen konnte, wo sich Martin Pemberton aufhielt, so wußte ich doch wenigstens, was er tat. Kein Zweifel, er war auf Verfolgungsjagd. Jedes Detail dieser Sache, das ich bislang erfahren hatte, kannte er bereits ... nur daß er noch weit mehr wußte. Und was ich wußte, reichte mir, nun da meine dunklen Mutmaßungen langsam erhellt wurden für den erleuchteten (wenn auch ungenügend erwogenen) Entschluß, meine Anteilnahme zu verstärken und mich gleichfalls auf Verfolgungsjagd zu begeben.

Als verantwortlicher Redakteur des *Telegram* hatte ich in jedem Sommer Anspruch auf eine Woche Urlaub. Nicht irgendwann im Sommer freilich, sondern nur in der erschöpfenden Mitte des Sommers, wenn die Hitzewellen vom Pflaster aufsteigen ... wenn die Müllkutschen die toten Pferde in den Straßen aufsammeln und die Ambulanzwagen des Bellevue-Hospitals die toten Menschen aus den Mietskasernen abholen ... und wenn – das war der springende Punkt – keiner, der bei diesem ausgebleichten Glutlicht noch am Leben ist, mehr die Nerven besitzt, Nachrichten zu produzieren. Waren diese Bedingungen allesamt erfüllt, konnte ich gehen.

Zunächst einmal beschloß ich, alles, was ich wußte, Edmund Donne zu erzählen, einem Captain der städtischen Polizei. Sie können wahrscheinlich nicht ermessen, wie außergewöhnlich es war, daß ich – oder sonst wer in New York – sich einem Polizeibeamten anvertraute. Die städtische Polizei war eine Organisation amtlich zugelassener Diebe, die ihre Schmiergeldkollekten nur gelegentlich unterbrachen, um sich darin zu üben, mit Knüppeln auf menschliche Schädel einzuschlagen. Polizistenstellen wurden gewöhnlich gekauft. Jeder höhere Dienstgrad, vom Sergeant über Lieutenant und Captain bis zum Commissioner zahlte dem Tweed-Ring für das Privileg, der Öffentlichkeit dienen zu dürfen. Selbst Streifenpolizisten zahlten, wenn sie für einen der lukrativeren Bezirke eingeteilt werden wollten. Aber die Organisation war groß, umfaßte etwa zweitausend Leute, und es gab ein paar Ausnahmen, von denen Donne wahrscheinlich der Ranghöchste war. Naturforscher bezeichnen einen Vogel, der weit außerhalb seines gewöhnlichen Verbreitungsgebiets gesichtet wird, als Streuexemplar. Donne war ein Streuexemplar. Er war der einzige mir bekannte Polizeioffizier, der nicht für seine Ernennungsurkunde bezahlt hatte.

Untypisch für sein Gewerbe war er auch dadurch, daß er weder irischer oder deutscher Herkunft noch ungebildet war. Kurz, er war so deutlich fehl am Platz, daß ich vor einem Rätsel stand. Er lebte in der Spannung, die für gefügige Existenzen charakteristisch ist ... wie jemand, der in den geistlichen Stand eingetreten ist oder seiner Regierung in fremdem Land an einem abgelegenen Außenposten dient. In seiner Gegenwart konnte ich mir einbilden, mein vertrautes, flitterhaftes New York wäre dieser exotische Außenposten, an dem Donne seinen Kolonialdienst versah ... oder vielleicht eine Leprakolonie, der er als Missionar sein Leben geweiht hatte.

Donne war außergewöhnlich groß und dünn und mußte,

wenn er stand, auf jeden, mit dem er sprach, herunterblicken.
Er hatte ein langes, schmales Gesicht, hagere Wangen und
ein spitzes Kinn. Und da seine Schläfen und sein Schnurrbart ergraut, seine Augenbrauen dicht und unbändig geworden waren und sein langer Rücken, wenn er an seinem
Schreibtisch saß, gekrümmt in die hochgezogenen Schultern
überging, so daß sich unter der blauen Uniformjacke die beiden Spitzen seiner Schulterblätter abzeichneten, meinte man
einen recht eindrucksvollen Reiher auf seiner Sitzstange vor
sich zu haben.

Er war ein einsamer Häuptling, irgendwo zwischen vierzig und fünfzig. Über sein Privatleben wußte ich nichts. Er
hatte sich hochgedient und war doch stets außerhalb des
Netzes augenzwinkernder Loyalität geblieben, das unter
Polizisten als gute Kameradschaft gilt. Und das nicht, weil er
sich irgendwie moralisch überlegen gefühlt hätte . . . sondern weil es ihm nicht lag, vertrauliche Mitteilungen zu erwarten oder von sich zu geben. An seinen Fähigkeiten, die
beachtlich waren, zweifelte niemand, doch gerade das gehörte für seine verquer denkenden Kollegen zu den Dingen, die
gegen ihn sprachen. Zum Captain war er langsam aufgestiegen, unter mehreren Commissionern, die ihn nützlich fanden, wenn sie unterstreichen mußten, wie sehr die städtische
Polizei doch das Vertrauen der Öffentlichkeit verdiente. Da
sich dies immer wieder als nötig erwies, war sein Posten
sicher, wenngleich nicht bequem. Es half ihm auch, daß einige von uns Presseleuten von Zeit zu Zeit über ihn geschrieben hatten. Natürlich verlangte er das nie. Auch uns gegenüber blieb er einfach so, wie er war, ohne von seiner Linie
abzuweichen.

Donne saß mürrisch bei der Arbeit, als ich ihn in seinem Büro in der Mulberry Street aufsuchte. Es schien ihn beinahe zu freuen, mich zu sehen.

»Störe ich bei irgendwas?« fragte ich.

»Ja, und ich bin ausgesprochen dankbar dafür.«

Eine neue Demütigung für Donne war, daß man ihm jene Dienststelle unterstellt hatte, die alle Todesfälle in der Stadt nach Alter, Geschlecht, Hautfarbe, Abstammung und Ursache – epidemisch, konstitutionell, überraschend – klassifizierte und jährlich in einer Tabelle für das Städtische Handbuch erfaßte, das kein Mensch je las.

Ich berichtete ihm von der ganzen Pemberton-Angelegenheit – alles, was ich wußte, und auch das, was ich vermutete. Ich langweilte ihn nicht. Krumm hing er über seinem Schreibtisch und sagte keinen Ton. Noch etwas war ungewöhnlich an Donne – er hatte die ganze Stadt im Kopf, als wäre sie ein Dorf. In einem Dorf brauchen die Leute keine Zeitung. Zeitungen kommen erst auf, wenn immer mehr Dinge geschehen, die nicht mehr jeder selbst sehen und hören kann. Zeitungen sind der Notbehelf der voneinander getrennt lebenden Städter. Donne aber besaß den unbegrenzt aufnahmefähigen Kopf eines Dorfbewohners. Der Name Pemberton sagte ihm etwas. Er hatte in Erinnerung, daß die Anklage wegen Sklavenhandels gegen Augustus niedergeschlagen worden war und daß ein Kongreßausschuß seine Lieferverträge mit der Armee untersucht hatte. Donne wußte auch, wer Eustace Simmons war – er nannte ihn 'Tace Simmons – und begriff sofort, warum ich es für ganz nützlich hielt, wenn man ihn fände.

Doch irgend jemanden in unserer Stadt zu finden, das war

zur damaligen Zeit eine Kunst für sich, wie alle Reporter wußten – zumal, wenn es jemand war, der weder beruflich noch geschäftlich bekannt war. Sie verstehen schon – es gab ja damals keine Telefone. Keine Telefonbücher. Keine nach Namen und Straßen geordneten Adreßbücher. Städtische Beamte waren in einem Verzeichnis aufgeführt, Mediziner in der Mitgliederliste des Ärztebundes, Ingenieure und Anwälte fand man in ihren Firmen und Kanzleien, Gesellschaftslöwen in ihren wohlbekannten Residenzen. Doch wenn Sie mit jemandem reden wollten, mußten Sie dorthin gehen, wo er zu finden war, und wenn Sie das nicht wußten, konnten Sie die Adresse nicht einfach nachschlagen.

»Tace Simmons hat einmal bei der Hafenmeisterei gearbeitet«, teilte Donne mir mit. »Es gibt da an der Water Street eine Kneipe, die bei den Hafenmeistern beliebt ist. Vielleicht weiß dort einer was. Vielleicht schaut 'Tace aus alter Anhänglichkeit noch manchmal rein.«

Donne sagte mir nicht, ob er meine Erwägungen schlüssig fand und was er davon hielt. Er machte sich einfach an die Arbeit. Ich mußte mich natürlich seiner Vorgehensweise beugen, und die war ermüdend . . . gründlich. »Eins nach dem anderen«, sagte er und bat mich, Martin Pemberton in allen Einzelheiten zu beschreiben – Alter, Größe, Augenfarbe und so weiter. Dann kehrte er mir seinen langen Rücken und begann, die Stapel loser Blätter auf dem Tisch hinter ihm durchzusehen.

In der Polizeizentrale an der Mulberry Street geht es rauh zu. Es herrscht ein ständiges Kommen und Gehen, jeder spricht grundsätzlich mit erhobener Stimme, und bei all dem Geschrei, Protestgebrüll, Gelächter und Gefluche, das bis in Donnes Büro drang, wurde mir klar, wie unweigerlich pragmatisch das Bild von der Menschheit ausfallen muß, das in einem Polizeigebäude entsteht. Es geht dort ganz ähnlich zu wie in einer Zeitungsredaktion.

Bei all den Ablenkungen hätte Donne auch ein Gelehrter sein können, der in der Stille einer Bibliothek arbeitet. Eine Gaslampe hing von der Deckenmitte. Mitten am Vormittag brannte sie bereits, denn die langen, schmalen Fenster ließen kaum Licht herein. An den blaß lohfarbenen Wänden bogen sich die Borde verglaster Bücherschränke unter dem Gewicht von Gesetzeswerken, Sammlungen städtischer Verordnungen und voluminöser Aktenordner. Ein fadenscheiniger rotbrauner Teppich bedeckte den Boden. Donne hatte einen verschrammten, altersschwachen Nußbaumschreibtisch. Hinter dem Holzstuhl, auf dem ich saß, teilte ein Balustradengitter den Raum auf. Ich konnte in diesem Büro nichts Persönliches entdecken.

Nach geraumer Zeit konnte Donne mir sagen, daß es keine unidentifizierte weiße männliche Leiche gab, auf die die Beschreibung von Martin Pemberton zutraf und auf die niemand Anspruch erhoben hätte.

Er war schon ein sehr gewissenhafter Bursche, dieser Edmund Donne. Als nächstes mußten wir mit der Mietkutsche zum Leichenschauhaus an der Ecke von First Avenue und Twenty-sixth Street fahren und uns in den Aufbewahrungsräumen die Neuankömmlinge ansehen. Ich ging so lange an den Reihen von Zinktischen entlang, auf denen die fahlen Leichen mit dem Gesicht nach oben ständig mit kaltem Wasser berieselt wurden, bis ich mit Gewißheit sagen konnte, daß mein freier Mitarbeiter sich nicht unter ihnen befand.

»Damit ist noch nichts ausgeschlossen«, erklärte mir Donne mit seiner Polizistenlogik. »Nur manches.«

Der Charakter dieses sonderbaren, deplacierten – lebenslänglich deplacierten – Polizisten ist ein wichtiger Bestandteil meiner Geschichte. Wie anders kommt die Erleuchtung denn auch zustande . . . als durch Bruchstücke und Fragmente eintöniger Wirklichkeit, von denen jedes ein funkelndes Mosaiksteinchen des Bildes ist, das sich schließlich ergibt. Heute finde ich es unerklärlich, daß ich ausgerechnet Donne aufsuchte, dieses so vorsichtig seine Schritte setzende, von seiner eigenen Länge gebeugte Geschöpf. Mir standen in einer Stadt von beinahe einer Million Seelen auch andere Helfer zur Verfügung . . . und zu Beginn unserer Zusammenarbeit und Nachforschungen war ich, das gebe ich zu, durchaus bereit, mich an die zu wenden . . . nur war Donne von dem Problem, das ich ihm vorgelegt hatte, so gefesselt, daß er davon Besitz ergriff. Ich sah sofort, daß sein Interesse nicht mit einem Mangel an ernstzunehmenden Pflichten zusammenhing. Tatsächlich hatte er alle möglichen eigenen Ermittlungen laufen, die er auch fortsetzte, nachdem er die Leitung der traurigen, personell unterbesetzten Dienststelle zur Auffindung vermißter Personen abgegeben hatte. Etwas anderes war da im Spiel, so etwas wie . . . ein Blick des Wiedererkennens, als habe er hierauf nur gewartet . . . nur darauf gewartet, daß ich zu ihm käme . . . mit dem Fall, den er erwartete.

Jetzt sind wir also in seinem Büro, nachdem wir zwei, drei Abende ergebnislos damit verbracht haben, eine Spur von Eustace Simmons in der Hafengegend zu finden – wir zogen von einer Taverne zur nächsten, am East River entlang, unter den dräuenden Bugen der Postschiffe und Clipper, die am Pier vertäut liegen und deren Bugspriete in der kreidigen Nacht Schatten auf das Kopfsteinpflaster werfen ... wo quietschende Masten und ächzende Trossen eine geheime Sprache sprechen ... und der Gestank nach Fisch und Abfällen am Flußufer in mir die Vorstellung weckt, ich kröche durch den Unterleib der Stadt. Wir sitzen also, wie gesagt, in Donnes Büro, mein grandioser Sommerurlaub ist zur Hälfte vorbei ... und zum ersten Mal denke ich daran, Donne von Martins anspielungsreichem Gespräch mit Harry Wheelwright im St. Nicholas Hotel zu erzählen.

Doch jetzt tritt ein Sergeant ein und schiebt durch das Gatter eine weitere Ablenkung vor sich her – einen muskulösen Burschen in schmutzigem Pullover und ausgebeulten Hosen, weißhaarig und mit schwer zerschlagenem Gesicht: Nase und Wangenknochen plattgedrückt, die Ohren wie Blüten nach innen gekräuselt. Er blieb vor dem Schreibtisch stehen, erheblichen Geruch verströmend, drehte seine Mütze in den Händen und lächelte ins Leere, als warte er darauf, zur Kenntnis genommen zu werden.

Donne hatte in irgendeiner Akte gelesen – ich hatte keine Ahnung, ob im Zusammenhang mit diesem Thema oder nicht. Er sah mich an, dann legte er die Blätter auf dem Tisch ordentlich zusammen, und dann erst blickte er zu dem vor ihm stehenden Mann auf.

»Ach, sieh an. Knucks ist zu Besuch gekommen.«

»Stimmt, Captain«, sagte dieser Knucks und nickte respektvoll.

»Dann ist unser guter Ruf in der Welt des Verbrechens also wiederhergestellt«, sagte Donne zu dem Sergeanten, der mit einem Lachen antwortete. »Und wie ist das Befinden?« sagte Donne zu dem Mann, als träfen sie sich im gemeinsamen Club.

»Oh, danke, Captain, aber mir geht's arg mies«, sagte der alte Halunke und verstand die Frage als Einladung, auf der Kante des Stuhls gleich neben dem meinen Platz zu nehmen. Er grinste, zeigte seine lückenhaften, schwarz verfärbten Zähne, und sein Gesicht leuchtete wie das eines kleinen Jungen gewinnend auf, mit dem widersinnigen Charme, den hirnlos amoralische Menschen manchmal an sich haben. »Mein Bein hier«, sagte er, streckte das schlimme Glied und rieb es kräftig. »Tut übel weh, und manchmal kann ich nicht damit auftreten. Ist nie mehr richtig geheilt seit dem Krieg.«

»Seit welchem Krieg noch gleich?« fragte Donne.

»Na, halt dem zwischen den Staaten, Euer Ehren.«

»Das hab ich ja noch nie gehört, Knucks, daß Sie mal Soldat gewesen sind. Wo waren Sie denn im Einsatz?«

»Auf der Fifth Avenue – auf der Treppe vom Nigger-Waisenhaus hat mich ne Kugel erwischt.«

»Verstehe. Und waren Sie etwa einer von den Tapferen, die das Gebäude abgefackelt haben?«

»War ich, Captain, und eine von Ihren Knarren hat mich in dem Scharmützel getroffen, wo ich um meine Ehre gegen die illegale Einberufung gekämpft hab.«

»Jetzt verstehe ich, Knucks.«

»Jawoll. Und kann sein, daß ich da was Falsches gesagt hab, bei dem, was ich noch zu enthüllen hab, wenn Sie gestatten. Aber ich bin jetzt eben ein älterer Schweinehund und gewitzter, und wenn ich auch von Bälgern, schwarzen oder weißen, nicht besonders hingerissen bin, hab ich doch Mitleid mit allen Gottesgeschöpfen, denn« – großzügig wandte er sich zur Seite, um auch mich einzubeziehen – »schließlich sind wir doch alle Gottes geliebte Geschöpfe, stimmt's? Und da hab ich nun Sachen mitgekriegt, die ich nicht zulassen kann.«

»Es gibt noch Hoffnung für uns alle, Mr. McIlvaine«, sagte Donne. »In den alten Zeiten hat Knucks hier sich mit Knochenbrechen, Halsumdrehen und Ohrabbeißen ernährt. Gefängnis war in seinem Leben etwas völlig Normales.«

»Schon wahr, Captain«, sagte er Mann grinsend.

»Heutzutag ernährt er sich nicht mehr durch seine Muskelkraft«, sagte Donne zu mir, obwohl er den Kerl ansah, »sondern durch Hinterlist und Scharfblick.«

»Stimmt wie immer, Captain. Nehmen Sie doch bloß mal die Sache hier. Wüßt nicht, wann's mich schon mal so aufgeregt hat, über was zu reden. Aber es ist schon ziemlich riskant für mich, Sir, daß ich hierhergekommen bin, und deshalb brauch ich auch dringend zwei, drei Austern und ein Glas Steinhardt«, sagte er mit gesenktem Blick. »Das wär das mindeste, wo ich schon mein Leben in Gefahr bring.«

Donne fragte: »Was haben Sie mir denn nun zu berichten?«

»Was ganz Furchtbares, Sir. Das weiß sogar ich. Da zieht nachts ein Mann rum und bietet an, Kinder zu kaufen, die keinem gehören. Das verschwör ich Ihnen hoch und heilig.«

»Zu kaufen?«

»Genau. Müssen gesund sein und nicht über zehn und nicht unter fünf. Und ob Jungen oder Mädchen, ist egal, nur keine dunkelhäutigen dürfen's sein.«

»Und er hat sich an Sie gewandt?«

»Nicht an mich. Ich hab's in der Buffalo Tavern mitgekriegt. Mit Tommy hat er da geredet, mit dem Rotbart, der hinter der Theke steht.«

»Was hat er denn gesagt?«

»Genau das. Und daß er eine fette Summe zahlt.«

»Und mit wem hat er sonst noch gesprochen?«

»Also, ich wußt schon, das wär in Ihrem Sinn, also bin ich ihm in zwei, drei Kneipen nachgegangen und hab gesehen, wie er die gleiche Geschichte erzählt, und da geht er doch, Gott steh mir bei, glatt zu der Hütte, wo ich selber wohn, da geht er rein, und nach einer Weile guck ich mal heimlich durchs Fenster, weil Pig Meachum, mein Vermieter, müssen Sie wissen, der hat das Erdgeschoß ganz für sich, und da sitzt der Mann bei ihm am Tisch, und Pig hört zu, nickt und pafft dabei an seiner Pfeife.«

»Wann war das?«

»Ist noch keine zwei Nächte her.«

Donne beugte sich vor und faltete die Hände auf dem Tisch. »Und gekannt haben Sie ihn nicht?«

»Nein, Sir.«

»Wie sah er denn aus?«

»Na, nicht besonders, Captain. Wie wir alle eben.«

»Was hatte er an, Knucks?«

»Ah, stimmt – Strohhut und Leinenanzug. Aber ein feiner Pinkel war's nicht, sicher nicht. Und nicht leichtfertig – sah ganz so aus, als könnt er auf sich aufpassen.«

Donne sagte: »Und jetzt möchte ich, daß Sie ihn auftreiben und sich mit ihm anfreunden. Bieten Sie ihm Ihre Dienste an . . . Einen gewissen Ruf haben Sie ja. Sie kriegen raus, was er so vorhat, und geben mir einen Tip.«

»Aah, Euer Ehren –« Der Spitzel drehte seine Mütze hin und her. Plötzlich kam zu dem Mief, der von seiner ungewaschenen Gestalt ausging, der scharfe Geruch von Angst. »Da halt ich aber gar nichts von. Da hätt ich lieber nichts mit zu schaffen, wenn Sie erlauben.«

»Das müssen Sie aber.«

»Meine Bürgerpflicht hab ich doch getan. Ich bin ein alter Kämpe, und der letzte Straßendreck legt sich schon mit mir an, weil die wissen, ich bin nicht mehr der Knucks, der ich mal war. Ich muß mich jetzt mit meinem Grips durchschlagen, und mein Grips sagt mir, bei so dunklen Angelegenheiten wie der hier soll man bloß nicht zu viele Fragen stellen.«

»Da«, sagte Donne und nahm einen halben Dollar aus der Westentasche. Er schnippte ihn auf den Tisch. »Kein Haar wird Ihnen gekrümmt. Sie stehen im Dienst der Städtischen Polizei von New York City.«

Als der Sergeant den Mann hinausgeführt hatte, erhob sich Donne, oder eher: Er faltete sich auseinander. Er streckte die Arme und ging mit seinem majestätisch gleitenden Wasservogelschritt zum Fenster. Er legte die Hände auf dem Rücken übereinander und blickte hinaus, als wäre die Aussicht bemerkenswert.

»So dunkle Angelegenheiten wie die hier«, sagte er in Knucks' Tonfall. »So dunkle Angelegenheiten wie die hier«, wiederholte er, als erforsche er, indem er die Worte aussprach, deren Sinn . . . und dann verstummte er und versank in seinen Grübeleien.

Ich meinerseits hing dem Gedanken nach, daß das, was ich soeben vernommen hatte, in den Zusammenhang der

Erbsünde gehörte . . . nicht erfreulich, aber auch nicht von allem übrigen losgelöst. Ich war darauf erpicht, daß wir uns wieder der vor uns liegenden Angelegenheit zuwandten. Da stellte Donne mir die Frage, die mir wie ein Blitz durch den Kopf schoß und die Pole unserer dunklen Welt verband: »Was glauben Sie, Mr. McIlvaine, wer würde sie wohl kaufen wollen, wenn er sie doch bloß von der Straße aufzulesen braucht?« Ich weiß, sie werden dies für die übertriebenen Hirngespinste eines alten Mannes halten, doch die Wege menschlicher Erkenntnis sind noch längst nicht ergründet, und darum will ich Ihnen hier sagen, daß genau diese Frage meinen Blick zum ersten Mal flüchtig auf Dr. Sartorius lenkte . . . oder mich die Anwesenheit von Dr. Sartorius in unserer Stadt spüren ließ . . . obwohl es sich auch um nicht mehr gehandelt haben könnte, als daß ich einen Moment zu spät den Schatten wahrnahm, den sein Name geworfen hatte, als Sarah Pemberton ihn aussprach.

# 12

ODER ABER ICH HATTE den Protagonisten meiner Suche eingeführt, und dieser hatte, wie seinen Schatten, seinen Gegen-
spieler mitgebracht.

Dadurch daß ich Edmund Donne ins Vertrauen zog, wurde die ganze Geschichte, die mit dem Verschwinden meines
freien Mitarbeiters zusammenhing, auf eine andere Ebene
gehoben, wurde zum Anliegen einer bestimmten Klasse von
Leuten in unserer Gesellschaft. Man bedenke nur einmal,
welch eine Gemeinschaft wir bildeten – die Presse, die Polizei, der Klerus ... die Familie ... und die Jugendgeliebte,
die darauf wartete, ihm Kinder zu schenken. Wir alle gegen ... alles übrige. Und doch war mir dies nicht ganz bewußt. In Wirklichkeit ertappte ich mich genau bei der entgegengesetzten Überlegung – daß meine Chancen, die wahre
Situation zu begreifen, gesunken waren, indem ich mich
Donne anvertraute; daß mein Denken, indem ich einen städtischen Polizeibeamten ins Spiel brachte, in so enge Bahnen
gepreßt wurde wie ... das eines Gesetzeshüters. Er wollte,

daß wir unverzüglich mit Martins Freund Harry Wheelwright redeten. Natürlich war das der nächste logische
Schritt. Aber mir war seltsam zumute, als ich Donne zu
Wheelwright führte. Ich hatte das Gefühl aufgegeben . . . etwas von mir aufzugeben . . . meine Sprache . . . sie gegen die
seine einzutauschen. Wie scharfsinnig Donne auch sein
mochte, er war doch Polizist, oder? Mit dem schlichten intellektuellen Handwerkszeug eines Polizisten, nicht wahr? In
gewisser Hinsicht war es so, als hätte ich Dr. Grimshaw zum
Partner – als hätte ich den Hals in einer ähnlichen theologischen Schlinge, meine ich. Wie absonderlich von mir . . .
Donne erst um Hilfe anzugehen und es dann zu bedauern.

Man brauchte sich nicht anzukündigen, wenn man Harry
Wheelwright besuchen wollte, er führte ein offenes Haus . . .
um es Sammlern, die bei ihm vorbeischauen wollten, so leicht
wie möglich zu machen, vermutlich. Er bewohnte die oberste
Etage eines Gewerbegebäudes an der West Fourteenth Street,
einen einzigen großen Raum mit einer Fensterfront, wie sie
für diese blechverkleideten Bauten typisch ist. Die Fenster,
die nach Norden gingen, bedeckte so etwas wie kristallisier-
ter Ruß. Das einfallende Licht war diffus, ein flaches, weiß-
liches Licht, das gleichmäßig auf alles fiel . . . nüchtern. Ein
großes, nachlässig abgedecktes Bett stand an einer Wand.
Daneben ein Kleiderschrank . . . ein Waschbecken und eine
Eiskiste, halb hinter einem Paravent verborgen . . . eine
Druckpresse, für Lithographien oder sonstige Stiche . . .
nicht zueinander passende Möbelstücke, von denen schwer
zu sagen war, ob sie benutzt wurden oder als Requisiten dien-
ten. Und all dies stand auf einem splittrigen Holzfußboden,
der anscheinend noch nie gefegt worden war.

Als wir ankamen, arbeitete Harry gerade mit einem Modell, einem jämmerlich mageren jungen Mann, der auf einer Transportkiste saß, ohne Hemd, aber in der dunkelblauen Uniformhose und den Stiefeln der Unionsarmee. Hosenträger hingen ihm von den nackten Schultern, und er hatte eine Soldatenmütze auf dem Kopf. Dem armen Kerl war ein Arm oberhalb des Ellbogens amputiert worden, die gerötete Haut des Stumpfes war zusammengenäht wie ein Wurstende, und der Mann lächelte mich mit verfärbten Stummelzähnen an, sichtlich den Schreck genießend, der mir bei diesem Anblick wohl ins Gesicht geschrieben war.

Als ich Harry jedoch Donne vorstellte, der Zivil trug und dessen Rang bei der Städtischen Polizei ich deshalb nannte, stand das Modell mit dem Ausdruck äußersten Entsetzens auf und quälte sich in sein Hemd. »Halt – Pose wahren, sitzen bleiben!« brüllte der Künstler und ging zu ihm hinüber. Erregte Vorwürfe, Flüche . . . und der Einarmige flüchtete die Treppe hinunter.

Mit vorquellenden, blutunterlaufenen blauen Augen sah uns Harry finster an.

»Wir sind wegen Pemberton hier«, sagte ich.

»Verstehe.« Er schleuderte seinen Pinsel quer durch den Raum. »Sieht Martin ja auch ähnlich, mir die Arbeit eines Tages zu verhunzen.« Er trat hinter den Paravent, und ich hörte ein Glas und eine Flasche aneinanderklirren.

Der Raum war ein Schweinestall, an den Wänden jedoch konnte man die Ergebnisse – Ölgemälde und Ölkreideskizzen – der peinlich genauen Beobachtung betrachten, die der Künstler seiner Gesellschaft angedeihen ließ. Neben den entstellten und verkrüppelten Kriegsveteranen, die kaltblütig bis ins geringste Detail dargestellt waren, hingen da auch eher akademische Porträts und modische New Yorker Szenen, die für den Markt bestimmt waren. So wurde hier im Grunde die gleiche Zerrissenheit sichtbar, die ich von Martin Pemberton kannte – Kritik und die Notwendigkeit, einen Lebensunterhalt zu verdienen, Seite an Seite. Und dann fand ich Skizzen, die ich noch nie gesehen hatte, ganz unprätentiös an die Wand geheftete Zeichnungen auf Papier . . . von den Hütten der Obdachlosen an der West Side . . . Leute, die am Dock hinter der Beach Street auf dem Abfallboot nach Nahrung stöberten . . . die streunenden Kinder von Five Points, die sich über einem Dampfschacht wärmten . . . die Meute an der Börse . . . der Verkehr auf dem Broadway mit seinen Pferdeomnibussen, Kutschen und Zweispännern, die alle unter einem Netz von Telegraphendrähten vorwärtsdrangen, während die Sonne auf die Schaufenstermarkisen scheint . . . Quadratisch und rechteckig gezeichnet, gemalt, gestochen und gedruckt . . . wurde da eine Empfindsamkeit, die der Ära eigen war . . . hinausgeschleudert und über die Zivilisation verteilt, die ich als diejenige wiedererkannte, in der ich lebte.

Ein Bild beeindruckte mich jedoch am meisten, ein großes umrahmtes Porträt, das halb von einem anderen verdeckt in einem Stapel von Leinwänden an der Wand lehnte. Eine junge Frau. Er hatte sie auf dem kaputten Sessel posieren lassen, der noch mitten im Raum stand. Sie trug ein schlichtes dunkelgraues Kleid von einfachem Schnitt und weißem Kragen . . . eine natürlich dasitzende junge Frau, deren aufrichtiges Wesen der Künstler offen zeigte, aber indem er auf eine bestimmte Weise das Licht auf ihrem Gesicht und in ihren

Augen spielen ließ, hatte er auch ihre lautere Tugend, ihre mutige Loyalität eingefangen ... und noch schwieriger, ihr erotisches und zugleich amoralisches Wesen, das mir an ihr aufgefallen war, als ich sie kennenlernte. Und er hatte auch die ersten Anzeichen eines unbelohnten Lehrerinnendaseins eingefangen, die ich selbst während unseres Gesprächs gesehen hatte – als ginge von dem ernsten umbrafarbenen Hintergrund eine dunklere Stimmung auf sie über. Das Gemälde war ganz in Grau-, Schwarz- und Brauntönen gehalten.

»Emily Tisdale«, sagte ich.

»Ja, ein Punkt für Sie, McIlvaine, das ist tatsächlich Miss Tisdale.« Ich erklärte Donne, dies sei die junge Frau, die jeder, sie selbst eingeschlossen, als Martin Pembertons Verlobte betrachtet hatte. Hinter mir hörte ich das dröhnende Lachen des Künstlers.

Nun wußte ich wohl, daß es an sich noch nicht bemerkenswert war, wenn jemand, der Martin kannte, auch Emily kannte, doch hier verblüffte es mich wie ein unerhörter Zufall. Vielleicht war es ein Effekt der Kunst – dieses Porträt, es war von solcher Intimität –, aber ich hatte das Gefühl, ich sei auf die inneren Prozesse dieser Generation gestoßen ... so ganz anders als meine Generation ... jeder zwar charakterlich individuell, alle aber mit jener gemeinsamen Eigenart ausgestattet, die mich nur lückenhaft verstehen ließ, was mit ihnen geschah, welches Geschick sie für sich erstrebten ... als hätte ich zum Teil das Gehör eingebüßt und könnte den Sinn ihrer Worte nicht immer erfassen, obwohl die Töne klar genug waren.

Der Künstler war hinter uns getreten. Er hatte ein paar

angeschlagene, schmutzige Gläser und eine Flasche Brandy hingestellt. Es war noch nicht Mittag. Ein leises Pfeifen war zu hören, wenn er atmete. Wahrhaftig, dieser Harry war ein dicker Mann mit breiten, rundlichen Händen, und er roch nach Tabak und seinem ungewaschenen Kittel. »Es ist gut, was?« sagte er. »Beachten Sie, daß ich sie nicht nach vorn geneigt habe posieren lassen, mit erhobenem Kinn, die Füße an den Knöcheln gekreuzt und die Hände im Schoß, wie es ein anderer Maler getan hätte. Emily hat ihre eigene Anmut . . . keine antrainierte. Ich habe sie in dem Sessel Platz nehmen lassen, und das hier ist die Pose, die sie eingenommen hat . . . die Füße flach vor sich auf dem Boden, sehen Sie, der Rock umspielt die Schenkel, die Arme liegen entspannt auf den Sessellehnen . . . und sie blickt Sie mit diesen klaren, braunen, sibirischen Augen geradewegs an.«

»Warum sibirisch?« fragte Donne.

»Sie hat hohe Wangenknochen, und sehen Sie, da? wie die Augen dadurch am äußeren Winkel hochgezogen zu werden scheinen? Erzählen Sie's dem alten Tisdale nicht weiter, aber irgendwo in seinem frommen, protestantischen Stammbaum gab es mal eine wilde Steppenfrau. Aber ich fühle mich gehindert, entsprechend vorzugehen . . . durch diese einfältige Freundschaft, die manche Frauen vorschieben . . . und die sie wie einen Keuschheitsgürtel einsetzen.«

Harry war ein Rüpel. Nach meiner Erfahrung sind Künstler immer Rüpel. Das ist ja das Paradoxe . . . ein geheimnisvoller Gott läßt sie Dinge malen, die sie niemals verstehen werden. Wie all diese Florentiner, Genueser und Venezianer . . . die Schurken und Sybariten waren und denen jener Gott es dennoch anvertraute, uns mit ihren dumpfen

Händen all die Engel, Heiligen und selbst Jesus Christus zu schenken.

»Nicht etwa durch ihre Freundschaft mit Martin Pemberton gehindert?« sagte Donne, während wir weiter das Gemälde betrachteten.

»Ach, dadurch natürlich auch. Wenn Sie drauf bestehen. Ich meine, ich habe mich wie ein Freund ihm gegenüber verhalten, obwohl ich inzwischen lieber nicht mehr sein Freund wäre. Und ich bin Emilys Freund, obwohl ich lieber mehr wäre als ihr Freund. Und sie ist Martins verlorene Freundin . . . Doch, ich finde, so habe ich es richtiger beschrieben.«

»Warum ist sie denn verloren?« fragte Donne.

»Weil sie stur darauf besteht«, sagte Harry so triumphierend, als hätte er gerade die Lösung eines Rätsels preisgegeben. Er bot uns einen Stuhl an und schenkte uns ein, obwohl wir nicht darum gebeten hatten.

Ich hatte Donne soviel über Harry Wheelwright erzählt, wie er meiner Ansicht nach wissen mußte. Daß der bessere Teil von ihm an den Wänden hinge. Daß er komplett unzuverlässig sei . . . daß er das Lügen als Sport betreibe . . . daß wir die Wahrheit, auch wenn er sie kennen sollte, nicht aus ihm herausholen würden. Donne saß in eben jenem alten Polstersessel, in dem Emily posiert hatte. Seine Knie ragten vor ihm auf, er stützte die Ellbogen auf die Lehnen, preßte die Fingerspitzen gegeneinander und stellte ein paar Fragen in einem Ton, der nicht unbedingt eine Antwort forderte, in dem jedoch unwiderstehlich die Gewißheit mitschwang, daß er sie bekommen würde. Ich bin mir nicht ganz sicher, ob da nicht noch etwas anderes mitspielte, aber jedenfalls brachte er Harry zum Reden.

»Ich weiß in Dreiteufelsnamen nicht, wo Pemberton stekken und was er vorhaben könnte, und ich will es auch gar nicht wissen. Sie können mir glauben – bei dieser Sache ist mir die Neugier vergangen«, sagte Harry. »Diese verfluchte Familie ist für mich erledigt.«

»Nun, er hat sich seit einigen Wochen nicht mehr bei seinem Auftraggeber gemeldet. Er ist mit der Miete im Rückstand. Was kann da Ihrer Meinung nach geschehen sein?«

»Nichts, weshalb man sich Sorgen machen sollte. So was passiert Martin Pemberton nicht. Sie wissen doch, wenn jemand etwas zustößt, dann hat es eine . . . Anfälligkeit dafür gegeben. Aber bei meinem ach so souveränen Freund kann das unmöglich der Fall sein. Es entspricht ihm nicht, sich seinen Anteil an allem, was das Leben – auch das Leben der Ideen – zu bieten hat . . . nehmen zu lassen.«

»Wann, sagten Sie noch, haben Sie ihn zuletzt gesehen?«

»Das war hier, Martin Pemberton ist hier heraufgekommen. Als Emily mir gesessen hat. Kam einfach reingestürmt. Es war Juni, aber er hatte immer noch seinen verdammten Mantel umgehängt . . . und lief mit seinem steifbeinigen Gang auf und ab. Mit ihrer Konzentration war es vorbei. Sie folgte ihm mit den Augen, bewegte den Kopf . . . Die Frauen lieben Martin, keine Ahnung, warum . . . Nachdem er es geschafft hatte, sich enterben zu lassen, nahm ich ihn oft zum Essen mit nach Hause. Wir waren an der Universität Zimmergenossen, wissen Sie – Columbia. Damals war er schon ganz genau so. Ich glaube, er ist so auf die Welt gekommen, bleich, mit langen steifen Schritten und einem Kopf voll metaphysischer Gedanken. Verachtete seine Kommilitonen . . . haßte seine Professoren . . . war in jeder Hinsicht großartig, brillant, unausstehlich.«

»Dann waren Sie gute Freunde?«

»Naja, ich fand ihn amüsant. Aber, wissen Sie, ohne Hemd hab ich ihn nie sonderlich gern gesehen . . . bei dieser weißen Hühnerbrust, die er hat und in die ganz ideal eine Schwindsucht hineinpassen würde, wie ich fand. Aber als ich ihn mit nach Hause brachte, waren meine Mutter und meine beiden Schwestern von ihm entzückt. Sie haben ihm aufgetischt und sich seine Ideen angehört. Haben ihn angebetet. Vielleicht, weil er viel zu ernst ist, um sich bei Frauen einzuschmeicheln und sich darum zu scheren, was sie von ihm halten. Ja, daran muß es liegen. Frauen haben Vertrauen zu einem Mann, der sie als Frauen nicht zur Kenntnis zu nehmen scheint.«

Warum aber Martin die Porträtsitzung unterbrochen habe?

»Keine Ahnung – um sie zu unterbrechen, nehme ich an. Um uns seine Stimmung aufzuzwingen. Er hat sie aus der Fassung gebracht. Sie haben sich gestritten.«

»Und worüber?«

»Wer weiß? Auch wenn Sie gleich daneben sitzen und genau zuhören, wird Ihnen doch nie klar, worüber ein Liebespaar sich streitet. Sie wissen es ja selber nicht. Aber anscheinend ging es um Treue. Nicht etwa um Untreue, wohlgemerkt. Martin griff Emily wegen ihrer Treue an. ›Siehst du?‹ brüllt er sie an, während sie weinend in meinem Sessel da sitzt. ›Jedesmal, wenn wir uns sehen, strapaziere ich deine Geduld und kränke dich. Das scheint dir überhaupt nichts auszumachen. Du wartest einfach auf das nächste Mal. Begreifst du denn nicht, welche Hölle dir bevorsteht? Wenn ich mich, so wie ich im Augenblick bin, mit dir verlobe – ohne daß etwas geklärt, etwas verstanden ist? Du wirst vor Sehnsucht nach diesem unglückseligen Warten vergehen, wirst dich in diesen verdammten Garten unserer Kindheit zurücksehnen ... mit seinen törichten Kinderphantasien vom Leben.‹ Und so weiter und so fort, endlos.«

»Emily wußte also von Martins ... Visionen?«

»O ja. Daran hat er großzügig jeden teilhaben lassen.«

»Was meinte er wohl mit ›ohne daß etwas geklärt, etwas verstanden ist‹? Hat er das wörtlich so gesagt?« Diese letzte Frage hatte Donne fast flüsternd gestellt und mit solcher Anteilnahme, daß dadurch irgendwie Harrys Jugend erklärlich wurde. Wieder begriff ich, wie jung sie doch alle waren. Es fällt einem nicht leicht, an einem so stattlichen Mann mit Doppelkinn Jugendlichkeit wahrzunehmen, aber Harry war noch keine dreißig. Er seufzte. Er schenkte sich noch einen Fingerbreit Brandy nach und hielt die Flasche hoch. »Der ist sehr ordentlich – wollen Sie bestimmt keinen mehr?« Und sah uns dann abwechselnd an. »Schließlich muß ja nicht alles unerfreulich sein, oder? Ich glaube, Martin wollte sagen, daß er Augustus Pemberton gesehen hatte ... und ihn dann nicht mehr zu sehen bekam.«

»Wie meinen Sie das?«

»Mehr kann ich nicht sagen. Er hat es mich schwören lassen.« Mit seinem ganzen Gewicht ließ er sich auf einem Holzstuhl nieder. Wir blieben stumm, während er sich anschickte, seinen Eid zu brechen. Er starrte zu Boden, und ein leises Stöhnen entrang sich ihm. Er sagte: »Wenn ich mal meine Memoiren schreibe, handeln sie von mir selber. Ich habe nicht vor, als bloßer Chronist der Familie Pemberton zu enden. Absolut nicht. Meine Bilder werden in Museen hängen. Mein Schicksal, das ist eine völlig andere Geschichte, nicht diese hier. Diese nicht.«

# 13

»Jetzt kommen wir also doch darauf. Ich wußte es ja, daß wir noch darauf kommen würden. Ich wußte es«, sagte Harry.

»Na gut, eines Abends saßen wir in einer Kneipe an der East Houston Street, wo die Damen, die ohne Begleitung reinkommen, nicht unbedingt vom Gewerbe sind, sondern nur schlaflos . . . oder naiv – richtig. Harry Hills Bar, diese Hochburg tadelloser Manieren. Eine Geige und ein Harmonium spielten zum Tanz auf. Im vergangenen Juni war das, gegen Ende des Monats, denn in den Zeitungen war von der Sommersonnenwende die Rede, das weiß ich noch. Zeitungen machen immer viel her von Dingen, über die kein Mensch je nachdenkt, das müssen Sie schon zugeben, Mr. McIlvaine . . . Und eben in dieser Nacht brütete Martin die Idee aus, zum Woodlawn-Friedhof hinaufzufahren und seinen Vater zu besuchen. Ich sollte mitkommen, und zwar auf der Stelle . . . zum Friedhof mitkommen, den Sarg aufmachen und die Schätze darin besichtigen. Mitternacht war vorbei, ich war ziemlich betrunken, und ich weiß noch, wie ich dachte, daß mich die Idee, Augustus Pemberton auszubuddeln, nicht sonderlich interessierte. Ich war ihm im Leben nur ein-, zweimal begegnet und wäre nicht von selber darauf gekommen, die Bekanntschaft aufzufrischen. Aber Martin sagte, er wolle sich vergewissern, daß bei dem Alten auch alles stimmte ... Eine dicke Frau saß mit am Tisch, und die fing dröhnend an zu lachen. Ich hab sie darauf hingewiesen, daß bei Augustus Pemberton, der ja tot sei, zweifellos alles stimmte ... daß sich sein Zustand im Grunde sogar als eine Art Vollendung bezeichnen ließe. Bevor ich recht kapiert hatte, was vorging, hatte mich Martin schon am Arm gepackt, und wir kletterten in eine Droschke und galoppierten zum Central Railroad Terminal, wo wir gerade noch den letzten Zug erwischten – oder war es schon der erste Zug am Morgen? Jedenfalls hatten wir einen ganzen Wagen für uns, und wir fuhren bis zu dem Ort Woodlawn. Da ist der alte Herr beerdigt, auf dem Friedhof von Woodlawn. Sie wissen ja, die Reichen und Stinkreichen lassen sich da alle gern beerdigen, in dieser eleganten Ruhestätte, die so in Mode ist ... An der dunklen Bahnstation stiegen wir aus und hatten keine Ahnung, wie wir zu diesem Friedhof kommen und was wir dort machen sollten. Mir war kalt. Ich hab geschlottert. Daran besteht kein Zweifel, und ich seh auch gar nicht ein, warum das Wetter sich eigentlich dem Kalender unterwerfen muß. Zu trinken hatten wir auch nichts mehr. Ich habe Martin gedrängt, es sich anders zu überlegen. Im Wartesaal saß niemand, aber der Kohleofen war vom Abend zuvor noch warm, und ich dachte, wir könnten uns doch daneben setzen und auf den Zug zurück in die Stadt warten. Irgendwann mußte der ja kommen, das wußte ich. Vielleicht schlug ich auch vor, wir sollten mit dem Schänden seines väterlichen Grabs doch warten, bis es Tag würde, um wenigstens sehen zu können, was wir taten. Ich verstand schon, warum er von dieser seltsamen Idee besessen war, den ganzen Frühling hindurch hatte er mir von diesen sonderbaren Erscheinungen erzählt, und ich wußte, daß es Unsinn war, konnte mich aber nicht entscheiden, ob es ihm gut täte, die Leiche seines Papas wirklich mal zu sehen oder doch besser nicht, und war deshalb unschlüssig. Martin war so betrunken wie ich, aber seine Trunkenheit ging mit eiserner Zielstrebigkeit einher, als ob das Saufen ihm die Sinne nicht abgestumpft, sondern geschärft und konzentriert hätte. Tatsache ist, daß Sie mit meinem lieben Martin, wenn der sich mal was in den Kopf gesetzt hat, nicht mehr diskutieren können. Er hat eine starke Ausstrahlung, und sogar noch dann, wenn er Sie und Ihre Hilfe braucht, kann er Sie auf eine Weise ansehen, daß Sie sich irgendwie töricht oder unbedeutend vorkommen ... wie jemand, dem es an Entschlossenheit oder moralischer Weitsicht fehlt oder schlicht an Mut. Es kam also zu diesem trunkenen Streit, und ich, der ich mir insgeheim eingestehen mußte, daß ich keine der besagten Qualitäten besitze – ich habe natürlich nachgegeben, mich überreden lassen und, als er sich auf die Suche nach dem Familienmausoleum machte, mich hinter ihm hergeschleppt, durchweicht und mürrisch, wie ich war.

Ich weiß noch, daß es bergan ging und ich kurzatmig wurde. Die Dorfstraße war ein ungepflasterter Weg mit ein paar Häusern, einem Kramladen und einer Holzkirche. Ein Halbmond gab ein bißchen Licht. Wir kamen an einem Gäßchen vorbei, an dem ein Mietstall lag, wir hörten, wie ein Pferd schnaubte und sich schüttelte, und da beschrieb Martin noch einmal, was er gesehen hatte, als hätte ich nie etwas davon gehört, und fragte mich, warum er den weißen Omnibus immer sehe, wenn schlechtes Wetter sei. Darauf fiel mir nun wirklich keine Antwort ein. Erst als die Ortschaft hinter uns lag und wir an einer hohen Umfriedungsmauer entlanggingen, dämmerte mir . . . endlich . . . was es überhaupt bedeutete, daß mein Freund fest entschlossen war, seinen eigenen Vater zu exhumieren. Lieber Gott! Wir leben doch in modernen Zeiten! Unsere Stadt hat Gasbeleuchtung, wir haben Eisenbahnen, die den Kontinent von Küste zu Küste durchqueren, ich kann unter Wasser eine Kabelnachricht über den Ozean senden . . . Wir graben doch keine Leichen mehr aus!

Ich glaube, ich bin rasch nüchtern geworden . . . was daran zu merken ist, daß man Folgen einzuschätzen weiß. Durch das Haupttor betraten wir die Nekropole, und schließlich fand Martin irgendwo in den Hügeln von Woodlawn ein relativ bescheidenes Grabmal, einen einsamen Marmorengel auf hohem schmalem Sockel und darunter eine Platte, auf der der Name und die Lebensdaten und irgend etwas über die Tugenden des Dahingeschiedenen standen, in den abgedroschenen Worten, mit denen die Nachwelt gewöhnlich angesprochen wird. Ich hatte etwas erwartet, das dem Mann entsprochen hätte, eine gewaltige Gruft mit Umzäunung, um Augustus gebührend Abstand von den Leuten ringsum zu schaffen, und mit reichen Steinmetzarbeiten, die vom Glanz seines Lebens kündeten. Auch Martin war über die Bescheidenheit des Ganzen verdutzt, so sehr, daß er annahm, es handle sich um einen anderen Augustus

Pemberton, und nach dem richtigen Ausschau hielt. Aber dann gingen wir im Mondlicht noch einmal vor dem Grabstein in die Knie, und Martin sagte, dies seien die Daten seines Vaters, und es wäre doch ein gar zu grausamer Scherz, wenn auf der Welt zur selben Zeit gleich zwei Augustus Pembertons gelebt hätten. Und da knieten wir also, betrunken und verblüfft, und konnten nicht begreifen, warum sich ein solcher Mann im Tod für Bescheidenheit und Sparsamkeit entschieden haben sollte.

Und während ich mit klappernden Zähnen dort hockte, konnte ich auf einmal irgendwie ganz vage die Umrisse der umstehenden Bäume erkennen und dann, wenn ich angestrengt ins Dunkle starrte, die Konturen der Hügel und der Grabsteine darauf, und dann begriff ich, daß ich nicht mehr in die Dunkelheit blickte, sondern den hauchzarten milchigen Dunst der Minuten vor der Dämmerung sah. Alles war feucht, die Luft strich mir die Gesichtshaut mit ihrem feuchten Dunst, und als ich aufstand und mir die feuchte Erde abklopfte, die an meinen Hosenbeinen klebte, sah ich Martin, der aus diesem triefenden grauen Licht hervor den Pfad entlangkam, hinter ihm zwei Kerle, von denen einer eine Schaufel auf der Schulter trug, der andere eine Hacke. Anscheinend war ich an einem Grabstein eingeschlafen . . . Und er war losgezogen und hatte diese Friedhof-Habitués aufgetrieben, als ob sie bekanntermaßen jederzeit zu Diensten stünden, wann immer jemand seine Liebe exhumiert haben wollte. Bis heute weiß ich nicht, wo er sie gefunden und was er ihnen erzählt hat. Aber ich weiß, daß ich sie entlohnt habe, denn in jener Nacht hatte ich das Geld in der Tasche.

Sie legten also ihre Jacken ab, nicht aber ihre Kappen,

spuckten in die Hände, rieben sie und machten sich an die Arbeit. Etwas oberhalb von ihnen, auf einem kleinen Hügel, standen Martin und ich nebeneinander und sahen zu, wie der mit der Hacke erst die Erdkrume lockerte, der Schaufler sie dann an der Seite aufhäufte und sie dann hackend und schaufelnd stufenweise in das Loch abstiegen, das sie rings um sich gruben. Während sie bei der Arbeit waren, fiel mir auf, daß der Himmel heller und weißer wurde und der Dunst sich in sichtbaren Nebel verwandelte, wofür ich Gott dankte, denn mir lag natürlich sehr daran, daß wir nicht ertappt wurden, wenn man bedenkt, in welchem Zustand Gefängnisse heutzutage sind.

Ich versuchte mir das Furchtbare, das wir da taten, rational zu erklären. Ich versuchte mir einzureden, dieses Vorgehen wäre nicht völlig makaber, sondern mache, da Martin sich sein Leben lang damit herumgeschlagen hatte, daß er der Sohn von Augustus war, sogar auf eigentümliche Weise Sinn . . . als würde Martin, wenn er die Überreste des alten Mannes zu sehen bekäme, von seinen morbiden . . . Gesichten erlöst werden und fände ein bißchen Frieden, falls das überhaupt möglich war.

Und dann hörte ich ein neues Geräusch: Die Schaufel stieß auf den Sarg, und auf meiner Schulter spürte ich wie eine Klaue Martins Hand. Nun, da der Moment gekommen war, konnte er sich nicht rühren. Das gefiel mir. Wissen Sie, ich fürchte mich nicht vor dem Anblick toter Dinge. Mein Leben lang habe ich tote Dinge gezeichnet – tote Insekten, tote Fische, tote Hunde. Im Anatomiekurs Leichen. Ich sagte zu ihm, er solle bleiben, wo er war, und ging zum Rand der Grube hinunter. Die Männer hatten Erdsimse stehenlassen, auf denen sie kauern konnten, und von diesen Simsen aus schabten sie den Sarg oben frei, und mühsam, mit Hilfe eines kleinen Vorschlaghammers und eines Eisenkeils, die mitzubringen sie schlau genug gewesen waren, gelang es ihnen, den Deckel aufzustemmen. Ich habe mich gefragt, ob es für Handwerker dieser Art eigentlich eine Zunft gibt . . . Der Deckel gab nach, wurde angehoben und zur Seite geschoben. In Vertretung meines Freunds nahm ich mich zusammen, kniete mich hin und schaute beherzt hinab. In einiger Unordnung lag da eine Gestalt auf weißseidenem Polster. Und nun sage ich Ihnen etwas, Captain Donne, und zwar, ohne mit Strafe rechnen zu müssen, weil das größere Verbrechen nicht von uns begangen worden ist. Da lag ein stark geschrumpfter Leichnam . . . seltsam bekleidet . . . mit winzigem, ledrigem Gesicht, die Augen geschlossen und die Lippen gekräuselt . . . als ob er etwas zu verstehen oder sich an etwas zu erinnern versuchte, was er vergessen hatte . . . das Licht, das mir bei meiner Untersuchung zur Verfügung stand, war kein richtiges Tageslicht, müssen Sie wissen. Ich mußte wie durch eine milchige Schicht hindurchsehen. Die Luft war feucht, der Boden war feucht, und vor meinen Augen wurden die faltige Seide der Sargauskleidung an der Luft dunkel. Ich schaute wie blöd hin und wunderte mich über die Arme . . . von denen einer über der Brust lag, der andere neben den Rumpf gesunken war . . . mit den kleinen Händen, die aus manschettenlosen Ärmeln ragten. Keine Krawatte, kein Kragen und kein Gehrock, dafür ein kurzes Jäckchen und ein weißes Hemd mit roter Schleife. Die Hose reichte bis zu den Knöcheln. Die Füße steckten nicht in Stiefeln, sondern in Lackschuhen. Ich gab mir alle Mühe, diese

sonderbaren Fakten mit dem, was ich von Augustus Pember-
ton in Erinnerung hatte, in Übereinstimmung zu bringen.
Ich hörte Martin flüstern: »Um Gottes willen, Harry . . .«
Jetzt kommt es mir vor, als wäre eine Ewigkeit verstrichen,
bevor ich begriff, daß ich auf einen Kinderleichnam blickte.
In dem Sarg lag ein toter Junge.

Die Totengräber hievten sich aus der Grube hoch. Mir
rutschte der Zylinder über das Gesicht, er fiel in den Sarg
und landete mit dem Rand nach unten auf dem Brustkorb.
Es sah aus, als halte sich der Junge einen Hut vors Herz . . .
vielleicht, weil gerade eine Parade vorüberzog . . . Ich lachte,
denn ich fand das komisch. ›Na los, Martin‹, rief ich, ›komm
her und sag unserem jungen Freund guten Tag.‹

So nüchtern, wie ich glaubte, war ich nicht. Wer weiß denn
heute, was Martin auf dem Woodlawn-Friedhof durch den
weißen Nebel hindurch lieber gesehen hätte? Nachdem er
sich erst einmal zum Nachforschen entschlossen hatte,
konnte das Resultat nur furchtbar sein, wie auch immer es
aussehen mochte. Er kam von dem kleinen Hügel herab,
kniete sich hin und spähte hinunter . . . und ich hörte ein
Stöhnen . . . einen grausigen Baßton . . . keineswegs von seiner Stimme, sondern aus den Lungen zottiger Urahnen . . .
Jahrmillionen alt. Er ging mir durch Stein und Bein. Nie wieder möchte ich einen solchen Laut hören.

Martin ließ mich schwören, daß ich nie jemandem etwas davon erzählen würde, und das war ganz in meinem Sinne. Die Totengräber schlossen den Sarg und schaufelten die Grube zu. Ich
wollte mich verdrücken, aber Martin bestand darauf, daß wir
blieben, bis die Arbeit beendet war. Ich weiß noch, daß er das
Gras festtrat, wo es nach seiner Vorstellung nicht richtig lag.

Danach habe ich ihn nur noch ein paarmal gesehen . . . und jetzt sehe ich ihn überhaupt nicht. Er kommt nicht mehr vorbei. Eigentlich müßte er mir hin und wieder über den Weg laufen – schließlich haben wir dieselben Stammkneipen –, aber ich sehe ihn nicht. Ich weiß nicht, wo zum Teufel er ist . . . und ich will's auch nicht wissen. Es ist gefährlich in seiner Nähe. Wenn ich auch nur im geringsten neugierig wäre . . . was mit dem Leichnam seines Vaters gewesen ist, was das Kind statt dessen dort zu suchen hat . . . wenn ich mir gestatten würde, irgendeinen Gedanken auf diesen . . . gespenstischen . . . Familienkrieg zu verschwenden . . . Wahrhaftig, sie haben einander verdient mit ihren fürchterlichen Kämpfen, die sie noch über den Tod hinaus weiterführen . . . Ich weigere mich, darüber nachzudenken . . . Es ist eine Art tiefer moralischer Schädigung, und die ist ansteckend, wenn man ihr zu nahe kommt – wie die Cholera. Und wenn ich bloß dran denken, wer für den grandiosen Abend da bezahlt hat! Wenn man von männlicher Charakterstärke reden will, dann kann ich Ihnen versichern, daß Martin Pemberton kein so guter oder hervorragender Freund gewesen ist wie Harry Wheelwright, es nie war und nie wird sein können . . . Bestimmt würde er sich nicht ähnlich großmütig und aufrecht verhalten, wenn, Gott möge es verhüten, die umgekehrte Situation einträte und einmal ein Wheelwright aus seinem Grab verschwände.

Aber ich habe das Gefühl, daß ich angesteckt wurde . . . Es ist nur immer schlimmer geworden . . . Ich kriege das Bild von diesem toten Jungen nicht aus dem Kopf. Ich würde es malen, wenn ich könnte.

Von all dem werde ich meinen Memoiren niemals berichten. Wenn ich meine Memoiren schreibe, will ich das Thema sein. Ich habe nicht vor, als passionierter Anhänger und selbsternannter Sekretär der Familie Pemberton zu enden . . . die eine Zeitlang in der glanzvollen, herzergreifenden Kultur New Yorks lebte. Mein eigenes Schicksal ist eine andere Geschichte . . . nicht diese.«

# 14

Harrys Geschichte, so wie er sie erzählt hatte, gehörte so
eindeutig zu der Sorte, die Zeitungsauflagen in die Höhe
treibt, daß Donne annahm, ich hätte Blut gewittert. Als wir
das Atelier des Künstlers verließen, schlug er vor, zum Lunch
in einem Biergarten in der Nähe einzukehren. Er kannte mein
Gewerbe, er wußte, daß ein Reporter ein Raubtier ist . . . und
die Geschichte eine Beute, die er zwischen den Zähnen an-
schleppt und seinem Verleger vor die Füße wirft. Und da
Tiere unbesonnen sind und nicht gegen ihre Natur handeln
können, wollte er mir einschärfen, daß hier Zurückhaltung
notwendig sei. Ich war nicht gekränkt. Schließlich hatte ich
mir Donne für dieses Unternehmen als Partner ausgesucht.
In einer guten Partnerschaft sollte jeder den anderen vor dessen schlimmsten Instinkten bewahren. Ich konnte mir die seinen zwar nicht vorstellen, aber ich verließ mich darauf, daß
ich sie schon erkennen würde, wenn sie erwachten.

»Wie will die Städtische Polizei eine Leiche ausgraben, ohne daß es die ganze Stadt erfährt?«

»Eine Exhumierung kann ich nur anordnen, wenn ich die Zustimmung der Familie des Verstorbenen habe.«

»Das hieße, von Sarah Pemberton.«

»Ja«, sagte er. »Und allein aufgrund der Behauptungen von Mr. Wheelwright kann ich mich nicht an Mrs. Pemberton wenden.«

»Ich glaube ihm . . . obwohl er ein Lügner ist.«

»Ich auch«, sagte Donne. »Aber bevor ich zu einer Witwe gehe, hätte ich gern ein bißchen mehr in der Hand.«

»Mehr wovon?«

»Da liegt das Problem. Bestimmte Punkte müssen geklärt werden und erhärten, was wir erfahren haben. So läuft das – man braucht Beweise für das, was man bereits weiß. Laut Wheelwright lag das Kind in einem Sarg normaler Größe, was darauf hindeutet . . . daß Täuschung beabsichtigt war. Aber wir können uns nicht auf das verlassen, was er gesehen zu haben meint. Er war betrunken, und das Licht war schlecht. Wir müssen uns erst vergewissern, daß der Friedhofverwaltung kein Versehen unterlaufen ist. Ich muß das Verzeichnis der Bestattungen des Jahres einsehen. Um auszuschließen, daß keine falsche Identifizierung passiert ist . . . und nicht zwei Leichen, die zur Beerdigung am selben Tag überführt wurden, in den falschen Gräbern beigesetzt worden sind.«

»Nicht gerade wahrscheinlich.«

»Immer schön systematisch, Mr. McIlvaine, ein Schritt nach dem anderen. Diszipliniert vorgehen . . . mit dem wenig Wahrscheinlichen beginnen. Ich muß die Sterbeurkunde von Mr. Pemberton sehen. Die wird von einem Arzt unterzeichnet sein. Ich hätte gern Gelegenheit, mit diesem Arzt zu sprechen ... Außerdem sollten wir in der Hall of Records die registrierten Verträge und Übereignungen sichten ... um zu sehen, welche Transaktionen Mr. Pemberton in dem Jahr, sagen wir mal, vor dem beurkundeten Sterbedatum vorgenommen hat ... und so fort.«

»Können Sie diese Schritte unternehmen, ohne schlafende Hunde zu wecken?«

»Ich meine schon.«

Nun selbst zu Verschwörern geworden, beugten wir uns über den Tisch und sprachen leise. »Himmel, Sie wissen doch, wie es in der Zeitungsbranche zugeht. Ich möchte von Ihnen die Zusicherung haben ... Ich habe Sie in diese Sache mit einbezogen ... in der Annahme, Sie würden meine Interessen schützen.«

»Ich verstehe«, sagte er nickend.

»Das hier ist eine Exklusivgeschichte«, erklärte ich ihm, »und zwar meine – es gäbe keine Geschichte, wenn ich sie nicht gefunden hätte.«

»Genau.«

»Und wenn der Moment naht, von dem an Sie mir keine Exklusivität mehr garantieren können ... dann warnen Sie mich rechtzeitig.«

»Abgemacht«, sagte er.

Ich hatte Blut gewittert, Donne auch. Ein neues Glitzern zeigte sich in den so kummervollen Augen, ein Anflug von Farbe auf seinen asketischen Wangen. Faktisch stand es so, daß ich mit seinem Ermittlungsplan einverstanden war, und wenn ich Einwände erhoben hätte, dann weil er dies von mir erwartete. Ich sagte, was ein Journalist seiner Meinung nach sagen würde. In Edmund Donnes nachdenklicher Gesellschaft wurde einem bewußt, daß man so sein wollte, wie er es von einem erwartete. War Harry Wheelwright nicht das gleiche widerfahren? Donne hatte von ihm erwartet, daß er erzählen würde, was er wußte, und das hatte er auch getan.

Zu jenem Zeitpunkt glaubte ich, ich würde mich eines Tages bei Wheelwright entschuldigen müssen. Ich verstand schon die Arroganz dieser Generation von jungen Männern . . . daß sie unter sich blieben, eine besondere Gemeinschaft von Leuten mit Verstand, mit zumeist gleichaltrigen Nachbarn, die sich, wenn sie sich auf derselben Straße sahen, auf Anhieb erkannten. Martin aber hatte durch sein Verhalten gezeigt, daß dieser Schein trog, und bewirkt, daß sie mit dem gleichen Mißtrauen zu behandeln waren, wie der Rest der Menschheit.

Ich empfand also Mitgefühl für den Künstler. Und Dankbarkeit, wenn ich die auch niemals zeigen würde. Seine Geschichte war überwältigend. Aber wenn man es sich recht überlegte, würde ich meine Exklusivrechte darauf gerade dann einbüßen, wenn ich zu früh damit herausrückte . . . und mich so unbesonnen wie Martin Pemberton verhielt. Als erfahrener Journalist wußte Martin, daß er die gleichen vorsichtigen Methoden hätte einsehen können, für die Donne nun plädierte. Statt dessen hatte er sich über sie hinweggesetzt und – verzweifelt, ehrfurchtgebietend – bei Nacht ein Grab geöffnet. Wenn ich ihm aber nacheiferte, würde ich schließlich in jenem Grab stehen . . . zusammen mit allen anderen Reportern der Stadt . . .

Nein, Martin hatte seinen Freund Stillschweigen schwören lassen, und bei uns, Donne und mir, war das Geheimnis sicher. Ich wollte meinen Mitarbeiter und meine Geschichte behalten ... diese Geschichte, nach der es mich insgeheim verlangte ... und mit der ich, falls ich sie schrieb, die übliche Reportage übertreffen könnte. Harrys Bekenntnis war unter anderem die Schilderung einer geistigen Suche. Für mich bedeutete es vornehmlich – um Donne zu zitieren – Erhärtung. Es bewies, was ich bereits wußte. Mein Mitarbeiter lebte noch ... und war nur einfach in jenen Bereich abgetaucht, wo die Tatsache, daß Leute existierten oder nicht existierten, nichts ... bewies. Dort hielt er sich auf ... zusammen mit seinem Vater ... und mit dem Faktotum seines Vaters, 'Tace Simmons, und vielleicht auch mit dem Arzt, der Augustus während seiner letzten Krankheit angeblich behandelt hatte, mit diesem Schatten Sartorius.

Ich war nun sicher, daß ich so viel wußte wie Martin Pemberton, als er verschwunden war. Mir schien, wenn ich meine Recherche fortsetzte, würde sie der seinen an Bedeutung gleichkommen. Auf jeden Fall hatte ich Donne in keiner Weise zugesagt, dies zu unterlassen. Als ich die Arbeit im *Telegram* wiederaufnahm – höchstens zwei Tage nach der Begegnung mit Wheelwright in dessen Atelier –, sandte ich sofort ein Kabel an unseren politischen Korrespondenten in Albany und bat ihn, in einem ruhigen Moment – etwa, wenn sich die werten Gesetzgeber des Staates New York, erschöpft vom Verabschieden der Gesetzesvorlagen des Mr. Tweed, zur Erholung eine Pokerpause gönnten – doch einmal einen Abstecher zum Saranac Lake zu machen ... um eine von uns geplante Serie über Errungenschaften der modernen amerikanischen Medizin vorzubereiten. Ich wollte wissen, wie die Sanatorien und die Ärzte darin hießen, welche medizinischen Methoden sie anwandten und so weiter.

Er schickte mir seine Notizen ein paar Tage später: Es gab dort zwei kleine Sanatorien. Als einzige Krankheit wurde dort Tuberkulose behandelt. Der leitende Arzt der besseren Heilstätte war ein Dr. Edward Trudeau, der sich, selbst schwindsüchtig, eines Winters in die Adirondacks hinaufbegeben und die Heilkraft der Gebirgsluft dort entdeckt hatte. Auf der Liste der behandelnden Ärzte befand sich kein Dr. Sartorius.

Was mich auch keineswegs erstaunte, denn ich war zu dem Schluß gekommen, daß alles, was Augustus Pemberton seiner Frau erzählt hatte, gelogen war. Doch der Name Sartorius war ungewöhnlich . . . und wenn er gefälscht war, dann weder von Pemberton noch von seinem Geschäftsführer, die beide nicht den Esprit besaßen, so . . . individuell zu fälschen.

Auf der Bank vor meinem Büro saßen immer freie Mitarbeiter herum, die auf einen Auftrag hofften. Einen davon schickte ich in die Nassau Street zur Bibliothek des New Yorker Ärzteverbands, um nachzusehen, ob sich der Name Sartorius auf der Liste der New Yorker Mediziner befand. Er war nicht eingetragen.

Ich hatte Anspruch auf eine Story angemeldet, über meine Anrechte darauf sogar schon mit der Polizei verhandelt . . . doch diese Story war letztlich ein Phantom . . . nicht mehr als eine Hoffnung auf gedruckte Wörter . . . immaterielle Wörter . . . Phantomnamen . . . Wahrheitsgehalt und Faktizität nichts als Nuancen von Phantomhaftigkeit im Kopf eines weiteren Phantoms.

Gleichwohl will ich Sie hier über die sieben Kolumnen der Zeitung aufklären. Wir brachten damals alle Artikel einspaltig, einen neben dem andern – Titel, Untertitel, Text. Wenn man eine wichtige Story hatte, ließ man sie in Spalte eins bis zum unteren Rand laufen und nahm von der nächsten Spalte noch so viel wie nötig. Es war eine komplett vertikal ausgerichtete Zeitung – keine spaltenübergreifende Schlagzeilen, keine zweispaltigen Kästen und wenig Abbildungen ... Es war eine Zeitung mit sieben Wortsäulen, jede trug ihr Gewicht an Leben, indem sie dessen dreiste ... Schrecken in neuer Version, Wort für Wort, aufrechterhielt. Die ersten Zeitungen waren Handelsgazetten gewesen, Nachrichtenkuriere für Kaufleute mit den aktuellen Baumwollpreisen und den Auslaufzeiten der Schiffe – Blätter, die man auf einem größeren Teller servieren konnte. Nun kamen wir mit acht Seiten zu sieben Spalten heraus, und Sie mußten die Arme schon weit ausstrecken, um die Zeitung ganz ausgebreitet zu halten. Und wir hatten Leser in der Stadt, die daran gewöhnt waren ... die unsere Spalten sogleich nach dem Kauf, noch warm von der Hand des Zeitungsjungen, überflogen ... als spiegelten unsere Stories die mannigfaltige Seele eines Menschen wider ... und keine Spalte machte Sinn, wenn man nicht zugleich alle anderen in ihrem ... simultanen Verlauf ... mit wahrnahm ... und so erging sich unser Leben dreister Schrecken in sieben kompakten, simultan verlaufenden wortreichen Kolumnen ... zu ein, zwei Cent von Kinderhänden angeboten.

In dieser aktuellen Story also, in der heutigen, in meiner, dieser hier ... in diesen Aktualitäten von gestern ... liegt der Sinn nicht – ich sage es zur Warnung – in der linearen Spalte, sondern in allen gemeinsam. Natürlich sollte ich im Ärzteverzeichnis keinen Dr. Sartorius finden ... sowenig wie ich in den Hafenkneipen Eustace Simmons gefunden hatte . . . oder Martin Pemberton in seiner Dachkammer an der Greene Street. Durch geradliniges Denken würden sie nicht zu finden sein. Doch eines Morgens dann, als ich den Polizeibericht auf Meldungen hin durchsah, die ich bringen könnte, las ich, daß die Leiche eines gewissen Clarence »Knucks« Geary, Alter unbekannt, im Fluß vor dem South Street-Pier treibend gefunden worden war – wenn ich mich nicht irrte, war das eben jener Strolch, den ich in Donnes Büro gesehen hatte –, und zum zweitenmal lenkte dieser hirnlose, amoralische Charmeur mich von Dingen ab, über die ich mir eher hätte Gedanken machen sollen.

Wohl noch am Nachmittag des gleichen Tags stand ich mit Donne im Leichenschauhaus an der First Avenue – ein gewohnter Aufenthaltsort für ihn, und es sah ganz so aus, als würde es auch für mich einer – und sah hinunter auf die Leiche von Knucks, diesen armen Hund: Die jungenhaften blauen Augen waren undurchsichtig. Ringe von geronnenem Blut umrandeten die Löcher seiner plattgedrückten Boxernase. Seine Lippen waren gekräuselt und entblößten die Zähne, als habe er im Augenblick des Todes noch versucht zu lächeln. Donne zog Knucks Kopf unter dem Wasser der Düse an den Haaren hoch. Der Hals war gebrochen.

»Sehen Sie, was er für einen Gürtelumfang hat?« fragte Donne. »Und schauen Sie sich den Brustkorb an und diese Schultern. Er ist gebaut wie ein Bulle. Selbst wenn er nicht darauf gefaßt war . . . Wissen Sie, wieviel Kraft jemand braucht, um so einen Hals zu brechen?«

Ich hatte nicht erwartet, Edmund Donne derart bestürzt zu sehen. Doch er war es – er war aufgewühlt, wenn sich dies auch nur an einer grimmigeren . . . Ungerührtheit ermessen ließ. Er legte Knucks' Kopf mit übertriebenem Respekt nieder, wie ich fand, mit unangebrachtem Zartgefühl. Welch kuriose Zuneigungen in dieser Stadt doch gedeihen . . . wie das Unkraut, das aus Rissen im Pflaster wächst. Er wollte über nichts anderes reden als über Knucks' Tod. Ich wartete vergeblich darauf, daß er auf unsere gemeinsame Angelegenheit zurückkommen würde. Mich enttäuschte Donnes sichtliche . . . Verwundbarkeit. Er konnte nur an den Halunken denken, für dessen Tod er sich verantwortlich fühlte. Und was immer ihm auch sonst noch durch den Kopf gehen mochte, er begann sogleich, nach dem möglichen Sinn oder Moment von Gerechtigkeit bei der Sache zu suchen . . . als wäre dieser jämmerliche Lump die bedeutendste Gestalt der Stadt gewesen.

Mich wiederum lähmte, daß ich auf eigene Faust nicht weitergekommen war – nach Harrys Enthüllungen hatte ich geglaubt, die Wahrheit werde mir nur so entgegenstürzen. Ich merkte, daß es mich ärgerte, wie leicht Donne sich von unserer Suche hatte ablenken lassen. Ich wußte nicht zu schätzen, daß er einer Zeitung auf zwei Beinen glich, die mehrere parallel verlaufende Geschichten gleichzeitig bringen konnte. Er sagte, ohne mir den Grund dafür zu nennen, er müsse mit sämtlichen Zeitungsjungen reden, die er finden könne. Ich weiß noch, wie sehr mich das verblüffte. Nun meinerseits ganz benommen vor Schock, führte ich ihn und den ihm unterstellten Sergeant in die Spruce Street zu Buttercake Dick, wo die Zeitungsjungen nach ihrer abendlichen Arbeit aßen.

Buttercake Dick war ein Kellerloch, drei Stufen unterhalb der Straße, und der Atheneum Club der Zeitungsjungen. Es war mit Plankentischen und Bänken ausgestattet. Ganz vorne befand sich die Theke, an der die Jungen sich ihren Becher Kaffee und eines von Dicks verbrannten, aufgeschnittenen und mit einem Klecks Butter gefüllten Hörnchen kaufen konnten. Früher am Abend hatte es in der Stadt zu regnen begonnen. In dem Keller mit seiner niedrigen Decke stank es nach Kerosin, ranziger Butter und der nassen Kleidung von dreißig oder vierzig ungewaschenen Jungen.

Donne und ich suchten uns einen Platz gleich hinter der Tür . . . während der Sergeant sich mitten in den Raum stellte und eine Ansprache hielt. Die Jungen verstummten wie Schulkinder in Gegenwart des Rektors. Sie hörten zu essen auf, als sie von Dingen hörten, deren Ernst ihnen nicht erst bewiesen zu werden brauchte.

Sie hatten Knucks Geary gekannt, wie sie auch jeden anderen Erwachsenen kannten, der ihnen handfest zusetzte. Anscheinend hatte es zu Knucks' Tätigkeiten in vorgerücktem Alter gehört, mit den Zeitungsausfahrern zusammenzuarbeiten, mit den Zwischenhändlern oder sogenannten Jobbern. Das hatte ich nicht gewußt, Donne hatte es mir nicht gesagt . . . obwohl es besonders eng mit meinem Beruf zusammenhing. Knucks warf an der Ecke eines jeden Jungen die Zeitungspakken vom Pferdewagen oder stand an der Laderampe der Druckerei und gab die Stapel aus. Er war der Unterzwischenhändler. Die Ausfahrer zahlten einen Dollar fünfundsiebzig pro hundert Stück und verlangten von den Jungen zwei Dollar. Knucks kassierte mit Aufschlag – für Knucks. Somit hatte er, der so laut über die Misere der Straßenkinder moralisierte, sie zu bestimmten Stunden des Arbeitstags bestohlen.

»Soll er doch in der Hölle schmoren«, sagte einer von den Jungen. »Was bin ich froh, daß sie ihn kaltgemacht ham.«

»Na, na«, sagte der Sergeant.

»Hat er dich auch verprügelt, Philly?«

»Und ob . . . Scheißkerl, der Knucks.«

»Mich auch, Sergeant. Wenn du ihn nich geschmiert hast, hat er gleich zugehaun.«

Die Jungen redeten alle gleichzeitig, und es herrschte Einmütigkeit.

Brüllend sorgte der Sergeant für Ordnung. »Laßt das mal beiseite. Wird für euch noch schlimmer, wenn der Kerl, der ihn umgebracht hat, seinen Platz übernimmt. Wir reden jetzt über die Zeitung von gestern. Wer Knucks gesehen hat, meldet sich und sagt, wann das war.«

Ich fühlte mich dort, am schändlichsten Punkt der Zeitungsbranche, nicht wohl. Die New Yorker betrachteten ihre Zeitungsjungen als eine sprudelnde Quelle von Humor, doch als ich sie mir nun in diesem gelben Licht, so gelb wie die Butter in den Hörnchen, ansah, entdeckte ich nur kleinwüchsige Geschöpfe, deren Gesichter von den Falten und Schatten der Knechtschaft gezeichnet waren. Weiß der Himmel, wo sie nachts schliefen.

Allmählich, zögernd rückten sie mit ihren Aussagen heraus. Zunächst schaute ein Junge zu seinen Kumpanen hin, und erst wenn er einen kaum wahrnehmbaren bestätigenden Blick aufgefangen hatte, stand er auf und sagte, was er zu sagen hatte. »Ich hab meine Zeitungen Punkt vier bei Stewart-Textilien gekriegt, genau wie immer.« Oder: »Meine hat er mir auf der Broad Street runtergeworfen, an der Börse.« Nachdem sich immer mehr von ihnen geäußert hatten, konnte ich im Kopf Knucks' letzte Fahrt wie auf einem Stadtplan nachvollziehen: Vom Printing House Square aus fuhr er auf dem Broadway südwärts, bog ab zur Wall Street und dann ostwärts zum East River, zur Fulton Street und zur South Street.

Ein kleiner schwächlicher Junge stand auf und sagte, er habe vor der Black Horse Tavern Knucks hinten vom Fuhrwerk herunterspringen sehen. Da sei es schon dunkel gewesen, die Straßenlaterne habe gebrannt.

Der Junge setzte sich. Der Sergeant blickte sich um. Keiner sagte mehr etwas. Es war still im Raum. Obwohl der Sergeant die Fragen gestellt hatte, steckte doch Donnes Intelligenz dahinter. Donne erhob sich. »Danke, ihr Männer. Ihr seid alle noch zu einem Kaffee und einem Hörnchen eingeladen. Geht auf die Städtische Polizei.« Und er legte zwei Dollarscheine auf die Theke. Dann machten wir uns auf den Weg zur Black Horse Tavern.

Ich brüstete mich damit, die Kneipen der Stadt zu kennen, aber diese kannte ich noch nicht. Donne führte uns geradenwegs hin. Black Horse Tavern lag an der Water Street. Es gab kaum etwas in der Stadt, das er nicht kannte . . . vielleicht, weil er ihrem normalen Leben so entfremdet war. Er hatte seine Fähigkeiten in bitterem, lebenslangem Dienst vervollkommnet . . . und vielleicht erklärte es sich so . . . dieses Wissen, das mit Entfremdung einhergeht. Gott möge mir verzeihen, aber ich konnte keine zehn Minuten in seinem Schlepptau verbringen, ohne daß ich mich ebenfalls entfremdet fühlte, als stellte diese tosende, wimmelnde Stadt mit ihrem Gedröhne von Dampfkolben, Zahnrädern und Treibriemen bei unzähligen industriellen Vorhaben eine exotische, völlig unerklärliche Zivilisation dar.

Das Black Horse war ein altes Giebelhaus aus holländischen Zeiten mit Holzfassade und Fensterläden. Als eine Taverne daraus wurde, hatte man über Eck eine Eingangstür hineingehauen und steinerne Stufen davorgesetzt, damit die Taverne von der Water Street wie von der South Street aus zu erkennen war. Donne und ich gingen hinein, der Sergeant wartete draußen.

Drinnen war es still und dunkel, ein toter Ort, in dem der strenge, kratzige Geruch von Whiskey wie ein Gas aus den quietschenden Bodendielen stieg. Ein paar Stammgäste saßen da und tranken. Wir setzten uns an einen Tisch, und ich nützte die Gelegenheit, einen Schluck zu mir zu nehmen. Donne ließ sein Glas unberührt vor sich stehen. Die verstohlenen Blicke, die der Mann hinter der Theke und die Gäste ihm zuwarfen, beachtete er nicht. Er war in Gedanken versunken. Er schien nach nichts Ausschau zu halten und unternahm auch keinen Versuch, irgendwelche Fragen zu stellen. Ich respektierte sein Schweigen, denn ich nahm an, daß eine bestimmte Absicht dahinterstand, was aber, wie sich herausstellte, nicht der Fall war. Er wartete einfach, wie Polizisten eben warten . . . worauf, wußte er nicht, sondern nur, wie er mir viel später erklärte, daß er es sofort wissen würde, wenn er es sähe.

Und dann kam ein Kind zur Tür herein, ein Mädchen von sechs, sieben Jahren mit einem Korb welker Blumen . . . ein mageres kleines Ding. Sie senkte den Kopf vor Schüchternheit oder abgründiger Angst, als könne sie auf uns nur zugehen, indem sie so tat, als wolle sie nichts von uns. Ihr Gesicht war dreckverschmiert, sie hatte die schlaffe Unterlippe der geistig Beschränkten, ihr hellbraunes Haar war strähnig, ihr Kittelkleidchen zerrissen, und ihre übergroßen

Schuhe stammten eindeutig vom Müll. Sie kam direkt zu uns und fragte Donne mit dem dünnsten aller Stimmchen, ob er eine Blume kaufen wolle. Der Barmann brüllte sofort los und kam hinter dem Tresen hervor. »Du, Rosie, hab dir doch gesagt, du sollst dich hier nicht mehr blicken lassen! Daß ich dich hier nicht mehr erwischen will. Hast schon genug Ärger gemacht! Muß ich dir die Ohren putzen –« Oder etwas dieser Art. Das Kind versuchte nicht wegzulaufen, fuhr aber zusammen, zog eine Schulter hoch, schob den Kopf dahinter und kniff in Erwartung eines Schlags fest die Augen zusammen. Donne hob natürlich die Hand, um den Mann fernzuhalten. Leise sprach er mit dem Kind. Er forderte es auf, sich zu setzen, und zupfte sanft und sehr überlegt die drei wohl welksten Blumen aus dem Korb. Ich weiß nicht, was für welche – es waren die Blumen der Not, die ihre Köpfe hängenlassen, die matten Blumen des Waisenlands. »Die hier möchte ich gern kaufen, Rosie, wenn du erlaubst«, sagte er. Und legte ein paar Münzen in die kleine Hand.

Dann sah Donne zu dem glücklosen Barmann auf, der mit rotem Gesicht hinter dem Kind stand und krampfhaft an seiner Schürze zerrte. »Was für Ärger hat sie gemacht? Was für Ärger kann denn überhaupt ein Kind dem Black Horse machen?«

Donne rief den Sergeant herein, und sie nahmen den Barmann zum Verhör in ein Hinterzimmer mit. Ein paar Minuten später verließ der Sergeant die Kneipe. Donne hatte das Mädchen gebeten, bei mir zu bleiben. Sie saß mir gegenüber am Tisch, hielt den Blick abgewandt und wippte mit einem Fuß. Daß ich vom Geschehen ferngehalten wurde, machte mich gereizt. Offenbar konnte Donne mir in einem Augen-

blick vertrauen und mich im nächsten ausschließen. Bei
einer Unternehmung konnten wir Partner sein und bei einer
anderen Polizist und Journalist. In diesem Stadium nahm ich
nichts wahr als . . . Schatten, meine bösen Ahnungen, ein gewisses unbestimmtes Gefühl von . . . Verhängnis. Aber ich
war auch verärgert darüber, daß Donne wegen des Todes
eines nichtwürdigen Verbrechers so besessen sein oder solche Schuldgefühle entwickeln konnte; ein Lokalredakteur
des *Telegram* kann dies nur beschämt eingestehen. Ich hörte
draußen einen Pferdewagen halten. Ich war nicht darauf gefaßt, daß ich den Sergeant in Begleitung von – ausgerechnet –
Harry Wheelwright hereinkommen sehen würde. Der
Künstler war verdrossen, mürrisch, kaum noch höflich. »Sie
schon wieder, McIlvaine!« sagte er. »Ihnen habe ich wohl das
Kunstinteresse des Captain zu verdanken.« Wheelwrights
Abendanzug war zerknittert und verrutscht. Doch als ge-
ständiger Grabschänder fühlte er sich vielleicht dem Mann,
vor dem er gestanden hatte, in einem gewissen Maße verpflichtet. Oder hatte es etwa damit zu tun, daß man unausweichlich dazu verurteilt ist, sich freizukaufen, wenn man
anständig auftritt?

Donne hatte den genialen Einfall gehabt, Wheelwright
nach der Beschreibung des Wirts eine Bleistiftskizze von
dem Mann zeichnen zu lassen, der sich mit Knucks Geary
angelegt hatte. Dabei zuzusehen, war faszinierend. Harry
stellte zur Klärung sehr präzise Fragen, auf die nur ein ge-
schulter Künstler kam . . . und holte dann weitere Einzelheiten aus dem kleinen Mädchen heraus . . . Während wir ihm
alle stehend über die Schulter guckten, zeichnete und radier-
te er, zeichnete so lange neu, bis sie die Gestalt wieder-

erkannten, und schuf anhand ihrer beider Äußerungen ein – wie wir erst sehr viel später erfahren würden, erstaunlich treffendes – Porträt . . . des Kutschers auf dem Bock des weißen Pferdeomnibusses, den Martin Pemberton zweimal mit der Schar alter, schwarzgekleideter Männer durch die Straßen von Manhattan hatte fahren sehen.

Wir waren also doch dem Fall meines freien Mitarbeiters auf der Spur. Nicht daß es uns zu jenem Zeitpunkt bewußt gewesen wäre, wie ich betonen möchte. Wir blickten zwar auf die Skizze und wußten aber nicht, daß sie den Fahrer und Mann für alles von Dr. Sartorius darstellte, Wrangel. Wir blickten damals auf ein Porträt des schwerfälligen, kahlgeschorenen Mörders von Knucks Geary. Dennoch war ich unerklärlicherweise . . . hochgemut. Wir hatten an diesem Abend gute Dienste geleistet. Donne lächelte sogar. Er gab eine Runde aus – für das Kind bestellte er Tee – und gratulierte Harry, der seiner anfänglich schlechten Laune wegen einfältig grinste, seinerseits eine Runde ausgab und dem kleinen Blumenmädchen seinen Zylinder überstülpte . . . dort, in der Black Horse Tavern.

# 15

ICH BIN ZIEMLICH SICHER ... ich vertrete die These, daß Donne der Erfinder des Porträtierens nach Beschreibungen für Polizeizwecke war. Natürlich kam die Idee, diese sogenannten Kompositporträts in Zeitungen zu veröffentlichen, erst später auf ... und sie stammte nicht von Donne. Er erklärte stur, Polizeiarbeit sei ein Beruf, wenn nicht gar eine Berufung, und er hätte nie daran gedacht, die Öffentlichkeit durch Annoncen bei der Ergreifung eines Kriminellen um Hilfe anzugehen – und so tendenziell die gesamte Bevölkerung von New York zu Hilfssheriffs zu erheben. Vergessen Sie nicht, daß wir zu jener Zeit alle ständig Bilder von den ausgefransten westlichen Rändern der Zivilisation im Kopf hatten. Dort draußen, wohin aufzubrechen Mr. Greeley von der *Tribune* alle jungen Männer drängte, konnte jedermann ad hoc das Recht so gestalten, wie es die Umstände gerade erforderten. In New York dagegen sollte es gleichsam als Staatsbürgerreligion demonstrativ gepflegt werden ... so wenigstens interpretiere ich Edmund Donnes priesterliche Gesinnung.

Somit würden nur er selbst und der Sergeant seines Vertrauens von der Skizze Gebrauch machen, allenfalls noch der eine oder andere der wenigen Kollegen, auf die er sich verlassen konnte, wenn sie geduldig jeden unterirdischen Lasterwinkel der Stadt sondierten, um den Killer aufzuspüren, auf den die Zeichnung paßte.

Doch nun wird mir klar, daß ich vielleicht im Begriff bin, Ihnen eine falsche Vorstellung von Dr. Sartorius zu vermitteln . . . der bislang für Sie nichts als ein Name ist. Ich habe Sorge, daß er für Sie zunächst wie ein Taktiker erscheint . . . dem ein Fehler unterlaufen war. Sartorius gab an, was er benötigte, und überließ anderen die Beschaffung . . . ich nehme an nach dem Modell von Gott, der den Menschen einen freien Willen zugesteht. Was für eine Loyalität alle, die für ihn tätig waren, diesem Doktor entgegenbrachten, läßt sich daran ermessen, daß er es ihnen überließ, wie sie beschafften, was für den Dienst bei ihm benötigt wurde. Der Kutscher des Omnibusses und Mann für alles . . . die Köchinnen, die Pflegerinnen . . . die Aufsichtsratmitglieder . . . und der Verwalter seines Krankenhauses – wenn man es denn so nennen will –, Eustace Simmons, vormals als Sklavenspediteur bei Martins Vater angestellt . . . sie alle lebten und arbeiteten freudig als freie Menschen.

Ich erwähnte hier noch nicht die Umstände, unter denen wir Sartorius das erste Mal zu Gesicht bekamen. Ich möchte die chronologische Folge der Ereignisse wahren, zugleich aber ihr Muster sinnfällig machen, und das bedeutet, die Chronologie zu durchbrechen. Schließlich macht es einen Unterschied, ob Sie sich irgendwie von Tag zu Tag durch ein chaotisches Leben schleppen, in dem Ihre Gedanken keiner-

lei Rangordnung unterliegen, sondern von rauher Gleich-
wertigkeit sind, oder ob Sie komplett im voraus die endgülti-
ge Reihenfolge kennen, die sich ergeben wird und die das
Erzählen so . . . suspekt macht. Ich möchte, daß Sie ungefähr
jene Spannung spüren, unter der wir als Angehörige, als
Freunde und Berater der Familie standen – die alle in dieser
Sache eine Pemberton-Angelegenheit sahen, während sie
faktisch weit mehr war als das.

Die ersten richtigen Informationen über diesen Arzt, vom
Klang seines Namens einmal abgesehen, erhielten wir von
dem Hausarzt, den er abgelöst haben sollte – von Dr. Mott,
Thadeus Mott. Sarah Pemberton schrieb nämlich auf Cap-
tain Donnes Bitte hin an Dr. Mott und bat ihn, ihr aus seinen
Akten die Krankengeschichte ihres verstorbenen Mannes
zur Verfügung zu stellen. Ein weiteres Beispiel für Donnes
Vorliebe für Archive . . . Ich weiß nicht, wie offen sie ihre be-
klagenswerte Lage geschildert hat, doch jedenfalls sandte
Mott, Gentleman der alten Schule, ihr postwendend eine
saubere Abschrift . . . Und so gewannen wir Einblick in
Augustus Pembertons Innenleben.

Bis zu seinem letzten Lebensjahr hatte er lediglich an den
verschiedenen, für einen Mann seines Alters üblichen Be-
schwerden gelitten, darunter mäßige Beeinträchtigung des
Gehörs, Gicht, Prostataentzündung und gelegentlich eine
leichte Lungeninsuffizienz. Dann aber – ein paar Monate,
bevor er in Ravenswood bettlägrig wurde – hatte er Dr.
Motts Praxis in Manhattan aufgesucht und über Ohnmachts-
anfälle und nachlassende Energie geklagt. Die provisorische
Diagnose lautete Anämie. Dr. Mott wollte ihn zur Beobachtung ins Krankenhaus einweisen. Augustus lehnte dies ab.

Es war also doch ein wenig anders verlaufen, als Sarah Pemberton es verstanden hatte. Ihr Mann hatte bereits vor seinem Zusammenbruch in Ravenswood gewußt, daß er krank war. Gleich war jedoch – bei beiden Malen – die Reaktion des alten Mannes auf Motts Diagnose. Motts Aufzeichnungen schlossen damit, daß er Pemberton bei seiner Visite in Ravenswood im Endstadium einer virulenten Anämie vorgefunden hatte, für welche die Medizin nur eine palliative Behandlung kannte. Ich verwende das Wort *virulent,* aber es stand ein spezifischerer Begriff da . . . für eine Form von irreversibler Anämie, die zum Tod führt, zumeist in weniger als sechs Monaten.

Nun stellte sich heraus, daß die Diskrepanz zwischen Motts Bericht und Sarah Pembertons Erinnerungen bedeutungslos war. Der alte Mann hatte schlicht eine weitere Sache vor seiner Frau verheimlicht. Aber dadurch suchte Donne nun zur Klärung den Arzt auf. Ich kam mit . . . und als Donne den Namen Sartorius erwähnte, sagte Dr. Mott: »Es erstaunt mich nicht, daß er einen Fall im Endstadium übernimmt . . . wahrscheinlich unter allerlei vermessenen Erwartungen.«

Mein Herz setzte einen Schlag aus. Ich blickte Donne an, der keinerlei Emotion zeigte, sondern leichthin fragte: »Wollen Sie damit sagen, Dr. Mott, daß dieser Sartorius ein Quacksalber ist?«

»O nein, keineswegs. Er ist ein hervorragender Mediziner.«

Ich sagte: »Er steht nicht im Register des New Yorker Ärzteverbands.«

»Kein Arzt ist zur Mitgliedschaft verpflichtet. Die Mehr-

166

heit findet es ... sinnvoll ... oder kollegial, dem Verband beizutreten. Es ist eine geschätzte Organisation. Eine zusätzliche Empfehlung, das zweifellos, aber auch gut für die Medizin insgesamt. Wir veranstalten Kongresse und Symposien, wir tauschen unser Wissen aus. Aber von all dem hält Sartorius nichts.«

»Wo hat er eigentlich seine Praxis?«

»Ich habe keine Ahnung. Seit vielen Jahren habe ich ihn weder gesehen noch von ihm gehört ... wenn er allerdings noch in Manhattan wäre, wüßte ich es wohl.«

Dr. Mott war ein angesehener Vertreter seines Standes. Ein gutaussehender Mann, noch aufrecht trotz seines Alters – ich würde sagen, damals an die Siebzig – mit dunkelgrauem Haar und Schnurrbart und dem Phi-Beta-Kappa-Schlüssel der einstigen Elitestudenten an einer Kette über der Weste. Er trug einen Kneifer, durch den er uns abwechselnd mit dem bedächtigen, festen Blick betrachtete, mit dem er sich gewiß auch seinen Patienten zuwandte. Wir hatten ihn in seinem Privathaus am Washington Place aufgesucht.

Donne fragte ihn, wann er Sartorius kennengelernt habe.

»Er gehörte der Hygienekommission der kommunalen Gesundheitsbehörde an, die ich geleitet habe. Das dürfte 1866 gewesen sein ... Die Kommission sah damals für jenen Sommer eine größere Cholera-Epidemie voraus. Wir säuberten die Elendsviertel, änderten das Verfahren der Müllabfuhr und setzten durch, daß die Verunreinigung der öffentlichen Wasserversorgung ein Ende hatte. Wir konnten so eine Massenerkrankung verhindern ... wie die von 1849. Aber ich bin mir nicht sicher, ob ich verstehe, warum die Polizei ein Interesse daran hat«, sagte er.

Donne räusperte sich. »Mrs. Pemberton belasten bestimmte Erbschaftsprobleme . . . die auch die Kommunalverwaltung betreffen. Wir versuchen für eine juristische Klärung alles zusammenzutragen, was nur nachzuweisen ist.«

»Verstehe.« Der Arzt wandte sich an mich. »Und ist es üblich, daß die Presse bei solchen Besprechungen zugegen ist, Mr. McIlvaine?«

»Ich bin hier als Mrs. Pembertons Freund und Ratgeber«, sagte ich. »Ausschließlich als Privatperson.«

Einen Augenblick lang fühlte ich mich auf dem Prüfstand des Arztes. Ich nahm mir ein Beispiel an Donnes Ungerührtheit und zügelte meine Atmung. Dann lehnte Dr. Mott sich im Sessel zurück. »Wir wissen noch immer nicht, wodurch die Cholera verursacht wird, obwohl das Gift sich eindeutig über die Ausscheidungen des Magen-Darm-Trakts infizierter Personen verbreitet. Wie es jedoch zur Ansteckung kommt . . . Nun, da gibt es zwei Theorien – die Theorie der zymotischen Infektion, das heißt, daß sich die Krankheit mittels Miasma der Atmosphäre durch giftige Materie ausbreitet . . . sowie die Theorie, daß ein mikroskopisch kleiner, tierischer Organismus, Keim genannt, in den Körperflüssigkeiten lebt. Dr. Sartorius war ein Vertreter der Keimtheorie, mit der Begründung, daß nur ein Lebewesen sich unbegrenzt reproduzieren kann – was es tun müßte, um eine Epidemie auszulösen. Das Cholera-Gift scheint diese Fähigkeit allerdings zu besitzen . . . Seit damals dürfte die Sichtweise von Sartorius an Gewicht gewonnen haben, besonders durch die Fermentationsexperimente von Mr. Pasteur in Frankreich und jüngste Berichte, nach denen Dr. Koch in Deutschland einen Cholerabazillus isoliert haben soll. Aber in all seinen Ansichten legte Dr. Sartorius ... nun, eine entsetzliche Intoleranz für andere Sichtweisen an den Tag. Er wurde bei unseren Sitzungen grob. Er äußerte sich generell verächtlich über den Medizinerstand, verhöhnte uns oft als Bruderschaft von Aderlassern und Blutegelsetzern, obwohl doch die meisten von uns diese drastischen Verfahren nicht mehr ernstlich anwenden ... Ich spreche gemeinhin nicht in dieser Weise über einen Kollegen ... Seine Kompetenz stelle ich auf keinen Fall in Frage. Er war anmaßend, kalt und, wie sich wohl von selbst versteht, in Ärztekreisen sehr unbeliebt. Dennoch würden wir einen so brillanten Mann niemals unter gesellschaftliche Quarantäne stellen, wie gefühllos er als Mensch auch sein mag, schon weil man hoffen muß, noch einen anständigen Christen aus ihm zu machen. Er hat sich von uns zurückgezogen, nicht wir von ihm. Ich kann nur voll Mitleid an seine Patienten denken ... einmal angenommen, daß er noch praktiziert. Er war einer jener Ärzte, denen es gleichgültig ist, wen und was sie behandeln, Mensch oder Kuh, und er hatte in keiner Weise die Gabe des linderndern Worts, der tröstenden Versicherung, deren unsere Patienten ebenso bedürfen wie unserer Arzneien. Das alles sage ich natürlich nur im Vertrauen. Sollten Sie ihn noch finden, wird er sich wahrscheinlich weigern, Sie zu empfangen.«

Ich erinnere mich, wie ich danach mit Donne in der Spätnachmittagssonne den Broadway hinuntergegangen bin. Die Luft schien stillzustehen, wobei vor jeder Tür, ob Werkstatt, Laden, Kneipe oder Restaurant, eine besondere Duftwolke hing. So spazierten wir durch unsichtbare Zonen von Kaffee, Backwaren, Leder, Schönheitsmitteln, schmoren-

dem Fleisch und Bier . . . eine Situation, in welcher ich auch
ohne jeglichen wissenschaftlichen Sachverstand willens war,
mich der Miasma-Theorie von der zymotischen Infektion
anzuschließen. Beide waren wir seltsam guter Dinge. Ich
amüsierte mich insgeheim über Donnes steckenbeinig gleitenden Gang. Sein Schatten war länger als der von irgend
jemandem sonst. So spät am Nachmittag zogen sich klarum-
rissene Sonnenbänder über die Kreuzungen auf dem Broadway. Die Querstraßen, in denen kaum Verkehr herrschte,
waren von Sonnenlicht erfüllte Korridore . . . Ich konnte
die von Aschenpartikeln erfüllte Luft durch das Filigranwerk
von Feuertreppen und Telegraphendrähten rieseln sehen.
Mit Päckchen beladene Damen strömten aus den Geschäften, Türsteher pfiffen vor den Hotels nach Mietdroschken,
die Stadt begann sich auf den Abend einzustellen. Wir
spazierten inmitten von Männern jeder Art daher . . . die
stolzierten, schlurften, hinkten, bettelten, den Damen Augen
machten, Geschichten erzählten, Geschichten anhörten, in
überwältigenden Momenten von Frömmigkeit fest die Hände verschränkten. Ein Neger ohne Beine schob sich auf seinem Brett auf Rollen rüde zwischen Beinen hindurch . . .
Ein als Onkel Sam verkleideter Mann schenkte Kindern
Süßigkeiten . . . Ein langhaariger Prophet des Tausendjährigen Reichs ging langsam zwischen den Einkaufenden dahin,
sein Plakat auf dem Rücken, auf dem in Kreide mit Groß-
buchstaben die Losung des Tages geschrieben stand . . . Die
Pferdebahnen ratterten, die Kutschen klapperten . . . In
meiner Freude, neue Erkenntnisse über diesen anmaßenden
Arzt gewonnen zu haben, diesen kalten Wissenschaftler
ohne Geduld mit den normalen Vertretern seines Standes,

betrachtete ich zärtlich die Welt um mich her, verspürte eine untypische Liebe zu meiner Stadt, nannte sie meine Stadt und bedauerte meinen verschollenen Mitarbeiter, daß sein Broadway nicht dieser hier war, sondern die Fahrbahn für einen weißen Omnibus voller Gespenster.

Mich hatte wohl Jagdfieber befallen, obwohl es mir nicht bewußt gewesen sein kann. Es ist ein kaltes, selbstsüchtiges Gefühl . . . bei dem Sie jeden Gedanken an Leiden ausblenden. Der Name Sartorius ist natürlich lateinisch, stammt aber aus Deutschland. Das erfuhr ich im *Telegram,* eine Treppe höher bei den Setzern. Die Setzer wußten alles. Sie waren älter als die Reporter und erinnerten sich noch an die Frühzeit, in der sie die Nachrichten sowohl zusammengetragen wie auch gesetzt hatten, und daher hatten sie für den neuen Beruf des Journalisten nichts als Hohn übrig. Sie machten mich wahnsinnig, da sie Texte, die wir hinaufschickten, unbekümmert redigierten; wenn ich jedoch etwas wissen wollte, ging ich zu den Setzern. Und so wurde ich belehrt, daß im deutschen Mittelalter, als das Bürgertum entstand, Gewerbetreibende, die gesellschaftlich aufsteigen wollten, die lateinische Form ihres Namens annahmen. So wurde aus dem Müller ein Molitor, aus dem Hirten ein Pastorius und aus dem Schneider ein Sartorius.

Ich kam dann zu dem Schluß, unser latinisierter deutscher Doktor könnte mit den großen Einwanderungswellen nach dem Scheitern der demokratischen Revolutionen von 1848 ins Land gekommen sein. Sein Medizinstudium hatte er in Europa absolviert, was wenigstens zum Teil erklären mochte, daß er keiner Vereinigung von Ärzten anzugehören wünschte, die eine amerikanische Ausbildung hatten. Und wenn er

ein Achtundvierziger war, hatte er sich vielleicht der Unionsarmee angeschlossen, wie so viele von ihnen.

Sie kennen ja Washington . . . Bis das Medizinische Corps
der Armee der Vereinigten Staaten auf unsere Anfrage geantwortet hatte, waren die mitgeteilten Informationen natürlich praktisch nutzlos geworden . . . Aber sie ermöglichen
mir, hier damit zu beginnen, den Bogen einer Seele nach-
zuzeichnen, die einen Abgrund in sich barg. Als Dr. Wrede
Sartorius sich 1861 dem Examen zur Aufnahme in das Medizinische Corps unterzog, bestand er als bester unter den
Anwärtern. Er wurde zum Oberleutnant und Assistenzstabs-
arzt ernannt und dem Elften Infanterieregiment in der Zweiten Division der Potomac-Armee unter General Hooker
zugeteilt. Dies waren die Männer, die bei Chancellorsville,
Gettysburg, Wilderness, Spottsylvania und Cold Harbor
kämpften.

In der Armee leistete er Großartiges. Eine Auszeichnung
nach der anderen. Er operierte in Feldlazaretten unter Feind-
beschuß. Seine Neuerungen in chirurgischen Verfahren wurden in das Lehrbuch des Medizinischen Corps aufgenommen. Ich habe nicht mehr all die Einzelheiten in Erinnerung,
aber er wurde in der gesamten Armee berühmt. Er konnte
ein Bein in neun Sekunden amputieren, einen Arm in sechs,
und es klingt heute grausig, aber sein Geschick und seine
Geschwindigkeit – zumal, wenn Betäubungsmittel nicht
verfügbar waren – trug ihm die Dankbarkeit Hunderter von
Soldaten ein. Offenbar erfand er Verfahren – Exzisionen,
Ausschälungen des Handgelenks, des Fußgelenks, der Schulter –, die heute noch angewendet werden. Wegen seines Ge-
schicks in der Versorgung von Kopfwunden wurde er ein

gesuchter Konsiliarius für andere Chirurgen. Manche seiner Ideen, denen seine Vorgesetzten sich verschlossen, wurden später übernommen, weil der Augenschein ihn bestätigte . . . In allen möglichen Dingen . . . Damals waren Kollodiumverbände gebräuchlich. Er sagte nein – die Wunden sollten der frischen Luft ausgesetzt werden, sogar dem Regen. Er verwendete Kreosotlösungen und später Karbolsäure als Antiseptikum . . . bevor es sonst jemand tat. Er entwarf eine neue Art von Injektionsspritze. Bei der postoperativen Behandlung bestand er auf frischer Nahrung und dem täglichen Wechseln der Strohsäcke . . . heute erscheint das als selbstverständlich, aber er mußte sich mit der gesamten Medizinerbürokratie anlegen, um diese Dinge durchzusetzen. Als er 1865 seinen Abschied nahm, war er Oberst und Chefchirurg. Er war brillant, tapfer und ein Meister seines Fachs. Es ist wichtig, dies zu wissen . . . Unter anderem geht es hier auch um die noblen Züge der Grotesken. Ich gedenke nicht, die Karriere von Dr. Wrede Sartorius sentimental zur individuellen Tragödie zu verklären.

# 16

ANFANG SEPTEMBER LUD EDMUND DONNE, den offiziellen Ex-
humierungsbericht in der Brusttasche, Sarah Pemberton zu
einem Spaziergang um das Wasserreservoir ein. Es fügte sich,
daß es ein wundervoller Tag war . . . einer jener Herbsttage
in New York, die sich geben, wie der Sommer sich hätte
geben sollen . . . Solche Tage haben etwas schwebend Reg-
loses, wie das Meer zwischen Ebbe und Flut, und das Sonnenlicht fällt in einem Winkel ein, daß es jedes Bauwerk –
jeden Ziegel, jeden Stein, jedes Fenster – zu intensivem,
bedeutungsvollem Leuchten bringt. Donne hatte sich sorg-
fältig auf dieses Treffen vorbereitet, mit dem Wetter jedoch
hatte er schlicht Glück. Es war kurz nach vier Uhr nachmittags.
Noah Pemberton, nunmehr in einer öffentlichen Schule, war
von seiner Mutter um drei abgeholt worden . . . Donne brachte ein herrliches Modellschiff aus poliertem Mahagoni in die
Thirty-eighth Street mit und überreichte es dem Jungen. Es
war wie eine Schaluppe aufgetakelt, mit Leinensegeln und be-
weglichem Baum, Ankerwinden aus Messing und einer Pinne

samt Speichen, die wirklich das Ruder bewegte – ein beachtliches Schiff, das Donne um eine nette Summe zurückgeworfen haben mußte. Noah hielt es in beiden Armen, als sie alle gemeinsam zum Reservoir gingen.

Donne hatte uns gebeten, um fünf zum Haus der Pembertons zu kommen, damit wir – Dr. Grimshaw, Emily Tisdale und ich – bei ihrer Rückkehr bereits da wären, um an dieser umgekehrten . . . Totenwache teilzunehmen. Einige Tage zuvor war er, in Uniform, schon einmal im Haus gewesen und hatte mit den Dienstboten gesprochen. In Abwesenheit von Lavinia Thornhill, die ins Ausland gereist war, hätten sie sich vielleicht ermutigt fühlen können, deren Interessen nach eigenem Gutdünken zu vertreten . . . wäre ihnen nicht bedeutet worden, daß Mrs. Pemberton und ihr Sohn nun unter dem Schutz der Städtischen Polizei standen, was in gewisser Hinsicht der Wahrheit entsprach.

Tatsache ist . . . daß sich zwischen Donne und Sarah Pemberton im Verlauf der zwei, drei Unterredungen, die zwischen ihnen stattgefunden hatten, sowie durch eine mehr oder minder tägliche Korrespondenz jene eigenartige Geneigtheit entwickelt hatte, die zueinander passenden Paaren eigen ist, mögen es Vögel, Weidetiere oder Menschen sein. Für meinen Teil habe ich mich schon seit langem damit abgefunden, mit meinen Gefühlen und Erkenntnissen allein zu leben . . . doch ich gebe zu, daß sich das Leben verschiebt, wenn Wünsche gezügelt werden oder ihnen freier Lauf gelassen wird . . . und daß die Situationen nicht stets stabil bleiben. Ich bin mir nicht ganz sicher, ob ich vor dem besagten Tag wahrgenommen hatte, was sich da zwischen ihnen anbahnte . . . Als sie jedoch vom Reservoir zurückkehrten,

wir drei schon warteten und der Tee nach englischer Art zum
Servieren bereitstand . . . da war es mir so klar, als hätte ich
es einer Zeitungsschlagzeile entnommen.

Viele Jahre später bei einem Abendessen hat Noah Pemberton mir gegenüber einmal angedeutet, er glaube, seine
Mutter und Captain Donne hätten einander schon früher in
ihrem Leben gekannt . . . daß Donne vielleicht sogar der
Rivale seines Vaters gewesen sei, als es um ihre Hand ging –
der benachteiligte Rivale, wenn denn überhaupt, da er nicht
vermögend war. Auf diese Vermutung hatten ihn einige Bemerkungen im Gespräch zwischen ihnen gebracht, die
Noah an jenem Tag am Reservoir aufgeschnappt hatte: »Jetzt
sind sie beide verschwunden, Mrs. Pemberton . . . und die
Zeit hat sich zurückgedreht, hat wieder das verarmte Mädchen aus Ihnen gemacht, das Sie einmal waren, und der Bursche, der nun in den Wolken schwebt, ist erneut selig, weil er
an Ihrer Seite sitzen darf«, oder ähnliche Peinlichkeiten. Aber
überzeugt bin ich davon nicht. Noah fühlte sich an jenem
Tag, wie er es selbst beschrieb . . . im Belagerungszustand.
Überdies hätte dann Donnes Ungerührtheit, als ich ihn
anfangs von den Schlägen unterrichtete, welche die Familie
Pemberton erlitten hatte, doch ans Unmenschliche gegrenzt.

Jedenfalls zeigte er dem Jungen am Reservoir, wie er die
Kräuselung des Wassers beobachten müsse, um ein Gefühl
für den Wind zu gewinnen, und wie er je nach dem Kurs,
den das Boot nehmen sollte, die Segel setzen und das Ruder
einstellen könne. »Und dann«, erzählte mir Noah, »habe ich
mich auf den Bauch gelegt und mit einem leichten Schubs
das Schiff auslaufen lassen. Oh, wie aufregend das war! Ich
hatte schon oft anderen Kindern zugesehen, die ihre Schiffe

auf dem Reservoir fahren ließen. Jetzt hatte ich mein eigenes, und es war besser als die aller anderen. Ich rannte am Rand entlang hinter ihm her, rannte um das große Karree herum, dorthin, wo ich meinte, daß es landen würde. Ich sah mein Schiff rasch vor dem Wind segeln und stellte fest, daß mir das nicht so gefiel, wie wenn es lavierte oder gegen den Wind kreuzte. Bei jeder neuen Fahrt probierte ich etwas anderes aus und erreichte schließlich perfekt, mein Boot gemächlich, aber entschlossen dahinsegeln zu lassen, so daß man sah, was in ihm steckte ... wie es mit dem Bug tief im Wasser lag und dennoch vorwärtskam. Ich lag in der Sonne am Wasserrand auf der Seite, hatte den Kopf in die Hand gestützt und wartete darauf, daß mein Schiff langsam und sicher diesen ... Ozean überquerte, dieses Meer von Licht ... so kam es mir vor.

Denn, wissen Sie, während dieser ganzen Zeit, als unsere ... Lebensumstände sich so stark veränderten«, sagte Noah, »hat meine kindliche Unschuld all meine Ängste und Kränkungen im Zaum gehalten, beinahe wie eine Erzieherin. Ohne daß ich es recht in Worte fassen konnte, hatte ich begriffen, daß wir gesellschaftlich tief gesunken waren. Wir waren auf die Mildtätigkeit meiner Tante angewiesen, einer ältlichen Frau, die eine Perücke trug und nichts für Kinder übrig hatte. In der Schule war ich zwar besser gekleidet als die meisten meiner Klassenkameraden, aber ich war ihnen gleichgestellt und wurde mit forscher ... Unparteilichkeit geknufft und herumgeschubst. Ziemlich rasch begriff ich, daß ich in einer Klasse von vierzig Kindern bei meinem Lehrer nicht aufgrund geistiger Originalität Anerkennung finden würde ... Auf Ravenwood war ich von Hauslehrern unterrichtet worden, die mit ihrem ständigen Lob und rein pädagogischem Entzücken über meine Leistungen nur dem Reichtum meines Vaters Tribut zollten. Aber um ehrlich zu sein, die öffentliche Schule hat mich nicht eingeschüchtert, sondern sogar . . . belebt . . . Ich war ganz begeistert von den rauhen Bräuchen der Kinder an der öffentlichen Schule . . . obwohl ich es meiner Mutter nicht verraten habe. Jeden Morgen hat sie mich hingebracht, in die Grundschule Nummer sechzehn . . . und mich jeden Nachmittag am Eingang abgeholt. Sie war besorgt, ich könnte Schaden nehmen, weil ich mit den anderen Kindern zusammen war. Sie hat der Stadt und allem, was damit zusammenhing, mißtraut.

Jedenfalls saßen, während ich meinem prachtvollen Schiff auf dem Ozean zusah, meine Mutter und Captain Donne auf der Bank hinter mir und unterhielten sich. Ich habe mit halbem Ohr Fetzen ihres Gesprächs aufgefangen, als sie hinter mir herschlenderten, während ich hin- und herrannte und ihnen immer wieder entgegenlief, um zu berichten, was mein Schiff gerade machte. Nun, da ich glücklich vor mich hin dämmerte, hörte ich mehr. Ich nahm es auf, ohne darüber nachzudenken . . . Ich glaube, ich hatte noch niemals ein so sonderbares, furchterregendes Gespräch gehört. Was es bedeutete, ging mir erst allmählich auf. Ich meinte, der Himmel würde dunkel, obwohl er noch so blau war wie zuvor. Es war, als würde meine kindliche Freude . . . aus der Welt gelöscht. Ich stellte mir vor, die Stimmen kämen von meinem Schiff, mein Schiff käme entsprechend auf mich zugesegelt, mit einer Ladung von Erwachsenengeheimnissen und widerwärtigen Rätseln . . . Ich erfuhr, daß mein Vater absichtlich dafür gesorgt hatte, daß wir verarmten. Es war vorsätzlich geschehen. Wir waren arm und heimatlos, weil er es so gewollt hatte. Und sein ganzes Geld hatte er anderswohin geschafft – wohin, wußte niemand. Der Captain von der Polizei hatte das herausgefunden. Er hatte sich entschlossen, uns diese furchtbarste aller Nachrichten im Freien und an der Sonne zu überbringen, am Reservoir. Jemand, ein Oberst, ein Oberarzt, das verstand ich nicht genau, hatte einen Bericht verfaßt. Darin stand die allerschlimmste Nachricht. Und wie lautete die? Daß Martin, mein Bruder, tot war? Ich konnte kaum atmen. Mußten wir alle sterben? Hatte jemand meinen Vater und meinen Bruder umgebracht – und war jetzt hinter mir her?

Ich setzte mich auf und sah mich nach meiner Mutter um. Ganz tief herabgebeugt, als könnte sie schlecht sehen, las sie aus einem Blatt vor, das auf ihrem Schoß lag. Sie faßte sich an die Stirn, um sich das Haar aus den Augen zu streichen. Ich hörte sie aufstöhnen. Sie hob den Kopf und starrte mich an . . . Meine schöne, gelassene Mutter war aschfahl geworden. Der Captain griff nach ihrer Hand. ›Jetzt sind sie beide verschwunden, Sarah . . . und die Zeit hat sich zurückgedreht, hat wieder das verarmte Mädchen aus Ihnen gemacht, das Sie einmal waren, und der Bursche, der in den Wolken schwebte, ist erneut selig, weil er an Ihrer Seite sitzen darf.‹ Ich blickte auf das gleißende Wasser hinaus und suchte nach meinem Schiff. Ich hoffte, es wäre untergegangen. Ich war wütend auf den Captain, der mir ein Boot zum Spielen mitbrachte, als wäre ich ein blödes kleines Kind . . .«

Nach meiner Erinnerung ging Noah, als sie zurückkamen, mit seinem Schiff sofort nach oben. In Mrs. Thornhills Abwesenheit scheute Sarah sich nicht, im Salon die Vorhänge aufzuziehen, die Fenster hochzuschieben und die balsamische Abendluft einzulassen. Sie schenkte Tee ein, und wir saßen da wie Trauergäste . . . die nach Worten suchten, um einander tröstend zu versichern, das Leben gehe weiter . . . obwohl die Witwe soeben erfahren hatte, daß ihr Gatte noch unter den Lebenden weilte.

Donne hatte Emily Tisdale und Dr. Grimshaw zuvor über die wesentlichen Punkte unterrichtet: Daß Augustus Pembertons Tod anscheinend vorgetäuscht worden war . . . aus unbekannten Motiven. Daß er krank gewesen war, ernstlich krank, jedoch Vorkehrungen getroffen hatte, die auf den Egoismus eines Menschen hindeuteten, der . . . nicht abzutreten gedachte. Daß Martin ihn in der Tat gesehen und sich vermutlich bemüht hatte, ihn zu stellen . . . und verschwunden war – ohne daß bislang jemand wußte, wie oder wohin.

Donne hatte gemeint, Sarah werde angesichts solcher Enthüllungen des Trosts und des Beistands von Freunden der Familie bedürfen . . . in dieser verzweifelten, ach so verzweifelten Lage, da ihr die Familie an sich – die Familie als Idee, als Begriff – plötzlich entrissen worden war. Doch sie saß aufrecht und mit erhobenem Kinn da, die Hände auf dem Schoß gefaltet, eine Haltung, die jeden Verdacht einer gewissen . . . Teilnahmslosigkeit ausräumte, und wenn auch aus ihrem schönen Gesicht alle Farbe gewichen war, so hatte doch das Nachdenken über diese . . . Neuigkeit es keineswegs entstellt. Die sie freilich nicht völlig unvorbereitet getroffen hatte. Etwas hatte Sarah schon geahnt, als sie der Exhumierung zustimmte. Ein ums andere Mal verlor sie ihren Mann . . . indem er starb, indem er weiterlebte. Ihre Verarmung hatte sich als vorsätzlich herbeigeführt erwiesen.

Ihre blaßblauen Augen schimmerten, aber ihr schöner, voller Mund bebte nicht. Sie war eine Frau, der die tiefe Demütigung widerfahren war, erkennen zu müssen, daß ihr Leben auf nichts als Täuschung beruhte. Aber sie legte die Fassung einer Königin an den Tag, die vernommen hatte, daß eine ihrer Armeen geschlagen worden ist.

Und Edmund Donne hatte nicht bedacht . . . oder sich in seiner Schüchternheit nicht darauf verlassen . . ., wieviel er selbst Sarah bedeutete, welche Neuigkeit anderer Art sie in ihm sah. Und während sie in ihrer gelassenen Altstimme mit uns allen sprach, wurde aus ihren Blicken deutlich . . . oder aus manchen Anflügen von Zaudern, wenn Donne und Sarah sich unterhielten . . . Ja, wie wollen wir nun diese wohlbekannte Erscheinung nennen? – diese Empfänglichkeit für ein anderes Wesen, das sich ungebeten, ungesucht einstellt und die Vision von einer Zukunft umfaßt. Wenn Sie es sich recht überlegen, leben wir vorwiegend aus Gewohnheit weiter . . . wartend . . . aufrechterhalten von vorübergehenden Vergnügen . . . oder von Neugier . . . oder von diffusen verzweifelten Kräften . . . einschließlich der Bosheit . . . nicht aber von jener stärkenden Zukunftsvision, die sich nur in jener heimlichen Empfänglichkeit rührt, die jeder sehen kann außer den beiden, die sich töricht . . . anstarren. So stand also neben der Kolumne über Sarahs Vernichtung auch die Nachricht, daß ihr eine Zukunft bevorstand.

Ich will nicht etwa andeuten, es sei eine praktisch begründete Regung von ihr gewesen, sich auf Donne zu verlassen . . . und darauf, was er für sie tun konnte. Sollte, was Noah mir Jahre später erzählte . . . sollte er damit recht

haben, daß sie ihre Gefühle füreinander damals wiederbeleb-
ten, dann dürften die ihren mit Selbstkasteiung vermischt
gewesen sein ... mit Buße ... mit der Empfindung, ihr Leben an Augustus Pembertons Seite habe die luxuriöse Strafe
für die falsche Wahl dargestellt ... für die nicht geachtete
Liebe. Wäre dies so gewesen, dann hätte ich es, meine ich,
gesehen. Andererseits hätte ein unüberbrückbarer Klassen-
unterschied zwischen der Gattin von Augustus Pemberton –
einer geborenen van Luyden – und einem Polizisten von der
Straße bestehen müssen. Und den gab es mit Sicherheit
nicht. Falls die Situation so war, wie Noah sie beschrieben
hatte, war Donne vielleicht für anderes bestimmt gewesen
als für die Laufbahn eines städtischen Angestellten? War
Sarah der Grund dafür, daß er ein unangemessenes Leben
auf sich genommen hatte? Ich weiß nicht ... ich weiß es
nicht.

Doch trostbedürftig waren natürlich die anderen. Mitten
in dem allgemeinen Geplauder sagte Emily Tisdale zu Donne: »Sie wissen noch immer nicht, wo Martin ist – warum
suchen Sie dann nicht nach ihm?« Bevor er noch antworten
konnte, war sie aufgesprungen und ging genau wie Martin,
wenn er laut nachdachte, hin und her ... ballte die Hände zu
winzigen Fäusten und wanderte ruhelos durch den Salon.
»Sie haben sich bekämpft. Er wurde enterbt. Eine traurige,
unselige Sache, aber nun einmal geschehen. Warum war bloß
nicht Schluß damit? Sie bekämpfen sich immer weiter! Wer
kann denn leben – darf denn leben – wenn so ... unnatür-
liche Dinge vorgehen? Martin hat solch ein Ehrgefühl«, rief
sie mit ihrer anziehend brüchigen Stimme. »Wer weiß, was er
nicht alles hätte leisten können, wenn da nicht dieser grauen-

volle Abgrund wäre . . . aus dem er zeit seines Lebens versucht herauszusteigen. Wirklich, genau so ist es – als ob er in einen Abgrund gefallen wäre. Wo ist er, was ist mit ihm geschehen?«

»Man kann mit Fug und Recht annehmen, daß er Eustace Simmons aufspüren wollte, Mr. Pembertons . . . Geschäftspartner.«

»Gut, dann spüren wir ihn doch auf, diesen Geschäftspartner.«

»So leicht ist Simmons nicht mehr zu finden, wenn er einmal gefunden worden ist.«

»Was ist denn dann zu tun! Sie sind doch alle irgendwo . . . oder? Lebendig oder tot? Finden Sie ihn! Es ist mir egal – O Gott, bitte, nur eine Entscheidung . . . ich kann die eine wie die andere verstehen. Ich bin bereit, Martin zu heiraten oder mich um ihn zu grämen. Ich bin bereit, Trauer zu tragen. Warum lassen sie mich . . . nicht einmal das tun . . . diese unheimliche, monströse Familie?«

Sarah Pemberton pflichtete dem Mädchen bei, als sie sagte: »Und dennoch, es ist schon eigenartig . . . Ich bin selbst jetzt noch nicht imstande, mich nicht zu ihnen gehörig zu fühlen«, und da warf Emily sich neben sie aufs Sofa und weinte. Sarah legte den Arm um sie und blickte zu Donne hinüber. »Wir werden Martin finden, nicht wahr, Captain? Ich will nicht annehmen, daß ich meinen Gott so beleidigt habe, daß er meiner Seele eine . . . Neigung zum Abgründigen eingegeben hat . . . eine faule Stelle, an der sich immer von neuem Unheil sammelt.«

Die ganze Zeit über hatte Reverend Grimshaw nichts gesagt. Er hatte mit gerunzelter Stirn und verschränkten

Armen dagesessen und zu Boden gestarrt. Ich wußte nicht, was er seit unserer ersten Begegnung unternommen hatte – Sarah Rat gespendet? Miss Tisdale Trost gespendet? –, doch in diesem Moment empfand ich insofern die Überlegenheit meiner Rolle, als ich Donne einbezogen und für die Klärung der Lage gesorgt hatte . . . wenigstens bis jetzt. Vermutlich eine ungewöhnliche Erfahrung für einen Zeitungsmenschen, sich einen Augenblick lang rechtschaffener als ein Geistlicher vorzukommen.

Jetzt aber ergriff er das Wort . . . gereizt, sichtlich aus der Fassung gebracht. »Das ist mit keiner christlichen Auffassung mehr zu vereinbaren. Ich gebe zu, daß ich das von meinem Glauben her nicht begreifen kann . . . und das heißt, daß es eine Prüfung für den Glauben selbst darstellt. Wie Sie wissen, Mrs. Pemberton, habe ich Ihrem Gatten größten Respekt entgegengebracht. Er war mein Freund. Kirchenältester in der Gemeinde von St. James. Ich will nicht behaupten, daß er ein sündenfreies Leben führte . . . aber er hat Sie und den Sohn, den Sie ihm geschenkt haben, geliebt. Das habe ich aus seinem eigenen Mund gehört.«

Der Geistliche wandte sich an Donne. »Augustus war . . . aus grobem Holz geschnitzt . . . Nicht immer war ihm bewußt, wie seine Worte auf . . . zartere Gemüter wirkten. Das steht außer Frage. Ich bin sogar bereit zuzugeben, daß es ihm bei der Führung seiner Geschäfte an klaren moralischen Kriterien gemangelt haben mag . . . daß eine Neigung vorlag, seine Christenseele da« – Grimshaw wies auf einen Punkt in der Luft über seinem Kopf – »und sein Geschäftsgebaren dort zu sehen« – er wies auf den Boden. »Räumen wir ein, daß er . . . eben war wie die meisten Männern mit seinen In-

teressen – Investoren, Firmengründer, Industriekapitäne –
schwierig . . . widersprüchlich . . . und des gesamten Spektrums menschlicher Gefühle fähig, von den edelsten bis zu
den tadelnswertesten. Aber diese . . . Verschwörung, die Sie
da vermuten! Daß er seinen Tod nur vorgetäuscht hätte, um
seine Familie im Stich zu lassen und in Not zu bringen? In
bittere Not . . . obwohl Sie aus irgendeinem Grund oder
Motiv nicht erklären können, warum . . . ich kann einfach
dieses Heidnische – ich weiß nicht, wie ich es sonst bezeichnen soll – nicht mit dem Augustus Pemberton vereinbaren,
den ich kannte, trotz all seiner Schwächen als . . . Christ.«

Hier wollte ich einhaken, aber Donne hob die Hand. Ab-
surderweise hatte er auf einem von Mrs. Thornhills Petit-
Point-Sesselchen Platz genommen, den Körper hinter den
spitz aufragenden Knien zusammengeknickt. »Wir unterstellen Mr. Pemberton nicht, er hätte seinen Tod . . . ersonnen, um seine Familie im Stich zu lassen.«

»Aber was tun Sie denn dann, Sir! Was ist das Ziel Ihrer . . .
Spekulationen?«

»Um Spekulationen handelt es sich wohl kaum, Reverend.
Im Grundbuch ist ein Vertrag verzeichnet, demzufolge Mr.
Pemberton etwa ein Jahr vor seiner letzten Krankheit bei
einer Sozietät von Immobilienhändlern eine Hypothek auf
Ravenwood in Höhe von hundertfünfundsechzigtausend
Dollar aufgenommen hat . . . Wir stellen außerdem fest, daß
er seinen Börsensitz und, neben weiteren Beteiligungen, seine Anteile an einer brasilianischen Reederei veräußert hat.
Wir müssen daraus schließen, daß Mr. Pemberton, nachdem
er von seiner ernsten Krankheit wußte, versucht hat, sein
festangelegtes Vermögen flüssig zu machen.«

»Wer sind Sie denn überhaupt, Sir, um sich irgendwelche Schlüsse zu erlauben?« Und zu Sarah sagte der Reverend: »Warum muß ich derlei von . . . Polizisten erfahren? Warum hat Mrs. Augustus Pemberton sich dem verderblichen Einfluß von solchen Verbündeten ausgesetzt . . . Polizei und« – mit einem Seitenblick auf mich – »Presse, Gott steh uns bei! Gute Frau, ist denn der Verlust Ihres Hauses so bitter, daß Sie zu derartigen Mitteln greifen mußten wie der Entweihung des Grabes Ihres Mannes?«

»Sein Grab ist nicht entweiht worden«, sagte Donne. »Denn er lag nicht darin. Wir haben das Grab von jemand anderem entweiht.«

Donne hatte dies sachlich gesagt – nur so äußerte er sich in der gegebenen Situation –, aber Grimshaw hatte es anders verstanden. »Also ist nach Ihrer Ansicht als Vertreter der hochgeschätzten, strahlenden Kirche namens Städtische Polizei Martin Pemberton unser Prophet . . . und der Geist von Augustus fährt in einem städtischen Omnibus über den Broadway.«

»Vielleicht sollten Sie doch einmal alle Umstände insgesamt ins Auge fassen, Reverend, wie ich das auch getan habe«, sagte Donne. »Weder Vater noch Sohn dort, wo sie sein sollten . . . der eine tot, aber weder in seinem Grab zu finden noch offiziell als verstorben registriert . . . der andere, mutmaßlich geistesgestört, auf der Jagd nach seinem Phantom . . . die zurückbleibende Familie Erbe eines Vermögens, das nicht mehr existiert . . . Und dann sagen Sie mir, wie Ihre Deutung lautet.«

Emily hatte sich dabei aufgerichtet, und einigermaßen gefaßt warteten die beiden Frauen – wie wir alle – Seite an Seite auf Dr. Grimshaws Entgegnung. In diesem Moment begriff ich, was auch die anderen begriffen haben müssen – daß Donnes Fahnder in gewisser Hinsicht eine Antwort geliefert hatten . . . daß nach soviel Chaos, Verwirrung und Kränkung nun immerhin klar war, daß etwas Verstehbares . . . eine Tat . . . begangen worden war . . . eine vorsätzliche Tat oder eine Reihe von Taten . . . wodurch wir tröstlicherweise die Welt für uns mittels der Kategorien von Gut und Böse neu zusammenfügen konnten. Und ich verspürte die ersten Regungen einer uns verbindenden Idee . . . der verschollene Sohn und Verlobte könnte zu heroischen Taten aufgebrochen sein.

Grimshaws beflissenes kleines Gesicht war unter dem Schopf silbernen Haars über und über gleichmäßig rot angelaufen. Ich bildete mir ein, ich könnte die Blutäderchen an die Hautoberfläche drängen sehen wie Gemeindemitglieder in die Kirchenbänke. Er blickte uns der Reihe nach an. In diesem Augenblick seiner Pein nahm ich ihn unnötig intensiv körperlich wahr. Ich sah nicht gern zu, wie dieses Kreuz, das er berufshalber trug, mit jedem kurzen, flachen Atemzug auf seiner Weste weiter nach oben rutschte. Der Mund stand ein wenig offen. Er nahm die Brille ab und rieb sie mit einem Taschentuch ab, und mir kam es so vor, als hätte er seine Kleider alle abgelegt. Ich hätte gern angenommen, daß seine leuchtend blauen Augen von einem unabänderlichen theologischen System kündeten. Er hatte sich für einen Meister des Zeremoniells und eine Autorität in Lebens- und Todesfragen gehalten. Wie muß er es empfunden haben . . . ebenso Opfer zu sein wie Sarah und ihr Sohn? Abgründige Demütigung zu erfahren . . . als hätte man Christus noch niemals verstanden?

Er setzte die Brille wieder auf und steckte das Taschentuch ein. Mit seiner hellen Stimme sagte er: »Ich habe den geistlichen Auftrag, auf das Leiden zuzugehen ... und es mit offenen Armen aufzunehmen ... die Bürde auf mich zu nehmen und unter ihr niederzuknien. Stets bin ich bereit, Trost und Absolution zu spenden, zu beten und den Gottesdienst zu zelebrieren als Priester der Kirche Christi, in welcher das Leiden so unabwendbar auftritt wie Tag und Nacht. Doch diese Sache ... sie schwärt in mir wie etwas Verheerendes. Ich bin darauf nicht vorbereitet ... ganz und gar nicht vorbereitet. Ich verspüre das Bedürfnis zu beten, um mich dem Verstehen zu nähern, und Gott anzurufen ... auf daß er mich den leisen Ruf Jesu Christi vernehmen lasse, selbst noch angesichts dieser ... dieser Familie von gottlosen Pembertons, die« – hier blickte er zu Sarah auf – »so magnetisiert in die Irre gehen, daß sie uns alle zu zerstören drohen, die wir sie umgeben haben ... einschließlich der Geistlichkeit.«

Da irrte er natürlich, der Reverend, wenn er dies nur für eine Angelegenheit der Familie Pemberton hielt. Wir waren alle insofern im Irrtum, als wir meinten, diese unseligen Ereignisse wären auf eine ... gottlose Familie beschränkt. Ich selber würde mich nicht heute in vorgerücktem Alter darüber verbreiten, wenn ich Ihnen nicht mehr zu bieten hätte als eine kuriose Zeitgeschichte ... über anomales Familienverhalten. Ich bitte Sie zu glauben – ich werde Ihnen beweisen, daß mein freier Mitarbeiter letztlich nur ein Berichterstatter war, der Nachrichten lieferte wie der Bote im elisabethanischen Drama ... der Überbringer wesentlicher Kunde, auf dem alle Blicke ruhen, wenn er die entsetzliche

Nachricht verkündet . . . der aber, wie mutig er auch seine Pflicht erfüllt, nur der Bote ist.

Unsere kleine Versammlung war nicht so ganz verlaufen, wie Donne es beabsichtigt hatte. Folglich beschloß er, die Gelegenheit zu nützen und sich noch einmal anzuhören, wie Martin den weißen Pferdeomnibus beschrieben hatte, der im Schneesturm über die Forty-second Street . . . und im Regen auf dem Broadway nordwärts fuhr. Er hatte es immer nur auf doppelt indirekte Weise gehört . . . in meiner Version von dem, was Martin Emily und Charles Grimshaw berichtet hatte. Nun befragte er den Pastor und die junge Frau unmittelbar. Und so rollte der Omnibus ein weiteres Mal im Schnee, im Regen an unser aller geistigem Auge vorüber, und als wir uns dann trennten, waren meine Gedanken nicht bei Augustus Pemberton, sondern bei den anderen alten Männern, die jene düstere Kabine mit ihm teilten.

Dies war etwas, worüber Donne schon seit einiger Zeit nachgedacht und Überlegungen angestellt hatte. Auf mich aber wirkte es wie eine Erleuchtung.

Ich möchte hier noch anfügen, daß Charles Grimshaw von diesem für ihn verzweifelten Tag an als Pfarrherr von St. James eine Wende zum Besseren vollzog. Ich bin nicht sicher, ob dies von dem Schock herrührte, den das leere Grab seines Gemeindeältesten seinem Glauben versetzt hatte . . . oder ob alle Propheten des Tausendjährigen Reichs, die an seiner leeren Kirche vorbeizogen – Shaker und Adventisten, Mormomen und Milleriten – etwas damit zu tun hatten . . . jedenfalls stieg der Seelenhirte, der historische Bestätigungen biblischer Ereignisse so schätzte, am nächsten Sonntag auf die Kanzel und hielt eine flammende Predigt, über die mehrere Zeitungen berichteten. Ich selbst habe im *Telegram* darüber berichtet – nicht etwa, daß ich es beabsichtigt hätte, sondern nur weil ich an jenem Morgen aus der schwelgerischen Stimmung heraus, die wir Mißtrauen nennen, in St. James gegangen war. Ich hatte mich ständig gefragt, ob Grimshaw über die Sache, die uns umtrieb, mehr wußte, als er verraten hatte, und wollte ihn mir einmal in Ruhe ansehen.

So kurios es scheinen mag, zu jener Zeit galten Predigten als Zeitungsthemen. Die Montagsblätter waren voll damit . . . mit längeren Exzerpten oder gar dem vollständigen Text repräsentativer Predigten, die von den Kanzeln der Stadt herab gehalten worden waren. Die Geistlichen zählten zu den Würdenträgern der Stadt, und die religiöse Ansprache galt als geeignet, öffentliche Tagesfragen zu behandeln. Wir hatten unter den Männern der Kirche Reformer wie Reverend Pankhurst, der die Tweed-Herrschaft abzuschaffen gedachte, und bekannte Theatraliker wie Reverend Henry Ward Beecher, den Bruder von Harriet Beecher Stowe, der Verfasserin von *Onkel Toms Hütte.* So prominent war mein Charles Grimshaw freilich nicht, doch einige von uns griffen auf, was er sagte . . . das führte zu ein paar neuen Gesichtern im Gottesdienst der folgenden Woche . . . und damit begann eine Serie von zunehmend gut besuchten Sonntagspredigten, deren Hauptattraktion die Neuheit war, daß ein Pastor sich zu seinen eigenen episkopalischen Gewißheiten bekehrte.

»Von allen Seiten erfahren wir Anfechtung, meine Freunde, von allen Seiten . . . von Naturwissenschaftlern, deren Wissenschaft wider die Natur ist, von Religionsgelehrten, deren Gelehrsamkeit blasphemisch ist – so daß diese gelehrten, ach so gelehrten Männer uns umzingeln wie ein Kreis tanzender Helden einen Missionar, dem der Kochtopf bevorsteht.«

Seiner Stimme mangelte es an Fülle, aber sein Kneifer blitzte feurig auf. Ich fand, er ragte ein wenig höher über das Kanzelpult hinaus, und dachte, er habe sich vielleicht aus Gesangbüchern ein Podest gebaut.

»Denn was sagen sie uns denn: daß der Mensch, dem Gott die Herrschaft über die Vögel und Tiere und die Fische des Meeres gegeben hat, in Wirklichkeit nur von diesen abstamme, so daß der erste Affe sich auf den Hinterbeinen eines Mammuts erhob, und als er seine Behaarung abgeworfen hatte, stand ein Abraham, ein Isaak da – und, Gott sei ihnen gnädig, Jesus selbst.

Oder, laut jenen Gelehrten, die in Sagen fremder Völker nach Bestätigung für Gottes Wort suchen . . . oder die dessen Stil analysieren . . . daß nicht Moses der Verfasser des Pentateuchs sei . . . sondern verschiedene spätere Autoren, von denen jeder etwas hinzufügte, immer wieder etwas hinzufügte, jeder seine Version von Gottes Wort . . . bis dann Jahrhunderte später alles von einem letzten Autor abschließend korrigiert und revidiert worden sei, von R, dem Redakteur! Nein, meine Freunde, nicht der Richter, nicht der reinigende Offenbarer aller Wahrheit und allen Seins, nicht der *deus resurrectus* jedes atmenden Wesens, das je einen Atemzug tat . . . nicht der regierende Schöpfer und Herr des Unermeßlichen Reiches, sondern . . . bloß ein Redakteur, ein armseliger Bücherwurm, der es mit seinen Wörterbüchern und Etymologen übernahm, unsere Religion zu gründen . . .

Meine lieben Freunde, das ist so erstaunlich, daß wir alle herzhaft lachen sollten, fänden nicht diese anmaßenden . . . Heiden Beachtung und Gehör an unseren Akademien und theologischen Fakultäten.

Doch faßt nur Mut . . . denn selbst in den gottlosen Ständen der Wissenschaftler und Gelehrten gibt es solche, die unerschrocken den Glauben fordern . . . und in den neusten wissenschaftlichen Funden nur weitere Zeichen von Gottes Größe erblicken. Das also ist am heutigen Morgen unsere gute Nachricht: Zum ersten . . . daß die Geschichte von Gottes Erschaffung der Welt in sieben Tagen, wie sie im Buch Genesis geschrieben steht, nicht widerlegt wird durch den Geologen, der tabellarisch Gesteinsformationen erfaßt, die in Jahrtausenden entstanden, noch durch den Zoologen, der die uralten Fossile in jenem Gestein datiert . . . denn das hebräische Wort für *Tag* bezeichnet keine bestimmte Zeitspanne, und zwischen Gottes Schöpfertagen könnten Äonen von Jahren des Denkens gelegen haben . . . unendliche Spannen des Denkens zwischen einem Vers und dem nächsten. Nicht die menschliche Zeitrechnung, sondern die Gottes ist der Ursprung seiner Pläne . . . Denn kann sich irgend jemand vorstellen, daß alles, was wir studieren, von den Tiefen des Ozeans bis zu den Konstellationen der Sterne, in seiner chemischen Zusammensetzung, seiner Taxonomie und seiner . . . Evolution . . . das Zufallsergebnis chaotischer Ereignisse ist? Daß nicht Gott mit unermüdlichem Stift uns zeichnet, uns als Herren aller lebendigen Kreaturen aus dem Schleim der Erde zieht? Das also besagt unsere wahre Naturwissenschaft, und dazu dürfen wir . . . amen sagen.

Und zum zweiten, was unsere Bibelforscher angeht, die an den theologischen Fakultäten zu literarischen Stilkundlern geworden sind und ihr eigenes falsches Götzenbild, ihren schändlichen Redakteur, ihren Antichrist, an Gottes Stelle setzen . . . Wir können zuschauen, wie ihre Behauptungen sich in immer weitere Unterbehauptungen aufsplittern, wie sie Sagen entdecken, andere Sagen verwerfen und sich durch immer frühere griechische, aramäische, sumerische und hebräische Dialekte wühlen . . . auf ihrer endlosen Suche nach . . . Authentisierung . . . und es wird morgen hundert von ihnen geben und übermorgen tausend, die alle in ihren gelehrten Zungen daherschwatzen . . . die wir donnernd übertönen werden mit unseren Lobhymnen auf den einzigen Autor des einzigen Buchs . . . und für die wir zu unserem Herren beten werden, den wir um Gnade für uns alle anflehen . . . im Namen seines einzigen Sohnes Jesus Christus, der für unsere Sünden gestorben ist. Und dazu sagen wir . . . amen.«

# 17

Obwohl die Zeitungen voll Respekt Predigten veröffent-
lichten, obwohl die Kirchen zahlreich waren und überall
Kirchtürme in der Silhouette der Stadt aufragten, gemahn-
ten die sich rasch wandelnden Wolkenformationen oder das
Licht einer jeden Jahreszeit nicht an das Antlitz Christi, sondern an das Tweeds . . . als beherrschender Ausdruck unseres Selbstbildes . . . als Gesicht unserer Zeit. Manche von
uns – offensichtlich nicht genügend viele – nahmen den
Kampf oder die Feuerprobe auf sich, jenes entsetzliche kollektive Selbstinteresse zu überwinden, dessen Apotheose er
war. Ich konnte ihn mir privat vorstellen, wie er in Momenten der physischen Befriedigung all seiner Gelüste in seiner
Millionärsresidenz an der Forty-third Street saß . . . absolut
und triumphal erfolgreich in all seinen räuberischen Unter-
nehmungen . . . und bezweifelte dennoch nicht, daß er im
Grunde ein körperliches Wesen war. Ich empfand ihn als
furchtbare Erscheinung, die behend um unsere Köpfe und
Schultern schwebte . . . oder als etwas, das ganz hinten im

Schlund, jenseits der Kehle angesiedelt war oder das unangreifbar, aber hartnäckig in uns steckte . . . die Gottheit der uns allgegenwärtigen Erpressung.

Damit ich Ihre Geduld nicht strapaziere, lassen Sie mich versichern, daß am Ende sämtliche Kolumnen so nebeneinander stehen, um über die ganze Seite gelesen werden zu können . . . wie die in die Stele gemeißelte Keilschrift. Von der Bank vor meinem Büro hatte ich einen freien Mitarbeiter hereingerufen und ihm aufgetragen, im Kellerarchiv, in unserem Leichenschauhaus, nach Berichten über wohlhabende Männer zu suchen, die mittellos gestorben waren. Donne stellte eigene Nachforschungen an. Wir hofften bei unserer Suche nach der Wahrheit Augustus Pembertons Mitpassagiere identifizieren zu können . . . den Charakter der . . . Loge, der Bruder- oder Todesgefährtenschaft des weißen Omnibusses. Was jedoch ihre Motive gewesen waren, davon hatten wir nicht mehr Ahnung als Martin an dem Tag, an dem sie im Schnee an ihm vorbeigefahren waren. Der Himmel mochte wissen, wo sie steckten. Ich wußte nur, daß man sie nicht in ihren Gräbern finden würde.

Doch wenn unsere Suche nach Martin Pemberton auch weiterging . . . Nun ja, sollte ich Sie daran erinnern, daß wir keine Mathematiker waren, die mit rein numerischen Gedanken arbeiteten . . . Wir hatten Berufe, Aufgaben . . . Wir erfüllten unsere Verpflichtungen . . . die uns stets mannigfaltig vorkamen. Und zumindest einer von uns versuchte, mit seinen Gefühlen zu leben.

Eines Tages kam ein Mann namens James O'Brien in mein Büro spaziert. Er trug den Titel eines Sheriffs von New York County. Ein lukrativer Posten, denn der Sheriff behielt alle

Gebühren, die er kassierte. Ernannt worden war er natürlich von Boss Tweed. O'Brien war ein typischer Mann des Rings . . . ungebildet, ungehobelt, schlau mit der brutalen Intelligenz des Politikers . . . außerdem noch mit der durch sein Amt bedingten Selbstgerechtigkeit, das ihm generell erlaubte, jedem eine Strafe aufzuerlegen, mit dem er zu tun bekam. Ich wußte, daß O'Brien einiges unternommen hatte, um Tweeds beherrschende Stellung in der Demokratischen Partei zu untergraben, und gescheitert war . . . deshalb schloß ich, als er unangemeldet erschien, vor mir Platz nahm, sich über den kahlen Schädel wischte und seine Zigarre anzündete, meine Tür gegen den Lärm und die Ablenkungen der Lokalredaktion draußen, setzte mich hinter meinen Schreibtisch und fragte, was ich für ihn tun könne.

Gerade um diese Zeit fing Tweed an, unter den Attacken von *Harper's Weekly* und des politischen Karikaturisten jener Zeitschrift, Nast, zu leiden. Die meisten seiner Wähler konnten nicht lesen, und daher war ihm egal, was über ihn geschrieben wurde. Doch eine Karikatur von ihm als fettem Geldsack, der den Fuß auf den Hals der liegenden Freiheitsstatue setzt, hatte etwas . . . Erhellendes. *Harper's* gehörte auch ein Buchverlag . . . Dessen Schulbücher waren an den Schulen der Stadt plötzlich nicht mehr zugelassen. Tweed mag ärgerlich gewesen sein, aber er war mehr oder weniger unverwundbar, weil alle kritischen Stellungnahmen nur auf indirekten Schlußfolgerungen oder Mutmaßungen basierten. Niemand hatte handfeste Beweise. Tweed hatte die gesamte Regierung sowie das Rechtssystem unter Kontrolle, und er konnte mit der Treue, wenn nicht gar Liebe der Massen rechnen. Er schickte Ausländer direkt vom Schiff in seine Gerichtssäle, und seine Richter machten im Handumdrehen wahlberechtigte Bürger aus ihnen. Er hatte fünfundsiebzig Prozent der oppositionellen Republikaner im County auf seiner Schmiergeldliste stehen. Sein Bestechungssystem war unübersehbar, und nichts Beweiskräftiges war je gegen ihn vorgebracht worden. Zu ein paar Reformern sagte er eines Tages: »Ja, und was wollen Sie dagegen tun?«

Und nun saß der launische, widerspenstige Sheriff O'Brien vor mir. Ich fühlte mich an das große angelsächsische Gedicht *Beowulf* erinnert, das als Leitfaden für junge Häuptlinge gedacht war. Eine seiner wichtigsten archaischen Lektionen ist, daß man, wenn man die Macht behalten will, die Beute teilen muß. Tweeds Politik war urzeitlich und barbarisch, wer also sollte diese Regel besser kennen als er? Und doch saß hier dieser O'Brien, von Tweeds Gunst nur unerklärlich spärlich bedacht . . . und er hatte ein in braunes Papier gewickeltes, mit Bindfaden verschnürtes Bündel auf dem Schoß, das, wie er behauptete, die Aufstellungen – Abschriften aus Hauptbüchern – enthielt, welche das wahre Ausmaß des vom Ring betriebenen Bestechungssystems zeigten – alles ordentlich in säuberlichen Zahlenkolonnen festgehalten . . . die unglaublich hohen Summen, unter welchem Vorwand sie gestohlen worden waren und wie sie aufgeteilt wurden. Du meine Güte.

»Warum machen Sie das?« fragte ich O'Brien.

»Der Scheißkerl hat mich gelinkt. Dreihunderttausend Klicker. Will er nicht blechen.«

»Für was?«

»Steht mir zu. Ich hab ihn gewarnt.«

Ein rechtschaffener Erpresser, dieser O'Brien. Ich mußte mich fragen: Tweed mußte doch mit vielen ehrgeizigen, übereifrigen Männern zurechtkommen – warum war dieser hier zum Problem geworden? Der gigantische Erfolg von Tweeds Betrug, so allumfassend und systematisch, als Räderwerk so gigantisch und so geschmeidig laufend wie die Corliss-Dampfmaschine, hatte ihn verführt . . . nicht an seine Unverwundbarkeit – an noch mehr zu glauben. Bei seinen allerheimlichsten Selbstbetrachtungen mußte er in jüngster Zeit . . . Anzeichen dafür wahrgenommen haben, daß er unsterblich war. Anders kann ich mir nicht erklären, was er getan hatte – O'Brien zu verscheuchen, ihm jede Genugtuung zu verweigern. Genau das, was Sie einem Mitverschwörer nicht antun dürfen.

Sheriff O'Brien gewährte mir großzügig Einblick in seine unversöhnlich bittere Seele. Er suchte nach einem Blatt, sagte er, das die Geschichte veröffentlichen würde, die Zahlen erzählen. Ich sagte ihm, er solle mir das Bündel dalassen. Ich sagte ihm, ich würde mir genau ansehen, was er da gebracht habe, und wenn es der Wahrheit entspreche, werde das *Telegram* die Geschichte bringen. So sachlich, wie ich mich gab, wäre man nie darauf gekommen, daß ich wußte, was mir da in den Schoß gefallen war.

In jener Nacht saß ich an meinem Schreibtisch und las das Hauptbuch der schamlosesten, gigantischsten Kabale in der Geschichte der Republik. Ich werde diese Nacht nie vergessen. Können Sie sich vorstellen, was es für einen Zeitungswurm bedeutet, das schwarz auf weiß unter der Leselampe liegen zu haben? Wofür leben wir denn schließlich? Gewiß nicht für Reichtum, nicht für philosophische Aufklärung . . .

nicht für die Kunst oder die Liebe und gewiß nicht wegen irgendeiner Hoffnung auf Erlösung . . . Wir leben für das Druck- und Beweisbare, Sir, wir leben für das Dokument in unserer Hand . . . Der Ruhm, nach dem wir streben, ist der Ruhm des Offenbarers. Und da war er, in säuberlichen Zahlenkolonnen lückenlos verzeichnet. Ich glaube, vor Freude habe ich geweint – ich fühlte mich so privilegiert wie ein Gelehrter, der Fragmente mosaischer Schriftrollen oder ein Stück Pergament mit homerischen Versen oder eine Folioausgabe von Shakespeare in den Händen hält.

Nun, um Sie nicht auf die Folter zu spannen . . . Sie müssen wissen, ein Grund dafür, daß ich mir draußen auf der Bank so viele freie Mitarbeiter hielt und so wenige Reporter fest anstellte, war, daß Tweed die festangestellten beinahe immer kaufte. Ich hatte in Albany einen Mann, der über die Gesetzgebung im Staat berichtete. An einem Tag schrieb er wohlwollend über eine Gesetzesvorlage, laut der die monopolistischen Gaswerke verpflichtet werden sollten, ihre tatsächlichen Gewinne bekanntzugeben und ihre Preise zu senken . . . und am nächsten Tag schrieb er über diese Gesetzesvorlage, als hätten europäische Kommunisten sie ersonnen. Die Kontrolle der Gasgesellschaften wurde in beiden Häusern stark befürwortet, nur hatten in denselben vierundzwanzig Stunden, in denen mein Reporter seine Meinung änderte, Tweds Leute, die ihn und so gut wie jeden anderen Berichterstatter am Ort geschmiert hatten, auch die Vertreter der Legislative geschmiert. Ich will also nicht behaupten, die Presse hätte sich anständig und sauber vom normalen Leben in unserer Stadt abgehoben. Tweed ließ Inserate in unser Blatt setzen – unnötige, sehr städtische

Inserate. Ich wußte das – wußte es genau . . . Aber ich dachte . . . ich fand . . . diese Story war so monumental . . . ihr Wahrheitsgehalt in dem, was daraus folgte, so überwältigend . . . und die Lage in der Stadt so prekär . . . daß meine Journalistenehre überwog. Aber auf Anweisung des Verlegers ließ der Chefredakteur mich die größte Geschichte seit dem Sezessionskrieg nicht veröffentlichen. Lassen Sie mir einen Augenblick Zeit, damit ich mich fassen kann . . . Die Erinnerung daran erschüttert bis heute meine arme Seele.

Nicht bloß das *Telegram* – eine Zeitung nach der anderen prüfte die Beweise, und überall weigerte man sich, sie zu drucken. Die bedeutende *Sun* unter dem bedeutenden Richard Henry Dana übermittelte dem Volk die Botschaften des Stadtoberhaupts . . . in Form von Inseraten . . . Bei der *Sun* hatten sie mit der Stadt einen Vertrag über den Abdruck städtischer Verordnungen, acht Punkt groß gesetzt, zu einem Dollar pro Zeile. Entweder brauchten die Verleger Tweed, oder sie zählten sich zu seinen Freunden. Wieder andere fürchteten sich davor, daß er ihnen etwas antun würde – es gab alle möglichen Gründe.

Den amerikanischen Journalismus vor Schande erretten sollte dann schließlich der Tod von einem Herausgeber der *Times*, der auch Teilhaber von Tweeds Druckhaus war. Damit stand es dem verbleibenden Herausgeber George Jones und Louis Jennings als Redakteur frei, das Material zu bringen.

Was mich angeht: Ich bin immer Junggeselle gewesen. Ich mußte mich nicht um Frau und Kinder sorgen. Ich überlegte es mir etwa einen Tag lang . . . Es war mir nicht gelungen, meinen Verleger Mr. Landry umzustimmen . . . Ich war in sein Allerheiligstes hinaufgerannt, um zu protestieren . . .

um an ihn zu appellieren. Er hörte sich mein Gejammer und Gezeter in aller Ruhe an. Tweed hatte an der Lebensader der Stadt gesaugt wie ein Vampir. In jedem nässenden Müllhaufen sah ich ihn . . . in den Abflußrohren, die sich in die Stadt ergossen . . . nachts in den huschenden Schatten der verstohlenen Rattenheere . . . im dumpfen Rattern der städtischen Fuhrwerke, beladen mit Leuten, die an den Krankheiten des Schmutzes gestorben waren . . . Ich räumte meinen Schreibtisch leer und gab den besten Job auf, den ich jemals gehabt hatte . . . nahm Hut und Mantel vom Ständer und marschierte aus meiner Lokalredaktion hinaus.

Doch davon soll hier nicht die Rede sein. Nachdem die Listen in der *Times* veröffentlicht worden waren . . . fand im Herbst in der Cooper Union am Astor Place eine öffentliche Versammlung statt und wurde ein Bürgerkomitee gebildet, das im Namen von Steuerzahlern ein Verfahren einleitete, und der Ring begann auseinanderzufallen. Conolly, der Schatzmeister des Rings, erklärte seine Kooperationsbereitschaft, und ein großes Geschworenengericht wurde gebildet, das Anklage erhob.

Nun schien alles außer Rand und Band zu geraten. Der Zusammenbruch eines Systems, sogar eines Systems, das sie unterjocht, bringt die Leute durcheinander, und die ganze Stadt war aufgewühlt wie von einem Sturm, der einmal von da, einmal von dort bläst, Ladenmarkisen abreißt, Leute auf der Straße herumwirbelt, die Pferde verhext. Drei Banken, bei denen Tweed im Aufsichtsrat war, gingen zugrunde. Dutzende von kleinen Zeitungen, die von Tweeds Freigebigkeit gelebt hatten, stellten ihr Erscheinen ein. Unternehmen jeglicher Art schlossen. Fremde gingen mit Fäusten aufeinander los, so etwas wie ein tiefer, brummender Baßton stieg zwischen unseren Füßen auf, wie wenn ein tosender Wildbach sich plötzlich Bahn bricht, als müßten wir gegen unseren Willen der Wahrheit ins Auge sehen, wir alle, die diese Stadt des verhängnisvollen Lebens errichtet hatten.

Ich möchte nicht sagen, daß der dem Ring drohende Untergang Donne nicht ablenkte. Aber er regte ihn auch nicht sonderlich auf. Jeder in der Stadt redete von nichts anderem, und es muß für Donne eine persönliche Genugtuung gewesen sein – er hatte professionell gewissermaßen als Sklave dieser Zivilisation gelebt, und nun zerbröckelte sie. Aber er neigte nicht zum Triumphieren – das entsprach nicht seinem Wesen, er nutzte nicht die Gelegenheit, an sich zu denken. Und doch fiel mir an seinem Gesicht etwas Heftiges, fast Fiebriges auf, als er jene enthüllenden Rechnungsbücher durchsah, die ich ihm anvertraute, bevor ich sie widerwillig zurückgab. Ich weiß noch, wie seltsam ich es von ihm fand, als er anschließend beim Abendessen sagte, bedeutsam habe er nicht die zumeist überhöhten Summen gefunden, die für diese oder jene Transaktion verzeichnet waren, sondern die wenigen Posten, die buchhalterisch korrekt schienen. In den Hauptbüchern des Rings waren nicht nur die Transaktionen registriert, bei denen die Stadt als vorgebliche Käuferin von Waren oder Dienstleistungen auftrat, sondern auch jene, bei denen sie die Verkäuferin war, und in diesen Fällen sehr oft die Verkäuferin von Rechtstiteln oder Freibriefen, die zu verkaufen sie juristisch nicht berechtigt war. Wie uncharakteristisch es dann doch sei, meinte Donne, wenn man auch Einträge finde, bei denen ein Vertrag anscheinend ohne Bezahlung bestätigt worden war.

»Welcher zum Beispiel?« fragte ich.

»Da gibt es ein neugegründetes Waisenhaus, das Heim für kleine Wandersleute, das oben an der Ninety-third Street am Fluß liegen soll. Im Hauptbuch ist aber nicht vermerkt, daß für die Ausstellung der Gründungsurkunde eine bestimmte Summe den Besitzer gewechselt hätte.«

Angesichts eines gewaltigen Skandals – und meines eigenen Mißgeschicks – fand ich diese Beobachtung ziemlich sonderbar. Aber sehen Sie, Donne war eben größer als die meisten, und daher überblickte er das Gelände besser. Es dauerte kaum einen Tag, da hatte er das Satzungspapier und die Gründungsurkunde im Körperschaftsregister gefunden. Das Heim für kleine Wandersleute war ein interkonfessionelles Waisenhaus, das nach den neusten Erkenntnissen der Kindererziehung wissenschaftlich geführt werden sollte. Dem Kuratorium gehörten Mr. Tweed sowie der Stadtrat und Schatzmeister Conolly an. Als Leiter war Eustace Simmons eingetragen. Dr. med. Wrede Sartorius war der Heimarzt.

# 18

Zᴜ ᴊᴇɴᴇʀ Zᴇɪᴛ ᴡᴀʀ das Stadtgebiet nördlich der Seventy-second Street nicht mehr Land, aber auch noch nicht Stadt. Die wenigen Häuser standen weit auseinander. Ganze Blockflächen waren bereits freigeräumt und mit Vermessungsschnur abgedeckt, aber es stand nichts darauf. Gelegentlich sah man zwei, drei der üblichen Reihenhäuser mit ihren zur Eingangstür führenden Granittreppen, dann nach einer Lücke zwei weitere mit einer gemeinsamen Seitenmauer, alle jedoch unbewohnt. Hier war eine Straße angelegt, deren Pflastersteine vor einer Wiese endeten, dort hinter Gerüsten ein bis zur halben Höhe errichtetes Mehrfamilienhaus, durch dessen rahmenlose Fensteröffnungen man den Himmel sah ... oder eine Beaux-Art-Residenz entstand neben einer Gruppe von Hütten mit Ziegen und einem herumwühlenden Schwein. Und überall lagen große Backsteinstapel, oder Bauholz war unter flatternden Zeltplanen aufgeschichtet. Dampfkräne standen auf Feldern, die mit Gras und Sträuchern bewachsen waren. Aus irgendwelchen Gründen waren nie Arbeiter zu sehen . . . als wäre die Stadt eigensinnig dabei, sich selber zu erbauen.

Von dort, wo Park Avenue und Ninety-third Street sich kreuzten, führte die ungepflasterte Landstraße sanft zum Fluß hinunter. Auf den Feldern zu beiden Seiten reiften vereinzelt Kürbisse, und das Laub der Bäume begann sich zu verfärben. Die fernen Stadtgeräusche waren kaum zu vernehmen. Donne und seine Männer hatten ihr Lager zwischen First und Second Avenue unter einer gelb werdenden Trauerweide aufgeschlagen. Ihre Uniformjacken waren aufgeknöpft, sie hatten Feldflaschen mit Wasser und Proviantbüchsen dabei, und der Abfall lag gesammelt in einem Pappkarton am Fuß des Baums. Vom Fuß aus waren sie nicht zu sehen. Die Landstraße führte an ihnen vorüber zum Ufer, und da, wo das Gelände flacher wurde, lag das stattliche Gebäude des Heims für kleine Wandersleute.

Ein Schilderhäuschen der Polizei stand auf dem Trottoir neben dem Eingangstor. Donne sagte: »Schilderhäuschen stehen an den diplomatischen Vertretungen. Wir haben welche vor Mr. Vanderbilts Wohnsitz . . . und an der Tammany Hall . . . Das müssen schon äußerst wichtige Kinder sein.«

Donne hatte es geschafft, aus allen Städtischen Polizeitruppen insgesamt zwölf oder dreizehn Männer zu requirieren, die zu ihm hielten. Eine weitere Gruppe war in einem Schuppen an der Ninety-fourth Street postiert, eine Querstraße oberhalb des Anwesens an der First Avenue . . . und eine dritte Gruppe eine Querstraße weiter südlich.

Aber ich begriff nicht, was sie da machten – nämlich . . . vom Gebrauch ihrer Feldstecher abgesehen . . . nichts. Ich war zu ihnen gestoßen, als sie den zweiten Tag Wache standen. Auf dem uns umgebenden Gelände hüpften hier und da Vögel in Staubbädern umher oder flatterten von Busch zu Baum. Hoch über dem Fluß flogen Gänse wie ein wogender Pfeil südwärts. Ich fragte mich, ob ich den weiten Weg eigentlich zurückgelegt hatte, um mich einem Club von Vogelfreunden anzuschließen. Und eine entsprechende Bemerkung werde ich wohl gemacht haben.

»Wen sollen wir verhaften?« fragte Donne.

»Alle . . . jeden, den ihr findet.«

»Ich soll mir also ohne Haftbefehl Zutritt verschaffen?«

»Welcher Richter würde Ihnen denn einen ausstellen?«

»Wie lautet die Beschuldigung?«

»Kommt doch nicht drauf an . . . solange wir nur dahinterkommen, was da drinnen vor sich geht, daß ein Polizeiposten nötig ist, um die Leute fernzuhalten.«

»Genau so würden sie es machen«, sagte Donne ruhig.

Er reichte mir den Feldstecher. In Vergrößerung sah ich das Herrenhaus schimmern, ein romantisches Gebäude aus rotem Sandstein mit Dekorelementen aus Granit und Türmchen und kleinen Fenstern eines Arsenals. Zur Hälfte wurde das Haus von einer Ziegelmauer verdeckt. Ein schmiedeeisernes Tor führte auf einen Vorplatz. Ein Gebäude, das genauso wirkte, wie es geplant war – sehr gewichtig und das denen, die dort wohnten, Gewicht verlieh. Es war ein Vorposten unserer vorrückenden Zivilisation . . . wie all unsere anderen Einrichtungen draußen an den Rändern – Armenhäuser, Asyle für gefallene Frauen, Taubstummenheime.

Hinter dem Heim für kleine Wandersleute wogte der Strom kraftvoll und silbrig auf den Hafen im Süden zu. Vielleicht empfand ich nur die Verzweiflung der Arbeitslosen,

aber in diesem Augenblick . . . ich, der Kenner von Hinter-
hofdurchgängen, Sackgassen und Souterrainkaschem-
men . . . der Reporter, der das große nationale Thema des
Westens verschmäht hatte, um Stories aus Pflastersteinen
herauszuholen, auf die Pferdeäpfel klatschten, in denen die
Straßenvögel nach Nahrung pickten . . . ein Bursche, für den
die gellenden Rufe der Lumpensammler, das Scheppern der
Drehorgeln Musik waren . . . der die Katze mit erhobener
Pfote den Mülleimerdeckel lüpfen sehen und dabei das Gefühl haben konnte, mehr an Natur nicht zu brauchen . . . ich
wünschte mir inbrünstig, es gäbe auf dieser Insel keinerlei
Gebäude. Ich stellte mir vor, die ersten holländischen See-
fahrer hätten sie als mosquitoverseuchten Sumpf abgetan
und wären in ihren Beibooten zu den Schiffen zurückgekehrt . . .

Es muß an jenem Nachmittag gegen vier gewesen sein, als
Donne alle aufforderte, genau hinzuschauen. Ich hob mein
Fernglas: Das Hoftor stand offen. Auf die Straße trabte ein
Zweiergespann, das einen weißen Omnibus der Städtischen
Verkehrsgesellschaft zog. Einer von Donnes Leuten war
rasch losgerannt, um ihr eigenes Gespann loszubinden, es
stand abseits der Straße hinter Bäumen. Dann sausten wir
im Polizeiwagen hügelabwärts, und Donne lehnte sich aus
dem Fenster und brüllte: »Haltet sie nicht an, haltet sie nicht
an!« Ich begriff nicht, was vor sich ging, aber als wir die Avenue unten erreichten und die weiße Kutsche einholten, war
ein Kampf im Gang. Donnes Leute, die an der Ecke von
First Avenue und Ninety-fourth Street postiert waren, hatten den Omnibus abgefangen und hielten die schnauben-
den, sich aufbäumenden Pferde am Zaumzeug fest . . . und

der Mann auf dem Bock ließ seine Peitsche niedersausen . . . auf Pferde und Polizisten . . . wie es gerade kam.

Wie kann man sich ein plötzliches, gewaltsames Geschehen wieder vergegenwärtigen? Ich erinnere mich noch an die Laute, die in ihrer Angst und Pein die Pferde ausstießen – so menschliche Töne entrangen sich ihren Brustkörben, als sie vorwärtspreschen wollten und in Reichweite der Peitsche zurückgerissen wurden. Wir beteiligten uns inzwischen alle an dem Gefecht. Einer von Donnes Leuten war zu Boden gefallen und rollte sich verzweifelt aus der Nähe der Hufe. Ein Polizist, der auf den Bock kletterte, um den Kutscher vom Sitz zu zerren, erhielt einen Stiefeltritt und fiel rücklings auf die Straße. Sie müssen wissen, daß unsere Polizisten damals nicht ständig Pistolen oder Gewehre trugen, daß diese nur für Notsituationen ausgegeben wurden . . . bei Tumulten und dergleichen. Sie trugen freilich Schlagstökke, beachtliche Waffen, und damit droschen sie nun auf die Beine des Kutschers ein. Doch der war ein ungeheuer starker Mann, der einen schwarzen Anzug, Stiefel und einen weichen Filzhut trug. Der Hut flog fort, und ein geschorener Schädel wurde sichtbar. Pferde und Männer wirbelten Staub auf. Es war ein wunderbar warmer, sonniger Nachmittag, an dem schnell Dunst aufzuziehen schien. Ich kann mich noch an das Panorama erinnern, das auf die Längsseite des Omnibusses gemalt war, ein Blick auf den Hudson mit den Catskill-Bergen im Hintergrund. Oberhalb dieses Panoramas tauchten in den Fenstern Gesichter auf und verschwanden wieder, Gesichter, die keinen Eindruck bei mir hinterließen, außer daß mir auffiel, daß ihre Münder offenstanden und daß ich sie anscheinend – verzögert – mit den Schreien in Verbindung brachte, die ich aus dem Innern des Busses dringen hörte. Die Polizei hatte das Fahrzeug angehalten, und dabei war dieses Handgemenge daraus entstanden. Wie sonderbar. Ich habe im Leben viel Gewalt in den Straßen gesehen . . . Sie schockiert mich nicht, sie macht mich nachdenklich, distanziert und kommt mir letztlich immer . . . unerklärlich vor. So war es nun. Ich weiß nicht einmal mehr, was ich inmitten von all dem getan habe. Was ich gesehen habe, kann ich Ihnen sagen, aber nicht, was ich getan habe. Vielleicht gar nichts, wenn ich auch gern glauben möchte, ich hätte mich irgendwie nützlich gemacht. Natürlich wußte ich, daß dies der Omnibus war, den Martin Pemberton bei Schnee und im Regen auf dem Broadway gesehen hatte, aber es war ein so gediegenes Fahrzeug, überall angeschlagen, verkratzt und abgeschürft vom dauernden Einsatz im Linienverkehr . . . ein ganz normales städtisches Fahrzeug, einer der langweiligen Omnibusse von New York.

Donne war anders an Konflikte gewöhnt und ging sehr effizient und praktisch damit um. Mit einer Behendigkeit, die mich verblüffte, kletterte dieses dürre Gestell auf der Leiter an der Rückseite aufs Dach des Wagens, und als der Kutscher begriff, daß da jemand war und sich umdrehend hochschaute, hieb Donne ihm flott mit einem Schlagstock auf den kahlen Schädel. Ich weiß nicht, ob ich den Ton eines Schlagstocks, der auf einen Schädel trifft, beschreiben kann. Ich habe dieses Geräusch unzählige Male gehört. Es kann sich anhören wie ein Steinbrocken, der in ein Wasserbecken fällt . . . ein leiser Ton . . . nicht angenehm . . . Oder es kann an das fidele, harte Hacken eines Spechtschnabels erinnern . . . fidel, weil klanglich die Illusion von Leere im Schädelinneren entsteht. In solchen Momenten bleibt man zum Glück davor verschont, sich Gedanken über die Auswirkungen des Schlags auf Hirn und Hirnschale zu machen ... die natürlich immer ziemlich furchtbar sind, egal, wie es klingt. Diesmal war der Ton einfach, simpel, dumpf ... endgültig. Der Kutscher fiel von seinem Hochsitz und landete heftig Staub aufwirbelnd vor meinen Füßen. Er war ein massiger, sehr starker Mann. Der Schlag hatte ihn weder umgebracht noch das Bewußtsein verlieren lassen. Er schob sich auf die Knie und hielt sich den Kopf, ohne jedoch einen Ton von sich zu geben ... und bevor Donne noch herunterklettern und ihnen befehlen konnte aufzuhören, standen die Männer schon um den Kutscher herum und verpaßten ihm auf Schultern und Arme zusätzliche Hiebe wegen der Dreistigkeit, mit der er ihnen begegnet war ... obwohl die Sache mit jenem einen Schlag klar entschieden worden war.

Später fragte ich Donne, warum er während der Fahrt den Hang hinunter seinen Leuten zugebrüllt habe, sie sollten den weißen Wagen nicht anhalten, sondern fahren lassen. »Ich weiß nicht«, sagte er ganz unverbindlich. »Ich wollte wohl wissen, wo er hinfahren würde.« Wie sich dann herausstellte, wäre das sehr nützlich gewesen. Doch andererseits müssen Sie verstehen ... auch wenn ich es erst viel später begriff, zu spät, als daß ich es mir hätte bestätigen lassen können ... daß so ein Mann reagierte, der wußte, daß der weiße Omnibus gekapert hinter jener Ziegelmauer stand und irgendwann benutzt werden würde ... ein Mann, der gewitzt genug war, den Wagen ruhig weiterfahren zu lassen ... weil er wußte, wer damit fuhr und wer der Kutscher war ... bevor er noch das Kinn des Mannes hochgehoben hatte, wie er es nun tat, während ich dabeistand . . . und wir beide auf eben jenen klotzigen Kopf blickten und die Austernaugen, die Harry Wheelwright nach Beschreibungen von Knucks Gearys Mörder gezeichnet hatte.

Das ist das Rätsel, das ich nie werde befriedigend lösen können . . . wie Edmund Donne zu solchen Kombinationen fähig war. Auf welche Informationen verließ er sich? Ich werde es nicht mehr herausbekommen. Damals aber fuhr es mir durch Mark und Bein.

Die Polizisten hatten an der Hintertür des Wagens ein Vorhängeschloß gefunden. Sie knieten sich neben den stöhnenden Kutscher und zogen ihm den Schlüssel aus der Westentasche . . . und schlossen die Tür auf und fanden sechs heulende, verängstigte Kinder. Die Pferde hatte man beruhigen können, doch nun drängten die Kinder sich durch die Tür und versuchten fortzulaufen. Eines kam durch und begann die Straße hinunterzurennen. »Schnappt den Jungen da«, schrie Donne, und der verwirrte Polizist, der aus dem Schilderhäuschen herausgekommen war, versuchte, ihn abzufangen. Aber der Bengel rannte nun querfeldein. Kein Erwachsener kann einem Straßenkind von acht oder zehn bergauf nachlaufen und hoffen, es zu überholen. Ich weiß noch, daß ich dachte . . . Sekunden später . . . als ich seine in Richtung Stadt flitzende Gestalt . . . durch das Kürbisfeld hinauf . . . zur Park Avenue . . . immer kleiner werden sah . . . der Junge müsse gesund sein, um so gut rennen zu können. In einer Kutsche hätte man ihn wahrscheinlich einholen können. Aber nun herrschte ein großes Durcheinander. Obwohl die Gegend nur spärlich bewohnt war, kamen auf der First Avenue nun Leute herbei, die sehen wollten, was so viele Polizisten da zu suchen hatten ... von der Second Avenue her kamen welche ... Farmerfamilien traten auf ihre Veranden, um sich diese Konfrontation von schwarzen und weißen Wagen im Staub der Straße und die herumrennenden Männer in blauen Uniformen anzusehen.

Aus offenkundigen Gründen wollte Donne die Kinder und die Kutsche wieder auf dem Gelände des Waisenhauses haben. Jemand hatte von innen das Tor verriegelt. Ein Polizist erklomm die Mauer, und kurz darauf strömten wir alle auf den Hof. Ich hatte das Gefühl, einer Invasionsmacht anzugehören ... und so wurden wir in der Tat vom Personal behandelt und von den Kindern ... die in alle Richtungen durch die Räume rannten ... schrien, schluchzten, fortzulaufen versuchten oder sich in Wandschränken versteckten. Was müssen sie geglaubt haben! Donne trug seinen Männern auf, alle im Speisesaal im Erdgeschoß zu versammeln. Ich ging mit ihm durch die Haupthalle nach hinten ... an den Anrichteräumen und der Küche vorbei zu einer Hintertür, die auf eine gefliste Terrasse mit schmiedeeisernem Geländer führte. Von hier fiel das Gelände drei, vier Meter bis zur ebenen Erde ab. Eine Mole aus großen Steinbrocken führte bis zum Wasserrand. Auf dem Fluß ruderte ein Mann in einem Dinghi hektisch gegen die starke Strömung davon. Dem Anschein nach wollte er nach Blackwell's Island, aber der East-River-Kanal ist an manchen Stellen so schmal, daß er die Fluten in schwappenden Wogen flußabwärts zwingt ... und das machte dem Mann zu schaffen. Während wir ihm zusahen, gab er auf und setzte die Ruder nur noch ein, um zu verhindern, daß das Boot sich drehte. Nun trieb er geschwind mit der Strömung südwärts ... Er zog eines der Ruder ins Boot und winkte . . . eine lässige, spöttische Geste. Er trug einen schwarzen Derbyhut. Das Geländer mit den Händen umklammernd, sah Donne ihm nach.

Laut fragte ich mich, ob da vielleicht Sartorius, der Doktor, davonfahre. Donne sagte nichts. Wir gingen wieder ins Haus, und . . . im Verlauf einiger Minuten, während unter den Kindern allmählich wieder Ordnung einkehrte . . . ergab sich aus dem, was die Angestellten zögernd, ängstlich oder ärgerlich auf Donnes Fragen antworteten, daß Sartorius diesen Leuten kaum bekannt war . . . während sie sich jedoch ständig auf Mr. Simmons beriefen und sich unsicher nach ihm umschauten. Nun wußte ich also, wer in dem Boot saß.

Donne befahl, die Namen aufzunehmen. Es waren zwei Lehrerinnen, eine Haushälterin, eine Krankenschwester, die Köchin, vier Aufseherinnen, eine Küchenhilfe . . . alles Frauen, die für die dreißig hier untergebrachten Kinder sorgten.

Wir durchsuchten die Einrichtung. Draußen neben dem Vorplatz befanden sich eine Remise, ein Stall und ein kleineres Nebengebäude, alle im gleichen Stil erbaut. Im Erdgeschoß des Hauptgebäudes waren das Schulzimmer, der Speisesaal, ein Spielzimmer mit einem neuen Klavier und eine bescheidene Bibliothek eingerichtet. Alle Möbelstücke waren aus Eiche – klassisches neues Grundschulmobiliar. Die Lesebücher und Lehrbücher befanden sich in gutem Zustand.

Wir stiegen eine breite Treppe aus poliertem dunklem Nußbaum hinauf, deren Stufen einen Gummibelag hatten . . . und fanden zwei große Schlafsäle vor, einen für die Jungen, einen für die Mädchen . . . alles ordentlich, frisch und sauber ... mehrere Bäder ... und auf dieser wie auf der obersten Etage kleinere Räume für die erwachsenen Mitarbeiter. Ganz oben befand sich auch eine Apotheke, mit verschlossenen Glasschränken, die mit den üblichen Utensilien, Bandagen, Arzneiflaschen und so weiter, ausgestattet waren.

Ich hatte schon viele Waisenhäuser ... Missionsheime ... Armenhäuser ... Berufsbildungsstätten von innen gesehen. Im allgemeinen hatten sie deutlich das ärmliche, schon gebrauchte Aussehen, das Wohltätigkeit immer hat. Diese Einrichtung aber glänzte wie ein teures Internat in Neuengland ... nur daß aufgrund der Architektur – des romanischen Stils – die meisten Fenster klein waren und in tiefen Nischen lagen, und die zumeist nußbaumgetäfelten Räume, dunkel und düster waren.

Die Küche enthielt zwei Herde, eine Reihe von Spülbekken, Kessel und Kasserollen, die von einem Gestell an der Decke hingen ... einen hölzernen Eisschrank und offene Regale mit Dosen, Schachteln und Gläsern ... und in einer Ecke eine Kohlenkiste. Eine geräumige, wohlausgestattete Küche, um eine Armee zu ernähren.

Wäre eine Kommission zur Inspektion hierhergekommen ... Funktionäre der Hilfsorganisationen ... und hätten sich angesehen, unter welchen Bedingungen die Kinder hier verwahrt wurden, sie hätte nur beeindruckt sein können. Die Waisen trugen alle schlichte, saubere Kleidung und neue Schuhe. Sie waren gründlich gewaschen und gepflegt. Die befragten Mitarbeiterinnen schienen ihre Sache zu verstehen und der Einrichtung redlich zu dienen. Das Ganze war sehr rätselhaft.

Ein Gefühl äußerster Trostlosigkeit überkam mich, eine

Stimmung, nicht viel anders als diejenige, die mich auf der Anhöhe befallen hatte, als ich dieses Gebäude durch den Feldstecher betrachtete ... Weder Furcht noch Angst ... sondern tiefer Trübsinn ... diffus, von nichts Bestimmtem ausgehend, noch nicht so deutlich wie Verzweiflung. In einem Büro neben der Küche fand Donne das Wirtschaftsbuch, in dem die laufenden Haushaltskosten verzeichnet waren – Zahlungen an Lieferanten, Gehälter. Er fragte die Haushälterin, eine schwere Frau mittleren Alters mit einer imposanten Haarschnecke auf dem Kopf, ob sie die Bücher führe. »Nein«, sagte sie, »das erledigt Mr. Simmons.«

Als Donne den Schlüsselkasten an der Wand aufmachte, fand er darin mehrere Ringe mit Schlüsseln, und die Haushälterin war so gefällig, ihm zu sagen, zu welchen Türen die Schlüssel gehörten. Über einen Schlüsselbund aber wußte sie nicht Bescheid.

Hinter Simmons' Schreibtisch befand sich ein verschlossener Wandschrank. Donne probierte die Schüssel dieses Bunds nacheinander an der Tür aus. Endlich ließ sich der Türknopf drehen. Der kleine Raum enthielt Aktenschränke aus Eichenholz, jeder war mit einem Schloß versehen. Aber an einer Seite hingen an einer Stange ein paar Kleidungsstücke. Als Donne sie beiseite schob, um zu sehen, was dahinter war, fiel mir ein Mantel auf ... ein alter Uniformmantel der Unionsarmee ... und ich sagte so ruhig wie möglich: »So einen Mantel hat Martin Pemberton immer getragen.«

Falls ich mich zu einer Verfolgungsjagd verpflichtet hatte, wollte ich nun nichts mehr davon wissen. Mit einer Polizeifackel ging Donne uns auf einer Treppe voran, die von der

215

Küche in den Keller führte, den einzigen Bereich, den wir noch nicht inspiziert hatten. Der Keller hatte Mauern aus Stein, war aber durch Holzwände und Türen mit Schlössern in Verschläge unterteilt wie der Laderaum eines Schiffs. Die Schlüssel an Donnes Ring paßten zu diesen Türen. Wir gingen durch zwei der Verschläge hindurch . . . stickige, nach Asche riechende Luft. Im dritten Verschlag stießen wir auf so etwas wie einen vergitterten Kohlenbehälter . . . Es war eine Zelle, eine fensterlose Zelle. Die Luft war verpestet. Donne beugte sich vor und hielt die Fackel hoch. Und da, auf einem Strohsack, bewegte sich etwas . . . mit struppigem Bart, geschwächten, blinzelnden Augen . . . ein knochendürrer Arm streckte sich dem Licht entgegen . . . eine arme Seele, ein Bündel aus Lumpen und Knochen . . . das wiederzuerkennen mir schwerfiel.

Von jenem Tag an habe ich manchmal davon geträumt . . . in tiefster Seele ein Straßenbengel, träume ich noch heute davon . . . daß, wenn es gelänge, dieses verdreckte, gepflasterte Manhattan von der Erde anzuheben, mit all seinen leckenden, tropfenden Rohren, Röhren, Tunneln, Geleisen, Kabeln – in einem Zug, wie Schorf von der neuen Hautschicht darunter –, dort dann Sämlinge sprießen, Süßwasser hervorquellen, Büsche und Gräser die sanft geschwungenen Hügel überwachsen würden . . . Rankendickichte, Flecken wilder Heidelbeeren und Brombeeren . . . Eichen würden in der Hitze Schatten spenden, und silbrige Birken und Trauerweiden . . . und im Winter würde ewig weißer Schnee liegen, bis er so rein und glitzernd wie Quellwasser davonflösse. Ein, zwei solcher Jahreszeiten, und die verstummte, so viele Industriejahre hindurch unter Mietskasernen und

Fabriken verschüttete Widerstandskultur . . . würde wieder auferstehen . . . die Kultur der schlanken, frommen Indianer von der üppigen Erde, die ohne Geld und bleibende Bauten lebten, auf der ebenen Erde – jagend, Fallen stellend, fischend, Getreide anbauend und betend . . . stets feierlich Dank für ihr geordnetes, kurzes Leben auf dieser stillen Welt sagend. Wieviel Liebe ich für jene wilden Polytheisten meiner Innenwelt hege . . . für die Freunde des Lichts und Laubs . . . diese freien Männer und Frauen . . . wie ich sie um die unzulänglichen Geschichten, die sie einander erzählten, beneide, um ihre Systeme und Kosmologien . . . ihre lieblichen Träume von der Welt, auf der sie standen und die standhielt . . .

# 19

ER WUSSTE ALLE ANTWORTEN auf unsere Fragen . . . nur konnte er sie nicht geben. Er sprach nicht und reagierte nicht vernünftig. Er war stumm und verständnislos. Sarah Pemberton hatte dafür gesorgt, daß er im Presbyterianischen Krankenhaus an der Seventy-first Street und Fourth Avenue Aufnahme fand, wo er in der Obhut von Dr. Mott war, dem Arzt, der Augustus' Krankheit diagnostiziert hatte . . . und dorthin kamen wir täglich und wachten bei ihm. Der Diagnose nach litt Martin an extremer Unterernährung, Dehydrierung und den damit einhergehenden Funktionsausfällen. Die Frauen, die so voller Freude gewesen waren, als sie erfuhren, daß er gefunden worden war . . . daß er noch lebte . . . waren um so entsetzter, ihn nun in diesem Zustand zu sehen . . . teilnahmslos wie ein Toter. Er lag auf dem Rücken und starrte zur Decke . . . furchtbar bleich, doch mit roten Flecken auf der Haut . . . die hellen Haare und der Bart lang und verfilzt . . . die adlerähnlichen Gesichtszüge unnatürlich stark betont. Die Gestalt, die sich unter der Bettdecke abzeichnete, war erschreckend . . . klein. Niederschmetternd war jedoch sein gedankenleerer Blick und das Fehlen seiner Pemberton-Persönlichkeit. Dies war nicht mein Martin.

Da er Nahrung zu sich nehmen konnte, besserte sich nach einigen Tagen sein Aussehen, aber die tiefe . . . Geistesabwesenheit dauerte an. Er lag nicht im Koma, befand Dr. Mott, der festgestellt hatte, daß Martin auf Geräusche reagierte und den Kopf zum Licht drehte. Es schien, als wäre er in eine philosophische Meditation vertieft, welche die anderen Anforderungen an das Bewußtsein unerheblich machte. Ich weiß noch, wie ich an seinem Bett saß . . . und mich fragte, was eigentlich genau eine philosophische Meditation sei. Was wohl ihr Inhalt sein könnte – vielleicht gab es eine gedankliche Tiefe, die es einem erlaubte, Gott zu vernehmen oder seine Harmonien. Wissen Sie, das Wahrnehmungsvermögen eines Zeitungsmenschen für Metaphysisches ist eben sehr beschränkt. Ich verstehe Leute meines Schlags, und nicht nur aus eigener Erfahrung. Wir fangen jung an, saftstrotzend, voll Widerwillen gegen Routine, Ordnung, Wiederholung – gegen sämtliche Tugenden des amerikanischen Geschäftslebens – und erfüllt von jungenhafter, verantwortungsloser Liebe zum Neuen, zur immer wechselnden . . . Herausforderung. Mein erster Auftrag im Metier war, mit den Lotsenbooten nach Sandy Hook hinauszufahren und zu versuchen, von den Überseeschiffen die Nachrichten aus Europa zu ergattern, bevor sonst jemand sie bekam. Nach einiger Zeit hatten wir unsere eigenen Boote, unsere Nachrichtenboote . . . Aber all das bedeutet, wie gesagt, daß wir mit der Seele allzusehr . . . im Leben stekken . . . Unser Leben und unsere Zeit sind unser ein und alles. Das gesellschaftlich und politisch Vordringliche nimmt uns total in Anspruch . . . Und der Tod . . . der Tod ist nicht mehr als ein Nachruf. Jeder Tod, unser eigener eingeschlossen, ist eine Nachricht von gestern.

Doch da war er nun, mein freier Mitarbeiter, weder tot noch lebendig und philosophisch an so ziemlich dem gleichen Punkt angelangt wie sein Vater . . . was mich mit meiner Zeitungsmenschenseele allerlei befürchten ließ . . . meinen Glauben an das großartige Durcheinander des Lebens auf die Probe stellte – daß es am Ende doch nicht bis hart an den Rand des . . . Möglichen gehen würde, was immer das auch war. Ich begriff nun, daß ich mich auf Martin verlassen hatte, wie vielleicht wir alle . . . da ich seiner Spur gefolgt war . . . seit nun schon einigen Monaten die Pfade aufspürte, die er mir mit einem gewissen Vorsprung als Führer markiert hatte. Ich fühlte mich so . . . verloren . . . Ich fühlte mich im Stich gelassen. Ich hätte ohne weiteres in eine Ecke gehen, mir einen Schal über den Kopf legen und auf die Knie sinken können . . . aus bitterer Verzweiflung über diesen lebendigen Toten.

Zu meinem Trost sah ich Miss Emily Tisdale Tag für Tag an der anderen Seite seines Betts sitzen; er lag zwischen uns beiden. Sie hatte ihre Studien unterbrochen. Sie vertraute sich mir an, sagte mir, während er mit aufgeschlagenen Augen in seinem Traumschlaf lag, Dinge, die sie ihm nicht zu sagen gewagt hätte. »Als Martin verschwand und nicht wiederkam, als es so aussah, als würde ich ihn vielleicht nie mehr wiedersehen«, sagte sie, »da wollte ich mich ausschließlich mit meinen Lehrbüchern beschäftigen, mit Fakten, Ideen, Deklinationen, mit dem Klang der Wörter selbst und ihrem Vorkommen in den jeweiligen Zeilen . . . um ihn zu vertreiben . . . ihn zu verbannen. Gott möge mir verzeihen. Ich habe mich danach gesehnt, mich innerlich von ihm zu befreien, von seinen Eigenarten . . . von seiner Art, mich anzusehen, von seiner Stimme . . . den gestrengen Urteilen. Aber dann merkte ich, daß ich für jede Leistung, die mir in meinen Kursen am College gelang . . . immer noch auf sein Lob hoffte . . . Er lebt in mir . . . und ich kann nichts dagegen tun. Das muß wohl Liebe sein«, sagte sie und blickte kurz auf sein Gesicht. Die Hände hielt sie gefaltet auf dem Schoß. »Aber als Schicksal ist das schrecklich und ausgesprochen unerfreulich . . . und vollkommen unnötig, nicht wahr, Mr. McIlvaine?« fragte sie und lachte dabei, obwohl in ihren dunkelbraunen Augen Tränen schimmerten. Ich stimmte diesem ehrlichen, schönen, schlichten Mädchen zu: Unnötig sei dies allerdings.

»Ja . . . eine Erfindung Gottes, die noch der Verbesserung bedarf«, sagte sie. »Wissen Sie, es ist nicht recht, Kindern das anzutun . . . denn es geschieht dann, es überkommt einen als Kind, wenn man noch so dünnhäutig ist, so . . . empfänglich für das Licht im Blick eines anderen Kinds . . . und wenn die Art und Weise, wie die Welt eingerichtet ist, und all die Zufälligkeiten des Erwachsenenlebens Kindern so selbstverständlich erscheinen . . . als wäre alles nur um ihretwillen so bestimmt.«

»Ja.«

»Also sind wir angekettet. Ich bin immer an Martin gekettet gewesen . . . In allen Stürmen, die er durchlebt hat . . . in seinen Kämpfen . . . ob er hier war oder nicht . . . für mich bleibt es immer gleich katastrophal . . . und falls er stirbt . . .

bleibe ich weiterhin das gefesselte Mädchen . . . ob es nun von einem Mann oder einem Geist geliebt wird . . . was macht das schon für einen Unterschied?«

So hielten wir also Wache. Es gab einen Vorraum, und dort saßen wir die meiste Zeit und spähten nur hin und wieder zu Martin hinein, als schliefe er und sollte nicht gestört werden, obwohl der Arzt gesagt hatte, die Geräusche des Lebens könnten ihm guttun.

Reverend Grimshaw betete täglich einige Minuten an Martins Bett. Amos Tisdale, Emilys Vater, kam ein-, zweimal vorbei und schüttelte den Kopf, nicht so sehr aus Traurigkeit oder Sorge, eher, weil er die anhaltend beklagenswerte Situation bedauerlich fand. Sarah Pemberton erschien mit ihrer ruhigen Überzeugung, Martin werde sich, nun da er gefunden war, mit der Zeit erholen. Sie saß an seinem Bett und strickte. Wenn ich auf ihre weißen Hände sah, hatte ich das Gefühl, wenn sie aufhörten, sich zu bewegen, würde Sarah . . . den Verstand verlieren. Einmal kam Noah mit . . . aber der Junge wollte das Zimmer, in dem Martin lag, nicht betreten. Er stellte sich an ein Fenster und schaute teilnahmslos auf die Straße. Aber wir alle befanden uns angesichts dieser sonderbaren, unheimlichen Sache in einem Schwebezustand. Sie hielt das Leben an.

Der Kutscher, Wrangel, saß wegen des Mordes an Knucks Geary in den Tombs in Haft. Er antwortete nicht auf Fragen, er weigerte sich einfach zu reden . . . wie ein Indianer, mit verschränkten Armen. Mit Grimshaws Hilfe hatte Donne dafür gesorgt, daß die kleinen Wandersleute in das Waisenhaus und Asyl der Protestantischen Episkopalkirche, Ecke Lexington Avenue und Forty-ninth Street, umgesiedelt wurden. Drei Heimärzte und ein Zahnarzt untersuchten sie und erklärten, daß sie alle gesund und gut ernährt waren. Emily Tisdale war einmal hingegangen, um sie sich anzusehen, und auf Grund ihrer Erfahrung als Studentin der Lehrerinnenbildungsanstalt meinte sie, es seien auffällig stille Kinder mit wachsamen, ängstlichen Augen. Diejenigen, die aus dem verschlossenen Omnibus herausgeholt worden waren, hatte man getrennt von den anderen untergebracht, und in Donnes Gegenwart wurden sie von einer Krankenschwester, die für die Städtische Polizei tätig war, befragt. Gesprächig waren diese Kinder nicht. Im Durchschnitt waren sie zwischen sechs und acht. Sie glaubten, sie wären zu einem Ausflug über Land unterwegs gewesen . . . das hatte man ihnen gesagt. Wie lange waren sie schon im Heim? Das wußten sie nicht. Hatte jemand sie je geschlagen oder mißhandelt? Etwa Mr. Wrangel, der Bursche für alles? Nein. Oder Mr. Simmons, der Leiter? Nein. Wie waren sie in das Heim gekommen? Das wußten sie nicht.

Einige Tage lang befragte Donne jede einzelne Mitarbeiterin. Daß Martin im Keller eingesperrt gewesen war, hatte sie bestürzt. Sie arbeiteten alle seit kurzem dort – das Waisenhaus bestand erst seit ein paar Monaten. Alle waren von Mr. Simmons angestellt worden, nachdem sie sich auf Zeitungsanzeigen hin gemeldet hatten. Eine der Lehrerinnen, eine Miss Gillicuddy, die im öffentlichen Schuldienst tätig gewesen und nun pensioniert war, hatte den Lehrplan und den Stundenplan zusammengestellt. Sie vertrat aufgeklärt die Ansicht, man sollte nicht einfach davon ausgehen, daß Kinder, nur weil sie von der Straße kamen, zu nichts anderem als beruflicher Ausbildung tauglich wären . . . Donne war zu der Überzeugung gelangt, daß die Mitarbeiterinnen nicht an einer Verschwörung beteiligt waren.

»Sie meinen also«, sagte ich, »daß sie nicht wußten, was da vorgegangen ist?«

»Was ist denn vorgegangen?« fragte er.

»Daß dies auf der Straße eingefangene Kinder waren?«

»Anscheinend nicht alle. Manche wurden auch von den Kinderhilfswerken eingewiesen.«

»Aber das Ganze hatte doch einen bestimmten Zweck!«

»Ja.«

»Was haben denn die Lehrerinnen und Aufseherinnen geglaubt, wohin die Kinder an jenem Nachmittag fahren sollten?«

»Die Kinder sind regelmäßig mit Wrangel ausgefahren, in unterschiedlichen Gruppen. Zu medizinischen Untersuchungen, sagte Simmons.«

»Warum war der Omnibus dann verschlossen?«

»Zur Sicherheit der Kinder.«

»Und wo ist Sartorius? Wo praktiziert er?«

»Das kann uns keiner sagen.«

»Die Kinder –«

»Die Kinder starren mich nur ratlos an.«

Das war der Stand von . . . Ende September, nehme ich an. Vielleicht ein bißchen später. In der *Times* erschienen gerade die ersten Artikel, die das kriminelle Treiben von Tweeds Ring enthüllten. Die Stadt war in Aufruhr. Was sich so weit im Norden, an der Ninety-third Street ereignet hatte, war Gott sei Dank dem Blick der Presse entgangen. Martin Pemberton war nach Einbruch der Dunkelheit aus seinem Kellerverlies hinaufgetragen und im Krankenwagen fortgebracht worden. Donne ließ das Waisenhaus durch den Polizeichef wegen »Unregelmäßigkeiten« – mehr gab er nicht an – schließen und versiegeln. Daß man Unregelmäßigkeiten in der Verwaltung eines Waisenhauses entdeckt hatte, war in unserer Stadt selbst in der stillsten Zeit des Jahres keine Nachricht. Nur die *Sun* berichtete kurz über die Schließung. Martin wurde nicht erwähnt.

Ich überlegte, wie lange es wohl dauern würde, bevor Fragen nach dem Heim für kleine Wandersleute auftauchten ... durch das Getuschel der Mitarbeiterinnen, die ihre Stellung verloren hatten ... von den Leuten, die das Handgemenge vor dem Heim mitangesehen hatten ... von den Zuständigen im Waisenhaus der Episkopalkirche, die sich der Kinder angenommen hatten ... und von den Pflegerinnen im Krankenhaus, die nicht verstanden, wie Martins Zustand lebensgefährlicher Unterernährung sich mit der Zahl von Leuten – Angehörige, Freund, Pastor und sogar ein Polizeivertreter – vereinbaren ließ, die so viel Anteil an seiner Genesung nahmen. Wieso hatten sie zugelassen, daß er überhaupt in diesen Zustand geriet?

Auch wenn ich ein Redakteur ohne Stelle war, wachte ich noch immer eifersüchtig über meinen Exklusivanspruch auf die Story. Während ich in jenem Krankenhauszimmer herumsaß, lernte ich obendrein die Empfindungen einer Privatperson kennen, die erschaudert, wenn sie sich nur vorstellt, daß ... ernste, ihr persönlich bekannte und nahe Dinge dem niedrigen Niveau und den bedauerlichen Praktiken des Journalistenstands anheimfallen konnten. Ich schätzte, daß mir ein Monat, vielleicht sechs Wochen Zeit blieb, bevor das Getuschel zünden würde ... bevor die Rauchfahne dieses

Brands auch am Printing House Square zu sehen wäre. So lange würde es dauern, bis die Leute die Skandale des Tweed-Rings satt bekämen. Bis dahin würde die Regel gelten, daß die Presse – wie die Öffentlichkeit – nur für jeweils eine Geschichte Platz im Kopf hat.

So standen in dieser infernalischen Stadt also die Dinge im Herbst 1871. Persönliche Motive und Absichten begannen sich im Zentrum und Umkreis unseres Unglücks zu regen ... wie Würmer in einem Grab. Harry Wheelwright mit seinem mächtigen Leibesumfang kam eines Spätnachmittags zu Besuch. Seine Lider waren bereits gedunsen, und er sprach schleppend ... aber galant fand er sich bereit, Miss Tisdale nach Hause zu begleiten. Bin ich zu gestreng? Kaum jemand hätte etwas Ungebührliches darin gesehen, daß Martins Freunde zusammenrückten, um einander zu trösten. Aber ich traute dem Kerl nicht. Er hatte in jenem Portrait zuviel von Emily gesehen ... seine Beobachtungskraft war ... ausschweifend. Er hatte seine Lust gemalt.

Ich geriet in meinem Junggesellenstand in Harnisch, zu lange schon Junggeselle und zu alt, um mehr zu tun, als in Harnisch zu geraten. Vielleicht hing meine Eifersucht mit dem Müßiggang zusammen. Ich hatte gearbeitet, seit ich vierzehn war. Ich wußte nicht, was es bedeutete, nicht zu arbeiten. Und immer hatte ich für Zeitungen gearbeitet. Doch da saß ich nun, töricht eifersüchtig für meinen Freund, der daniederlag und nichts bemerkte, ein Gefangener meiner eigenen Überlegungen, in meiner Untätigkeit ihm vergleichbar ... Ich konnte mich nicht dazu durchringen, nach einem Job zu suchen. Ich mochte abends nicht in die Stammkneipen gehen ... mich nicht Mitleid oder Klatsch ausliefern. Ich war nun restlos in diese Sache verwickelt, wie in ein Lebenswerk.

Eines Tages erschien der Mitarbeiter, den ich gebeten hatte, im Leichenschauhaus der Zeitung nach ähnlichen Problemfällen wie dem Sarah Pembertons zu stöbern, mit dem Ergebnis seiner Recherchen an meiner Tür. Daß ich nicht mehr Lokalredakteur war, kümmerte ihn nicht – er hatte die Arbeit erledigt und wollte seinen Lohn. Ich bezahlte ihn aus der eigenen Tasche, und ich tat es gern. Er hatte ein halbes Dutzend Nachrufe gefunden, die seit 1869 erschienen waren und Männer betrafen, die als begütert gegolten hatten, jedoch keinerlei Besitz hinterlassen hatten.

Ich werde Ihnen die Namen nennen: Evander Prine, Thomas Henry Carleton, Oliver Vanderweigh, Elijah Ripley, Fernando Brown und Horace W. Wells.

Natürlich war es in New York nicht ungewöhnlich, daß Vermögen rasch entstanden und wieder dahinschwanden. Die Leute lebten über ihre Verhältnisse. Vierspännige Kutschen und Stadthäuser zu unterhalten, kostete etwas. In den vergangenen zehn Jahren waren die Steuersätze um mehr als fünfhundert Prozent gestiegen. Die Märkte waren unbeständig, wir hatten Papierwährung, also gab es einen Markt für Goldspekulationen . . . Als Jay Gould und Jim Fisk sich verschworen hatten, das Gold aufzukaufen, machten Börsenmakler Bankrott . . . die Leute von der Wall Street verloren alles . . . Nein, es war nichts Besonderes, wenn feine Herren mit Zylindern und diamantenen Hemdenknöpfen durch die Stadt spazierten und am nächsten Tag dann verschwunden waren.

Hier aber hatte ich Männer vor mir, die im ruhigen Zentrum langfristigen Erfolgs ihren Platz gehabt hatten. Und niemand, der mit ihnen verwandt war, schien zu wissen, wohin ihr Geld geflossen war. Carleton und Vanderweigh waren Bankiers gewesen, Ripley hatte ein Überseekontor, das mit gemieteten Dampfern arbeitete, Brown hatte Lokomotiven gebaut und Horace W. Wells war in der Stadt Immobilienhändler gewesen, den Tweed persönlich zum stellvertretenden Leiter der Straßen- und Kanalisationsbehörde ernannt hatte. Zu Lebzeiten waren sie zusammen – ich würde sagen – an die dreißig Millionen schwer gewesen, in Dollars des neunzehnten Jahrhunderts geschätzt.

Zwei von ihnen waren Junggesellen, die einfach verschwunden waren, und ihr Besitz mit ihnen. Allesamt waren, ob nun verheiratet oder alleinstehend, im vorgerückten Alter. Über die Familie des einen, Evander Prine, hatte man herausgefunden, daß sie westlich des Longacre-Square an der Forty-sixth Street in einer Bordellgegend in Not lebte. Einer meiner Artikelschreiber war auf sie aufmerksam geworden, weil sie Mr. Prines Einundzwanzigmeter-Rennyacht . . . den einzigen Wert, der ihnen geblieben war . . . zum Verkauf ausgeschrieben und keinen Interessenten dafür gefunden hatten. Und so wohnte Mrs. Prine, deren Mann faktisch ein Partner von Gould gewesen war und von dem man erwartet hätte, daß er seine Familie zumindest sorgenfrei hinterlassen würde, nun mit ihren Kindern in einer Pension für Prostituierte.

In einer weniger rauhen, weniger konkurrenzwütigen Gesellschaft, deren Herz nicht wie ein riesiger Dampfhammer wummert, wäre das seltsam übereinstimmende Schicksal dieser Männer vielleicht aufgefallen. Doch ihre verängstigten Erben waren alle in der Zeit versunken . . . genau wie die

Toten unter dem reinen Gewicht der Tage und Jahre und späteren Zeitungen versinken ... und hatten es Donne und mir überlassen, eine größere Verschwörung auszugraben. Denn als ich Donne meine Namen zeigte, zeigte er mir eben diese Namen ... auch den von Augustus Pemberton ... auf einem Blatt, das er zusammengefaltet in Eustace Simmons' Haushaltsbuch gefunden hatte ... im Heim für kleine Wandersleute.

Damit hatten wir ein paar Details mehr. Und dennoch kamen wir nicht weiter. Alle Fährten führten direkt zu Martin Pembertons Schweigen. Donne setzte sich an dessen Bett und lauschte, als hätte Martin mitten in einem Satz innegehalten und würde ihn jeden Moment beenden.

Etwa eine Woche oder zehn Tage nach Martins Rettung wurde Donne bis zu einem internen Disziplinarverfahren bei der Städtischen Polizei vom Dienst suspendiert: Er hatte den weißen Omnibus ohne legale Grundlage auf der Straße angehalten ... und er hatte das Heimgelände ohne Durchsuchungsbefehl betreten. Weiter konnten sie nicht gehen ... an die Öffentlichkeit. Kein städtischer Richter ordnete an, die Schließung des Heims aufzuheben und die Kinder dorthin zurückzubringen. Kein Anwalt suchte Wrangel im Tombs-Gefängnis auf ... oder beantragte eine Voruntersuchung. Martins Rettung – und seine Gefangenschaft im Keller – stellte sie vor ein echtes Problem. Zudem hatte Donne Eustace Simmons' Aufzeichnungen in der Hand. Man konnte anordnen, daß er sie einem Gericht übergab ... aber Simmons mußte wissen, daß Donne wußte, daß es da Unstimmigkeiten gab – zunächst einmal bei der Verwaltung der Mittel, wichtiger jedoch war, daß nicht über alle Kinder, die in das Heim eingewiesen worden waren . . . Rechenschaft abgelegt werden konnte. Und die Verantwortung war auf die Mitarbeiterinnen, die Lehrerinnen und Aufseherinnen, so verteilt, daß nur Simmons gewußt haben konnte, daß irgend etwas nicht in Ordnung war.

Hätte sich die Tweed-Verwaltung nicht im Zusammenbruch befunden . . . und wären deren wichtigere Figuren nicht so abgelenkt und voller Furcht gewesen . . . dann hätten sie mit all ihrer Macht diese Krise rasch und brutal aus der Welt geschafft. So wie es nun stand, blieb ihrem Mittelsmann Simmons nur die Flucht. In seinem Büroschreibtisch hatte er eine Stahlkassette mit siebzehntausend Dollar zurückgelassen. Ob nun suspendiert oder nicht, Donne hatte seine Leute, die loyal zu ihm standen. Er ließ sie rund um die Uhr Wache halten. Tag und Nacht saß ein Mann im dunklen Heim für kleine Wandersleute. Donne konnte nur hoffen, daß die Summe groß genug war, um Simmons zurückzulocken.

»Groß genug! Himmel noch mal«, sagte ich, »das ist doch mehr als das Doppelte unserer beiden Jahresgehälter zusammen!«

»Alles ist relativ, oder? Vielleicht war das sein Taschengeld. Sie haben ja gesehen, wie geschickt er auf dem Wasser war. Er ist auf Sklavenschiffen gefahren. Das Meer ist für ihn ein Netz von Wegen. Simmons kann längst nach Portugal unterwegs sein.« Dann sah Donne mich an und lächelte. »Was für Jahresgehälter eigentlich?« fragte er.

Alle befanden wir uns in diesen sonderbar reduzierten Lebensumständen . . . Welch eine sonderbare Kumpanei zwischen uns . . . Entrechteten bestand . . . Stunde um Stunde hockten wir in jenem Vorraum im Krankenhaus – ein dienstenthobener Polizist . . . eine verarmte Witwe und ihr Kind . . . eine Studentin der Lehrerinnenbildungsanstalt . . . und ein stellenloser Zeitungsmensch. Als sei unser Leben in der Schwebe . . . bis diese furchtbare Sache geklärt war. Nur Donne und ich wußten, welche Dimension sie hatte. Die anderen konnten nur ihre Bestürzung und ihr Leid ertragen.

# 20

Männer hatten Sartorius ihr Vermögen übertragen . . .
hatten ihre Familien verraten. Politiker konspirierten seinet-
wegen. Der Opportunist Simmons hatte den Dienst bei
Augustus Pemberton verlassen und war in seine Dienste getreten. Sartorius hatte diese weltlichen Männer, diese . . .
Realisten, zu Jüngern bekehrt. Er war ein heiliger Mann, er
löste Glauben aus. In der Tat war er ein hervorragender
Kopf – einer dieser so strahlend selbstsicheren Männer, für
die offenbar die Welt nur existiert, damit sie sich in ihr enga-
gieren können. Ich wäre gern überzeugt gewesen, daß wir
seinem merkwürdigen Unternehmen ein Ende bereitet hatten . . . daß wir vielleicht keine Entschädigung für Sarah
Pemberton und die anderen Hinterbliebenen der . . . Lei-
chenbrüderschaft erzwingen konnten, daß sie jedoch, wenigstens im Augenblick, nicht aufrechterhalten werden konnten wie bisher. Aber wieviel mehr mochte es noch geben . . .
wovon wir nichts wußten? Sartorius hatte seine Quel-
len . . .

Ich weiß nicht, ob ich die Wirkung eines übermächtigen Charakters darstellen kann . . . Dieser Mann, den ich nie gesehen hatte, schien das Zimmer, in dem Martin lag, zu prägen. Er nahm die Gestalt von allem an – die des lackierten Eisenbetts, der Holzstühle, der weißen Gipswände und der Schutzleiste an den Wänden. Daß wir hier waren, hatte sein Wille erzwungen. Das stille, nachsinnende Gesicht, das aus den Kissen starrte, hatte seinen Ausdruck von ihm verliehen bekommen.

Es war das reinste Elend ohne meine Zeitung . . . sie jeden Tag zu lesen und festzustellen, daß sie nicht mehr die meine war. Sie machte Dinge, die ich nicht gemacht hätte, sagte Dinge, die ich nicht gesagt hätte. Auch das war Sartorius. Meine Entmachtung.

Ich hatte ihn zu jenem Zeitpunkt noch nicht gesehen, wie Sie wissen, aber ich habe sein Bild im Kopf und will es hier, der Chronologie zuwider, mit ihm verknüpfen . . . um anzudeuten, welche Kraft von ihm ausging . . . als ob wir uns vor der Katastrophe her, die er herbeigeführt hatte, hätten vorstellen können.

Eine eindrucksvolle Gestalt, nicht groß, aber von militärischer Haltung . . . schlanke Statur, mit der Gelassenheit nicht mehr zu steigernden Selbstvertrauens . . . bekleidet mit dem üblichen, an den Schulternähten leicht gepolsterten Frack, einer Weste mit tuchbezogenen Knöpfen und einer breiten, locker gebundenen Krawatte, in der eine Nadel steckte. Der Gesamteindruck ist der von schlichter Eleganz, Zurückhaltung. Das dichte schwarze Haar ist kurz geschnitten. Wangen, Oberlippe und Kinn sind sauber rasiert, aber ein Backenbart umrahmt sein Gesicht und setzt sich kraus

unter dem Kinn und am Hals fort, als trüge er einen Woll-
schal unter dem Kragen. Schwarze, unerbittliche Augen,
überraschend glanzlos und von einer gewissen Trostlosigkeit . . . eine schroffe Unpersönlichkeit, die mich an Sherman erinnert, an William Tecumseh Sherman. Eine gute,
runde Stirn, leicht gewölbt, schmale, gerade Nase, dünnlippi-
ger, enthaltsamer Mund. Durch eine Geste will ich ihn zum
Leben bringen: Er zieht eine Uhr an der Kette hervor, blickt
flüchtig darauf und läßt sie wieder in die Westentasche
gleiten.

Als es Martin endlich wieder so gut ging, daß er das Krankenhaus verlassen konnte, stieg unser aller Stimmung. Er
war schwach und mußte sich beim Gehen aufstützen, aber er
hatte angefangen, seine Umgebung wahrzunehmen . . . und
er reagierte mit einem Nicken oder einem leisen, kaum ver-
nehmbaren Wort auf unsere Fragen. Seine Rückkehr in das
bewußte Dasein vollzog sich ganz allmählich und ungezwungen, Schritt für Schritt, mit einem ersten Aufleuchten
seines Blicks, den er Emily zuwandte, wenn sie sich zu ihm
setzte. Aber noch immer sprach er nicht. Donne versuchte
sanft, ihn nach einigen entscheidenden Dingen zu fragen,
doch Martin konnte oder wollte nicht antworten.

Es wurde beschlossen, daß er während seiner Rekonva-
leszenz bei den Tisdales wohnen sollte. Dies war Emilys Vor-
schlag, dem ihr Vater, ein guter, wenn auch vorsichtiger
Christ, zustimmte, und auch Sarah Pemberton war einverstanden. Sarah konnte schlecht ein Dach anbieten, das nicht
das ihre war. Martins eigenes Quartier war längst an jemand
anderen vermietet, und die dunklen Räume, die ich bewohnte, drei Treppen hoch an der Bleecker Street, wären eindeu-

234

tig seiner Erholung so wenig förderlich gewesen wie etwa Harry Wheelwrights Atelier.

Jene ersten warmen, balsamischen Oktobernachmittage verbrachte Martin Pemberton mit einem Plaid über den Knien auf einer Chaiselongue im Freien. Von der Terrasse des Hauses am Lafayette Place konnte er auf den privaten Park seiner Kindheit hinausblicken. Ich hatte Emily noch nie so glücklich gesehen. Sie lief hin und her, brachte geschäftig Tee und was ihr sonst zur Heilung seines Gemüts einfiel oder als Zeichen ihres inbrünstigen Wunschs, ihre Liebe möge ihn heilen. Die Blätter begannen zu fallen, kamen in der Brise einzeln herabgesegelt und legten an der Steinbalustrade an. Ich besuchte Martin fast jeden Tag, wie das auch Edmund Donne tat. Eines Tages diskutierten wir über Sartorius. Nur um das Gespräch zu beleben, erwog ich die Möglichkeit, daß er geflohen sein könnte – wie Eustace Simmons. Daß sie vielleicht ein Schiff gekauft hätten und samt ihren Schützlingen längst unterwegs seien nach – welches Land habe Donne noch gleich genannt? Portugal?

»Nein«, sagte Donne. »Er ist hier. Er würde niemals davonlaufen. Er hat nicht die kriminelle Gesinnung eines Simmons.«

»Nicht? Was für eine dann?«

Ich hatte gemerkt, wie aufmerksam Martin dem Gespräch folgte. Genau in dem Moment, bevor er sprach, sah ich, daß er mit Donne einer Meinung war . . . an dem Blick, den er ihm zuwarf, oder vielleicht an der Stellung, welche die Gesichtsmuskeln in der Sekunde einnehmen, bevor der Mund etwas Zustimmendes äußert.

»Der Doktor ist kein Immoralist«, sagte Martin. Wir

schauten ihn an. Er starrte auf einen kleinen Vogel, der auf den Teewagen gehüpft war. »Er hat niemals versucht, sich vor mir zu rechtfertigen. Oder zu lügen. Oder sonstwie erkennen lassen, daß er . . . Schuld empfand . . .«

Ein erstaunlicher Moment . . . Pemberton war vollkommen im Besitz seiner geistigen Kräfte, als hätte er die ganze Zeit nur auf ein Gesprächsthema gewartet, das ihn interessierte. Ich sagte mir sofort, daß ich kein Aufheben davon machen durfte . . . denn ich meinte, das könnte ihn in seine Agonie – ja, was? – zurückdrängen. Im nächsten Augenblick kam Sarah Pemberton mit Noah, den sie von der Schule abgeholt hatte, auf die Terrasse heraus, und Martin erkannte sie beide und breitete für den kleinen Jungen die Arme aus . . . Wie überrascht wir alle waren! Sarah holte tief Luft. Sie rief, Emily solle rasch kommen. Die war überwältigt . . . Weinend blieb sie da stehen, wo Martin sie nicht sehen konnte, wandte sich Donne zu und bedeckte das Gesicht mit den Händen, während er sie an sich zog. Unterdessen fragte Martin bereits Noah nach der Schule aus . . .

Und somit war dies der Tag, an dem wir begannen, alles zu erfahren . . . vom ersten Auftauchen des weißen Omnibusses an. Wie es uns dabei erging? Ich glaube, ich fühlte mich an einen Kriegshelden erinnert. Ja, wir lauschten Martin, als wäre er ein von der Front heimgekehrter Held. Kritik lag uns fern. Dies waren eben seine Kriegsgeschichten, die er erzählte, um uns in Staunen zu versetzen. Doch ich muß zugeben, daß meine Euphorie nicht anhielt. Recht bald hatte ich den Verdacht, Martin sei noch nicht vollständig wiederhergestellt. Wenn er Sartorius erwähnte, sprach er ohne die mindeste Wut oder Bitterkeit über ihn. Er sprach überhaupt mit

einer gewissen Friedfertigkeit oder Besänftigung von ...
der ganzen Intensität seiner Gefühle. Ich wußte nicht, wie-
weit dies auf sein körperliches Martyrium zurückzuführen
war. Aber sein Wesen hatte sich verändert ... die so charak-
teristische Ungeduld ... das Leiden an der Welt ... in all
dem war er milder geworden oder aber geläutert. Er war still-
schweigend ... dankbar. Uns allen. Er sah überall Gutes!
Gott möge mir verzeihen – ich dachte insgeheim immer nur,
daß dies für ihn als Schriftsteller den Ruin bedeutete.

# 21

»Ich wusste, dass ich über Eustace Simmons an meinen Vater herankommen würde«, erzählte uns Martin. »Simmons kam aus dem Milieu . . . der Seeleute. Ich bin die West Street entlanggegangen, um die Battery herum, zur South Street . . . In jede Matrosenkneipe, jede Taverne, jede Tanzdiele im Hafen von New York . . . ohne Glück, dann nahm ich an, daß Simmons, da mein Vater nun einmal . . . abwesend war, dessen Interessen in der Stadt verträte. Durch diese Situation mußte er in die Oberschicht der Diebe aufgestiegen sein.

Eines Abends sollte ich für den *Tatler* über ein Diner im Astor House berichten, das Boss Tweed und seine Freunde zu Ehren eines Bezirkshäuptlings des Tammany Clubs gaben. Alle trugen sie den symbolischen Tiger am Revers, den goldenen Tigerkopf auf blauem Emailgrund . . . mit Rubinen als Augen. Ein sehr junges Mädchen tanzte in einem durchsichtigen, taillierten Gewand auf einem Tisch . . . und zu ihren Füßen saß ein . . . Kenner, der jede ihrer Bewegungen kritisch verfolgte. Ich hatte Eustace Simmons zwar seit vielen Jahren nicht mehr gesehen, aber ich erkannte ihn sofort. Ein leichenblasser Mann, gut gekleidet, aber so, daß es irgendwie ungepflegt wirkt ... er lümmelte sich auf seinem Stuhl. Das gedämpfte Licht hob sein ruiniertes Gesicht hervor – es ist voller Pocken- und Blatternarben, die Haut unter seinen Augen ist schwarz, die drahtigen, ergrauenden Haare trägt er quer über den Kopf gekämmt, von einem Ohr zum anderen, und insgesamt macht er einen ... schmierigen Eindruck.

Ein paar Minuten später setzte ich mich auf den Stuhl neben ihm, und ich merkte, daß er mich erkannte. Jemand hielt eine Rede. Es wurde gelacht und geklatscht. Ich sagte Simmons ins Ohr, ich wolle meinen Vater sehen. Er gab kein Zeichen, daß er mich verstanden hatte ... aber zunächst zündete er sich in Ruhe eine Zigarre an, dann erhob er sich vom Tisch und schlenderte aus dem Bankettsaal. Ich ging ihm nach, wie er sicher erwartet hatte.

Es war seltsam und für mich zunächst schockierend, daß er nicht zu leugnen versuchte, daß mein Vater noch am Leben war, aber ich respektierte ihn. Er hat einen flinken Verstand, dieser Simmons, und ich glaube, er wußte innerhalb von Sekunden, nachdem ich aufgetaucht war, was er tun würde.

Er holte seinen Hut und verließ das Astor House. Ich folgte ihm auf den Fersen. Sein Wagen stand um die Ecke. Im Licht der Straßenlaterne konnte ich einen Blick auf den Kutscher werfen. Mir fehlen die Worte für die ... Empfindungen, die mich bei seinem Anblick überkamen ... es war der Kutscher des weißen Omnibusses mit meinem Vater und den anderen alten Männern. Ich wollte nicht in den Hansom steigen. Simmons brüllte ›Wrangel‹!, und der Kutscher sprang herab und preßte mir einen kräftigen Arm so über die Kehle, daß ich keine Luft bekam . . . aber seinen Zwiebelatem konnte ich noch riechen . . . und dann traf Simmons mich mit etwas hinter dem Ohr, mit einem Totschläger wahrscheinlich. Ich sah auf einmal ein blendendes Licht. Was dann passierte und wieviel Zeit verstrich, weiß ich nicht. Ich nahm wahr, daß sich etwas bewegte, dann das Rütteln einer von Pferden gezogenen Kutsche . . . dann schmerzhaft grelles Tageslicht . . . dann zwei, drei kleine Gesichter, die mich anstarrten. Ich hatte Kinder vor mir. Es war Tag . . . Ich versuchte, mich aufzurichten . . . Ich war nicht gefesselt, aber ich konnte mich nicht rühren. Sie müssen mir wohl obendrein noch Drogen verpaßt haben. Ich kam aus irgendeinem Grund nicht auf die Beine. Ich fiel um, und ein Kind schrie. Dann lag ich auf dem Rücken und blickte auf die Lattendecke eines . . . das begriff ich gerade noch, bevor ich ganz das Bewußtsein verlor . . . öffentlichen Omnibusses der Städtischen Verkehrsbetriebe.

Nebenbei gesagt, ist Wrangel, der Kutscher, bei der ganzen Sache weniger von Bedeutung, als ihr meint. Er ist stark und fürchterlich anzusehen mit seinen farblosen Pupillen . . . und ich konnte kaum noch sprechen und schlucken, nachdem er mich in den Armschlüssel genommen hatte . . . aber man sollte ihm nicht sein Äußeres ankreiden. Er ist wie ein guter Gaul, nicht mehr, eine stumpfe, treue Seele, die keine Fragen stellt. Er ist Preuße. Sie werden so erzogen, die Deutschen, mit ihren strengen Eltern und adligen Offizieren . . . die ihnen Gehorsam beibringen, vor allem Gehorsam. Wrangel verehrt Dr. Sartorius. Er hat unter ihm im Sanitätscorps gedient. Sein teuerster Besitz ist die von Präsident Lincoln unterschriebene Auszeichnung, die ihre Feldlazarett-Einheit erhalten hat. Er hat sie mir eines Tages gezeigt. Wenn Simmons ihm sagt, etwas zu tun, glaubt Wrangel, Sartorius will es so.

Euch den Doktor selbst zu beschreiben, fällt mir schwer. Er verschwendet seine Energie nicht damit, an seiner . . . sozialen Persönlichkeit zu feilen. Er ist still, in seinen Gewohnheiten fast asketisch, höflich, nicht gewinnend. Er ist frei von Eitelkeit, der man schmeicheln könnte, die zu kitzeln oder zu kränken wäre. Genau wie zunächst ich mich gefragt habe, werdet ihr euch fragen, wie jemand, der so gleichgültig ist, so wenig daran interessiert, sich in den Vordergrund zu schieben oder auf seinen Vorteil zu sehen, die enormen Mittel . . . akquirieren konnte, die er für seine Arbeit brauchte. Aber er akquiriert eben nicht – er läßt einfach bestimmte Dinge um sich herum geschehen. Er nimmt, was zur Hand ist, akzeptiert, was seine . . . Anhänger ihm aufdrängen. Es ist, als ob . . . als wären gewisse historische Kräfte magnetisch auf ihn ausgerichtet, und das . . . soweit ich weiß, wahrscheinlich nur das . . . macht ihn überhaupt auffällig.

Zu ihm gebracht wurde ich erst ungefähr einen Tag, nachdem ich wieder zu Bewußtsein gekommen war. Ich hatte keine Ahnung, wo das war . . . und ich weiß es noch heute nicht. Die Beleuchtung blieb immer . . . künstlich. Ich habe nie ein Fenster gesehen. Aus der Nähe – und als dritte Person nach Simmons und Wrangel – kam mir Sartorius mit seinem bescheidenen Auftreten nur wie ein Leibarzt im Dienst von Augustus Pemberton vor, wie einer von diesen Ärzten, die sich auf ein, zwei reiche Patienten beschränken.

In Anbetracht dessen, fand ich, hatte ich jedes Recht, zornig zu sein. Als Sohn von Augustus, der ich schließlich bin, konnte ich mich so geringschätzig aufführen wie die ganze Sippe. Ich war laut und selbstgerecht. Ich forderte Auskunft, ob ich auf eine bestehende Anweisung meines Vaters hin mißhandelt worden war. ›Wie typisch für ihn, mich durch andere von sich fernhalten zu lassen!‹ habe ich gesagt. ›Fürchtet er sich immer noch davor, mir gegenüberzutreten? Fürchtet er sich immer noch, mir Rede und Antwort zu stehen?‹ Sartorius blieb gelassen. Er fragte, als wollte er nur seine Neugierde befriedigen, wie ich erfahren hätte, daß mein Vater noch am Leben sei.

›Ich habe ihn gesehen. Kommen Sie mir bloß nicht gönnerhaft, Doktor. Alles habe ich gesehen, auch das Grab in Woodlawn, in dem statt seiner ein Kind beerdigt ist.‹

Er war nicht eingeschüchtert – ganz im Gegenteil. Er beugte sich vor und sah mich prüfend an. Ich sagte ihm, daß ich in Woodlawn gewesen sei und den Sarg ausgegraben habe. Dann erschien es mir erforderlich, ihm zu erklären, was mich zu dieser . . . verzweifelten Maßnahme bewogen hatte – angefangen damit, daß ich den weißen Omnibus im Schnee am Reservoir hatte vorbeifahren sehen. Ich verstand nicht ganz, wie diese Unterredung eine solche Wendung hatte nehmen können, daß ich mich diesem Mann nun . . . anvertraute. Aber das tat ich . . . und es erleichterte mich.

Er sagte: ›Die Möglichkeit, daß man Aufsehen erregt, besteht natürlich immer . . . gleichwohl . . . halte ich Sie, gemessen an den meisten Leuten, für eine Ausnahme . . . wenn Sie auf Ihre Sinnestäuschungen hin handeln.‹ Das klang beifällig. ›Was sind Sie von Beruf, Mr. Pemberton?‹

Versteht ihr, Sartorius hat niemals versucht, irgend etwas zu leugnen oder umzubiegen, weder bei diesem Gespräch noch später. Er hat nie versucht, sich vor mir zu rechtfertigen. Mein Erscheinen hatte bei ihm Neugier erregt, nicht Besorgnis. Gelegentlich kam ich mir während unserer Unterredung wie das Exemplar einer raren Spezies vor, das in sein Gesichtsfeld geschwommen war. Er ist Naturwissenschaftler. Es kommt ihm nicht in den Sinn, sein Handeln zu verteidigen. Gewissen schwächt ihn . . . Einmal habe ich mich nach seiner Religion erkundigt. Er ist lutheranisch erzogen worden, hält den christlichen Glauben aber für nicht mehr als ein poetisches Hirngespinst. Er macht sich nicht einmal die Mühe, ihn zu kritisieren, zu verhöhnen oder zu verwerfen.

›Wenn Sie Ihren Vater sehen möchten, dürfen Sie das natürlich‹, sagte Sartorius zu mir. ›Ich bezweifle allerdings, daß es Sie zufriedenstellen wird. Auf diese Dinge können Sie nicht vorbereitet sein. Eine nur moralisch geschulte Intelligenz ist hierfür keine ausreichende Voraussetzung, nicht einmal Sohnesliebe oder Sohneshaß. Es geht mich wohl nichts an, aber was wollen Sie zu diesem . . . Herrn Papa sagen, den Sie für tot gehalten haben?‹

Mich eben das zu fragen, hatte ich mir natürlich nie erlaubt. Er muß mir die Verzweiflung vom Gesicht abgelesen haben. Was konnte ich schon tun? Meinen Vater in die Arme schließen? Seine Wiederauferstehung feiern? Freudentränen darüber vergießen, daß er noch am Leben war? Oder wollte ich ihm einfach sagen . . . daß ich Bescheid wußte? Daß ich Bescheid wußte . . . und ihm meinen Respekt dafür erweisen wollte, daß er mir unvorstellbare Abgründe des Betrugs und Verrats erschlossen hatte?

Was war meine Absicht? Alles und nichts. Ich wußte nicht, ob ich ihn auf Knien bitten würde, für seine Frau und seinen Sohn zu sorgen . . . oder mich auf ihn stürzen und ihm die Gurgel ausreißen würde, weil er mir dieses Leben endlosen Grübelns über sein abscheuliches . . . Dasein beschert hat.

Um dem Arzt rational zu antworten, sagte ich: ›Ich dachte, mein Vater wäre lediglich ein Schuft, ein Dieb und ein Mörder.‹ Sartorius schien das zu verstehen. Er stand auf und hieß mich, ihm zu folgen.

Benommen stolperte ich mit. Ich nahm die Atmosphäre in seinen Laboratorien wahr, ohne zu sehen, daß dort etwas Besonderes vor sich ging – zwei, drei Räume mit offenen Türen dazwischen und ein schwacher chemischer Geruch in der Luft. Überall nur Gasbeleuchtung . . . Es gab verglaste Instrumentenschränke, Tische mit Steingutplatten, in die Eisenbecken eingelassen waren . . . kastenförmige Maschinen auf Rollen, mit Kabeln, Zahnrädern und Schläuchen. Ich erinnere mich noch an einen schweren Holzstuhl mit Lederriemen an den Armstützen und einem Kopfbügel aus Eisen . . . Die Wände waren mit einem weichen, bräunlichen Stoff bespannt, Velour oder Samt. Für mich war das alles nur die bedrohliche Kulisse der Wissenschaft.

Sartorius hat eine wunderbare Bibliothek. Er hat mir erlaubt, sie zu benutzen, nachdem wir unsere Vereinbarung getroffen hatten. Ich habe viele tröstliche Stunden darin verbracht und mich damit beschäftigt, mir mehr von dem anzueignen, was er weiß . . . indem ich las, was er las. Es war eine törichte Idee, eigentlich nichts anderes als eine Art von Huldigung.

Er beherrscht mehrere Sprachen fließend . . . Die wissenschaftlichen Zeitschriften und Bulletins lagen in Stapeln da auf dem Boden, wo er sie hingeworfen hatte. Ich habe es mir zur Aufgabe gemacht, sie zu ordnen. Bücher, Monographien aus Frankreich, aus London, aus Deutschland, trafen kistenweise ein. Er kennt alles, was in den Naturwissenschaften, in der Medizin geschieht, aber er liest ungeduldig, immer auf der Suche nach etwas, das er nicht weiß, das ihn überraschen könnte . . . nach einem neuen Forschungsansatz, einer Widerlegung . . . Seine Bibliothek ist nicht die eines Sammlers. Er liest nicht zum Vergnügen. Er hat keine sonderliche Achtung vor Büchern als Objekten, vor ihren Einbänden und so fort, und er ging nicht sorgsam mit ihnen um. Er las Philosophen, Historiker, Naturwissenschaftler, sogar Romanciers, ohne im Kopf zwischen den Disziplinen zu differenzieren. Nur auf der Suche, immer nur auf der Suche nach Dingen, die er für sich als wahr und nützlich erkennen würde. Nach etwas, das ihn über was für ein Hindernis auch immer hinwegbrächte, hinweg über den Punkt in seiner Arbeit, an dem sein eigener Verstand . . . nicht weiterkam.

Ich glaube, eigentlich suchte er nach einem Seelengefährten. Gewiß umgab er sich nicht mit Leuten, die ihm intellektuell ebenbürtig waren. Er lebte einsam. Wenn er überhaupt Gäste hatte, dann, soweit ich es beurteilen kann, nur, weil Eustace Simmons ihn heftig dazu drängte. Die Gäste waren im allgemeinen Politiker.

Er führte mich zu einem Aufzug, und in einem Messingkäfig fuhren wir abwärts. Sartorius bediente das Ding, ohne Aufheben davon zu machen. Die obere Etage bestand aus Zimmern und Suiten, in denen die Klienten residierten – die Kardinäle, die Bruderschaft, die Trauergesellschaft alter

Männer. Es gab Wohnräume für sie, Behandlungsräume mit lederbezogenen Liegen sowie Zimmer für die Frauen, die sie bedienten. Später, als wir die Bedingungen für meine Gefangenschaft ausgehandelt hatten, konnte ich mich dort frei bewegen und lernte allmählich, all das zu verstehen und zu unterscheiden. Mein erster Eindruck war einfach der von einem Korridor mit Räumen, die alle stark abgedunkelt waren und im Augenblick leer standen. Die Einrichtung war schlicht gehalten, wie in einem Kloster oder Missionsgebäude.

Als ich dann zum Dach hinaufgefahren wurde und in seiner ganzen feuchten grünen Pracht Dr. Sartorius' – ja, was? Institut zur biologischen Konservierung von Reichtum? – erblickte, da wußte ich, daß ich dort meinen Vater finden würde. Ich war so überwältigt, daß ich mich fragte, ob ich nicht seitdem unter jenem Zauberbann stehe, der Menschen trifft, die das Verbotene erblicken.

Dies war die Stätte der Experimente, das Herz der Forschungen, das Treibhaus, das Sartorius für seine Zwecke entworfen hatte. Es war ein überdachter Park mit Kieswegen, Pflanzen und gußeisernen Bänken. Das Ganze lag unter einem gewölbten Dach aus Glas und Stahl, durch das ein grünliches Licht auf alles fiel. Das Treibhaus war so angelegt, daß es schonende Harmonie und Friedlichkeit verströmte. In der Mitte befand sich ein mit braunen Steinen gepflasterter Platz, und von dort gelangte man über jeweils nur eine Stufe zu kleineren, terrassenförmig angelegten Plätzen mit Filigran verzierten Gartenstühlen und Tischen. Aus riesigen Tonurnen wucherten Farnwedel und Blattgewächse, die, wie ich an ihrem Aussehen erkannte, nicht einheimisch waren. Lauer Dampf oder mit Wasser angereicherte Luft drang überall aus Luken oder Düsen, die in den Boden eingelassen waren, so daß die Luft feuchtigkeitsgesättigt war. Unter den Füßen spürte ich das Vibrieren des Dynamos, der das bewirkte. Das Mittelstück des steinernen Platzes bildete ein versenktes Steinbassin, ein Badebecken, mit ockerfarbenem Wasser gefüllt und von schwefligem Dunst verhangen. Ein alter, entsetzlich runzeliger Mann, den zwei Frauen umsorgten, badete darin. Ich habe die Skulpturen noch nicht erwähnt, die hier und da auf Sockeln standen oder so hoch waren, daß sie unmittelbar vom Boden aufragten, die jedoch alle erotische Szenen darstellten, heroische Paarungen, Aktfiguren beider Geschlechter, der Leidenschaft hingegeben und so weiter, alle jedoch auffallend wenig anmutig und nicht idealisiert dargestellt, so wie wir sind – Werke, wie sie ein Künstler nicht der Öffentlichkeit zeigen würde, sondern nur seinen Freunden.

Alles zusammen wirkte wie . . . ein römisches Bad, wäre Rom industrialisiert gewesen. Das grünliche Licht schien von dem Treibhausdach herabzuwallen, es rieselte herab, es war in Bewegung, schien zu pulsieren. Allmählich wurde mir bewußt, daß ich Musik hörte, sie brach über mich herein, schwoll an und erfüllte dieses Gewölbe . . . Es war, als hätte ich eine andere Welt betreten, eine Schöpfung wie . . . ein umgekehrtes Eden. Die Klänge kamen von einem Orchestrion, das wie eine Kirchenorgel an einer weit entfernten Wand stand – eine gewaltige Spieldose hinter Glas, die der sich langsam drehenden Scheibe mit Stiften die Töne eines Konzertorchester entlockte.

Ich ahnte die jammervolle Wahrheit schon, als ich unter den stillen, umhätschelten alten Männern dort nach Augu-

stus Pemberton Ausschau hielt . . . unter diesen von Pflegerinnen begleiteten Müßiggängern in schwarzen Fräcken,
die, ihre Hüte auf den Tischen, stumm lauschten wie Park-
besucher.

Ich fand meinen Vater in einer grünen Laube auf einer
Bank . . . in diesem dunstigen Hain der Lust in verzagter
Gedankenleere oder unendlich vertrauensvoller Geduld zusammengesunken – ein Zustand, der, wie ich bald erfuhr, un-
veränderlich war . . . wie derjenige der anderen Herren, die
sich in seiner Umgebung aufhielten . . . trotz der vitalisieren-
den äußerlichen und inneren Therapien, die sie erhielten.

Mein primitiver Vater . . . dieser grobe, machtgierige Ego-
ist . . . dumm und starr, mit seinen kruden Begierden, seinem derben Geschmack und seiner zeitgemäßen Schläue . . .
mit dem ich zu sprechen versuchte, vor dem ich weinte und
für den ich betete, er möge seine ganze Kraft zurückgewin-
nen . . . alles lieber als dieses geschrumpfte Wesen, in dessen
Blick kein Wiedererkennen lag und das zu mir aufsah, als
Dr. Sartorius drängte: ›Augustus? Wissen Sie, wer das hier
ist? Wollen Sie Ihrem Sohn guten Tag sagen?‹«

# 22

MARTIN VERFIEL IN SCHWEIGEN. Keiner von uns sagte etwas. Ich genoß die Brise. . . blickte in den herbstlichen Garten der Tisdales hinaus . . . und horchte auf die gewöhnlichen Geräusche von der Straße . . . mit Empfindungen, die wohl Dankbarkeit waren. Martin schloß die Augen, und nach ein paar Sekunden wurde deutlich, daß er eingeschlafen war. Emily zog ihm den Morgenmantel zurecht, und wir ließen ihn auf der Veranda zurück und gingen hinein.

Es war bedauerlich, daß die Damen seinen Bericht mitangehört hatten. Sarah Pemberton, die ganz blaß war, fragte Emily, ob sie irgendwo einen Moment ruhen könne. Sie wurde versorgt, und als Emily später nach ihr schauen ging, gestand Sarah, daß sie inzwischen unter starken Kopfschmerzen leide, mit ihrem schweigsamen, geduldigen Naturell hatte sie diese Folge des Gehörten mit sich ausmachen wollen . . . doch die Schmerzen waren so heftig, daß Emily einen Arzt kommen lassen mußte. Er verschrieb etwas, das die Schmerzen nicht völlig beseitigte, und Emily bestand darauf, daß

Sarah Pemberton über Nacht blieb und Noah ebenfalls ...
so daß Emily auf einmal einem kleinen Sanatorium vorstand.

Donne und ich beschlossen zu gehen. Besorgt warf er
noch einen Blick die Treppe hinauf, aber es gab für uns
nichts zu tun, wenn wir nicht im Weg sein wollten. Als Emily
uns zur Tür begleitete, sagte sie: »Ich bin völlig verschreckt.
Wer sind sie bloß, diese ... bösartigen Wucherungen im
menschlichen Leben unserer Stadt? Ich möchte beten, aber
meine Kehle ist wie zugeschnürt. Kann unser Leben denn
noch jemals sein wie zuvor? Wissen Sie, was zu tun ist, Captain? Können wir irgend etwas tun, um ... die rechten Maß-
stäbe wiederherzustellen? Mir fällt einfach nichts ein. Aber
Ihnen wird doch etwas einfallen, nicht wahr? Bitte!«

Donne und ich gingen zu Paffs Saloon am Broadway hinüber. Die rauhe Heiterkeit dort kam mir ungehobelt vor. Wir
setzten uns in eine Ecke und tranken ein paar Gläser Whiskey. Ich dachte an die verzweifelte Unverfrorenheit jenes
Vereins von alten Herren ... die mit den Gepflogenheiten
ihres Gotts so unzufrieden waren, daß sie die Unsterblichkeit ihrer Seelen selbst in die Hand nahmen ... Wie armselig, nicht ihrer christlichen Theologie zu vertrauen, sondern die Sache selbst zu regeln. Wie unverschämt und wie
armselig.

Donne sah die Dinge praktischer. »Es handelt sich da
wohl um eine neue Wissenschaft ... um ein Stück moderner Erkenntnis. Aber anscheinend sind enorme Summen
erforderlich ... wenn er darin weiterkommen will. Ein kom-
pliziertes Unternehmen. Teuer in der Unterhaltung. Sie
haben jene Residenz gekauft und als Waisenhaus ausstaf-

fiert. Sie standen unter dem Schutz der Städtischen Polizei ... hatten die Bestätigung der Stadtväter. Und es gibt eine weitere Einrichtung ... mit diesem Gewächshaus ... eine weitere komplette Einrichtung mit festen Mitarbeitern. Das Ganze finanziert von den – welchen Begriff würden Sie wählen? – Patienten?«

»Ja, wenn man nicht kleinlich ist ... in Höhe von dreißig Millionen.«

»Ist das eine realistische Schätzung?«

»Also dann von fünfundzwanzig ... mindestens.«

»Die müssen irgendwo auf der Bank liegen ... unter wessen Namen auch immer. Solche Summen können nicht restlos verschwunden sein.«

»Nein.«

»Es dürfte sich um eine von Tweeds Banken handeln. Ich bin im Gespräch mit dem Bundesstaatsanwalt. Ich versuche, ihn dazu zu kriegen, daß er eine Vorladung unterschreibt. Aber er braucht eine Handhabe.«

»Warum steckt der Ring das Geld wohl nicht selbst ein?«

»Das tun sie auch, wenn sie müssen«, sagte Donne. »Ich stelle mir vor, daß sie auf noch mehr hoffen.«

»Mehr von was?« fragte ich, und im selben Moment begriff ich, was er meinte. Der Ring, diese Kathedrale von Ambition, strebte das Äußerste an. Sie waren nur noch absurd zu nennen – lächerlich, einfältig, selbstverherrlichend. Und mörderisch. Alles die Eigenschaften von Männern, die in unserer Republik maßgebend sind.

»Solange Sartorius frei ist, bleibt das Geld unangetastet«, sagte Donne. »Wenn wir also hoffen, etwas für Sarah – für Mrs. Pemberton und ihren Sohn – zurückzugewinnen, dann müssen wir das Konto finden und es mehr oder weniger um die gleiche Zeit beschlagnahmen lassen, wie wir . . . ihn in Verwahrung nehmen. Es wird noch Monate dauern, bevor der Prozeß gegen den Ring beginnt. Bis dahin haben sie durchaus noch Hoffnung, daß sie ihr letztes – und bestes – Geheimnis bewahren können.«

Donnes Analyse dieser eigenartigen Kabale tröstete mich . . . als handelte es sich um eine juristische, eine praktische Angelegenheit, ein lösbares Problem, eine Sachfrage . . . während ich davon besessen war . . . Bilder von dem Gewächshaus spukten in mir herum. Ich konnte nicht schlafen, ich wurde heimgesucht . . . nicht von Geistern, sondern von DER WISSENSCHAFT. All meine Ängste verdichteten sich zu Angst vor der Dunkelheit. Ich war ohne meinen Beruf, meine Daseinsberechtigung . . . ohne meine Keckheit. Ohne die Möglichkeit, von unserem Leben und unserer Zeit zu berichten, glaubte ich mich beidem irgendwie ausgeliefert. Das Leben schien mir eine unvermeidliche Krankheit des Wissens zu sein . . . eine Seuche, an der sich alle ansteckten, die damit in Berührung kamen.

Das Entsetzlichste war, daß die einzige Hoffnung, damit fertig zu werden, darin bestand, sich mehr davon anzueignen, mehr von diesem abgestorbenen Phantom Wissen. Um mir Mut zu machen, stellte ich mir vor, es ginge um Initiation, es ginge in einer letztlich doch von Gott regierten Welt um eine Art von spiritueller Prüfung . . . die am schlimmsten Punkt, im Augenblick des größten, unerträglichsten Schreckens, enden würde . . . in Licht und Frieden . . . und wir könnten darin umhertaumeln wie glückliche Betrunkene, bis wir stürben. Doch als abtrünniger schottischer Presbyterianer konnte ich das nicht ernstlich glauben. Also tat ich so, als hätte ich die gleiche praktische, sachliche Einstellung wie Donne. Täglich fanden wir uns bei den Tisdales ein und konzentrierten uns darauf, so viel wie möglich von Martin zu erfahren. Zunächst einmal mußten wir natürlich herausfinden, wo dieses Treibhaus war. Und es gab da noch andere Fragen. Anscheinend war Martin durch den Intellekt des Arztes verführt worden . . . bis zur Bereitschaft, für Sartorius zu arbeiten. Und doch hatten wir ihn sterbend im Keller des Waisenhauses gefunden. Was war geschehen? Donne zögerte, Martin einer harten Befragung auszusetzen – dafür wirkte er noch nicht gekräftigt genug. Das beste, wenn auch strapaziöseste Verfahren war, Geduld zu haben.

Mehrere Tage hindurch saßen wir bei ihm . . . nur wir beide. Wir hielten es nicht für ratsam, daß die Frauen noch mehr zu hören bekamen. Martin erzählte uns, daß er in kürzester Zeit gelernt hatte, Dr. Sartorius nach Sartorischen Gesichtspunkten zu betrachten – das heißt, mit dem Desinteresse eines Naturwissenschaftlers. »Alles Persönliche vergaß ich«, sagte er. »Mein Vater? Eine Abstraktion, eine unbeseelte Kreatur, nicht mehr der Beachtung wert. Nur sein Körper war als Gegenstand wissenschaftlicher Experimente noch von Interesse . . . Sartorius versuchte nie, mich von irgend etwas zu überzeugen, er wollte eigentlich nichts von mir . . . Sobald wir unsere Vereinbarung zwischen Ehrenmännern getroffen hatten, fand ich, es sei zu meinem Vorteil, mit ihm bekannt zu sein und ihn laut denken zu hören.«

»Und worin bestand die Vereinbarung?« fragte Donne.

»Nur darin, daß ich weder versuchen würde, das Gebäude zu verlassen, noch die Arbeit zu stören. Dafür sollte ich mich frei bewegen können ... behandelt werden wie ein Gast. Simmons war nicht ganz glücklich über die Lösung. Einmal davon abgesehen, daß Sartorius sehr wohl verstand, auf welch ... sensiblem Gebiet er arbeitete, brauchte er, soweit ich sehen konnte, andere, die seine Interessen im Auge behielten. Es fehlte ihm an Schläue ... er war nicht listig. Ich glaube, der Mann hatte gerade noch so viel von einem normalen Menschen, daß es ihm zusagte, wenn einer verstand, was er tat.

Sieben Herren gehörten zu dem ... Verein von Unsterblichen. Eines Tages starb einer von ihnen, starb wirklich, und Sartorius lud mich ein, der Autopsie beizuwohnen. Er führte sie in seinem Operationsraum aus, auf einem Stahltisch mit hochgebogenen Kanten und einem Abfluß am Ende. Von der Decke hing eine bewegliche Duschvorrichtung herab, um die Leiche mit fließendem Wasser zu kühlen. Er forderte mich auf, die Düse aus der Haltung zu nehmen und den Strahl auf Effluvia zu richten ... die im Verlauf seiner Arbeit entstünden. Ich weiß nicht, ob sein Vorgehen das eines Gerichtsmediziners war, ich glaube, eher nicht. Er öffnete den Brustkorb, untersuchte Lunge und Bronchien, nahm das Herz heraus und erklärte alles für normal, für unauffällig. Den Leichnam schien diese Sektion in seinem Frieden nicht zu stören. Das Gesicht, bartlos und ohne Falten, wirkte gesammelt und gut erhalten. Es war ein Mann mittleren Alters, jünger als die übrigen, und das erstaunte mich. Sartorius redete bei der Arbeit. ›Als Mr. Prine zu mir kam, lautete die Diagnose Epilepsie. Er neigte zu Konvulsionen und hatte phasenweise Lähmungserscheinungen. Gewisse Besonderheiten der Kopfhaut zeigten mir, daß er in Wirklichkeit

Syphilitiker war.‹ Sartorius untersuchte die Kopfschwarte und hob sie dann mit der Lanzette vom Schädel ab. Dann griff er zur Trephine und entfernte ein Stück der Schädeldecke. Von all dem wurde mir nicht übel. In seiner Gegenwart sah man von sich ab und überließ sich seinem Bewußtseinszustand – in diesem Moment seinem gezielten Interesse an der Autopsie. Der geöffneten Leiche entströmten ganz üble, widerwärtige Gerüche … Aber irgendwie war ich immun dagegen, ich hatte das Gefühl, da werde ein Uhrwerk zerlegt; das Gesicht blieb schließlich ruhig und unbeteiligt, eine Maske – bloße Verkleidung für eine Maschine. Ich war nur begierig zu erfahren, was der Arzt entdecken würde. Die gesamte Innenfläche des Schädels sah rauh und zerklüftet aus. Sartorius deutete auf drei verschiedene Dellen, an denen der Knochen so dünn geworden war, daß man das Licht durchscheinen sah, als er ihn gegen die Lampe hielt. Diesen Dellen entsprachen drei harte, korallenartige, unregelmäßige Wucherungen auf der Oberfläche des Hirns – als habe das Hirn dort die Knochenmasse absorbiert. Sartorius sang beinahe seine Kommentare zu dem, was er vorfand, wobei unklar blieb, ob er mit sich selbst sprach oder mit mir … Obwohl er die anatomische Terminologie verwendete, war jede Bemerkung sehr explizit. Ich beobachtete seine langen, feinen Hände mit so konzentrierter Aufmerksamkeit … daß ich mir manchmal einbildete, diese Hände sprächen. ›Man beachte, wie diese Adhäsionen um die Silvius-Fissur den vorderen und mittleren Lappen zu einer Masse zusammenziehen.‹ Sein Akzent war geringfügig, kaum mehr als ein ungewöhnlicher Tonfall, aber doch vorhanden. ›Und in diesem Bereich haftet die Dura mater am Hirngewebe.‹ Ich sah, worauf er lenkte ... Das Furchtbarste war eine eiternde, gelblich käsige Ablagerung in Form einer Pyramide, die er gewandt herausschnitt und auf eine kleine Waage legte, um das Gewicht zu bestimmen. Er legte seine Instrumente nieder und hielt die Hände unter den Duschkopf. ›Dennoch, Sie werden bemerkt haben, daß Hirn und Schädel weitgehend gesund sind. Leider kann ich nicht feststellen, in welchem Maße dies den Therapien zuzuschreiben ist, die er hier erhalten hat. Als Trost läßt sich nur sagen, daß Mr. Evander Prine als ein Syphilitiker im Endstadium länger am Leben geblieben ist, als ihm zustand. Aber Ricords *Traktat zur Venerologie* wird bestätigt. Zu den tertiären Symptomen haben wir zu zählen Knoten, tiefsitzende kleine Geschwülste, Geschwülste des zellularen Gewebes ... Caries necrosis ... ‹ Er sprach so emotionslos, daß man fast zusammenzuckte, als er eine persönliche Bemerkung fallenließ. ›Zu spät‹, sagte er. ›Zu spät sogar für Sartorius.‹

Man konnte ihn leicht mißverstehen – in ihm nur einen Arzt sehen, mit dem Interesse und Bedauern eines Arztes ... ihm übliche Motive unterstellen ... Eines Tages bat er mich um die Erlaubnis, ein kleines Experiment an mir durchzuführen. Ich legte mich auf seinen Untersuchungstisch, und er befestigte zwei Anoden eines kleinen Magnetapparats an meinem Kopf, an jeder Schläfe eine. Über Drähte waren sie mit zwei Nadeln verbunden, die mit den Spitzen einen drehbaren Wachszylinder berührten, der in einem hölzernen Gehäuse befestigt war. Sartorius erklärte mir jeden Schritt. Der Zylinder wurde von einer Getriebewelle gedreht, die mit einer kleinen Dampfmaschine aus Messing verbunden war. Die gesamte Prozedur dauerte keine Minute, und wie Sartorius versprochen hatte, spürte ich überhaupt nichts – weder einen Schmerz noch sonst etwas. Danach zeigte er mir die Wachstrommel, auf der, wie er sagte, die elektrischen Impulse meines Hirns graphisch wiedergegeben waren ... eine ziemlich regelmäßige Figur, den mathematischen Sinus- und Konsinuskurven ähnlich. Dieses bemerkenswerte Abbildungsgerät war seine Erfindung. Er sagte, für seine Forschungszwecke setze er bei mir einmal geistige Gesundheit voraus, auch wenn ich selbst da meine Zweifel haben sollte ... und zeigte mir dann zum Vergleich einen weiteren Zylinder, auf dem die Hirntätigkeit eines Mannes aufgezeichnet war, der an einer entsetzlichen Krankheit litt und den er zu sich geholt hatte, nachdem er ihn auf der Straße hatte herumirren sehen. Das war der Unglückliche, den wir Monsieur nannten, ein von Tics geplagter, stotternder Spastiker, der ständig grimassierte, grinste und wilde Fratzen schnitt und dessen Gegenwart man nicht länger als ein paar Augenblicke ertragen konnte, so erbarmungslos war er in seinem äffischen Gebaren, denn er spiegelte, dieser arme Kerl, einem jeden noch so flüchtigen Ausdruck des eigenen Gesichts wider, einschließlich, nein, besonders den Abscheu oder das Mitleid ihm gegenüber. Jede Geste, alles, was sein Blick auffing, ahmte Monsieur zwanghaft nach, und nie hielt er einen Moment still – ein unfreiwilliges, manisch groteskes Verhalten, das laut Sartorius von einem Defekt des Hirngewebes herrühren mußte ... Wenn man es analysiere, liege lediglich eine Akzeleration und Intensivierung normaler menschlicher Aktivität vor. Auf dem Zylinder war ein wildes Durcheinander von Spitzen und Tälern zu sehen, unregelmäßige, dicht gedrängte Zacken.

Diesen Unglücklichen hatte Sartorius allein in einem dunklen Raum untergebracht und hielt ihn so, wie man ein Pferd in der Scheune halten würde. Sartorius war nicht als Wohltäter an ihm interessiert. Er zeigte mir, was geschah, wenn man Monsieur in die Gesellschaft älterer Herren brachte. Er wurde ruhig und sanft, erlaubte den Pflegerinnen sogar, ihn zu baden – doch nur so lange, wie er die alten Männer im Blickfeld hatte, die wie gewohnt leer und ausdruckslos dasaßen, gleichgültig für alles um sie her. Nach einer Weile übernahm Monsieur ihre Reglosigkeit. Und erstaunlicherweise begannen gleichzeitig sie sich aus mysteriösen Gründen zu regen und Reizbarkeit an den Tag zu legen, den einen oder anderen überfiel sogar ein leichtes Zittern der Hand oder des Fußes ... Nein, Sartorius ist bloß Arzt ... Wißt ihr, ich habe mich zwar immer als Intellektuellen ausgegeben ... und tatsächlich bin ich schon recht belesen und über die entscheidenden Fragen, die sich stellen, gut informiert ... aber ich habe doch niemals diese Vitalität besessen ... wie sie einen großen Intellekt kennzeichnet. Wenn ich mich hier überhaupt vergleiche, dann aus purem Neid. Ich habe die Überzeugungen, die aus meinem Denken hervorgegangen sind, nie ausgefüllt, sondern habe sie nur durchlitten wie ein Mann, der etwas in die Hand nimmt, das zum Anfassen zu heiß ist. Sie konnten das nicht wissen, Mr. McIllvaine, denn Ihnen bin ich immer mit berechnender Arroganz begegnet, auch in meiner Arbeit. Aber vom Verstand dieses Mannes war ich überwältigt. Dr. Sartorius ist gar kein Arzt ... allenfalls insofern, als die Medizin sich damit beschäftigt, wie die Welt funktioniert. Die Substanzen seines Denkens sind die Elemente der Welt. Er erkundet ihre Strukturen. Wenn er einen praktischen Grundsatz hat, dann, glaube ich, den, sich stets mit den amoralischen Kräften zu verbinden, die das Leben von Menschen in einer Gesellschaft produziert ... unabhängig von deren Überzeugungen.

Wie ihr wißt, habe ich mich in meinem eigenen Land immer wie ein Fremder gefühlt ... entfremdet, ein geborener Fremdling, nicht synchron mit meiner Zeit ... so daß ich manchmal in jeder gepflasterten Straße dieser Stadt, in jedem herrschaftlichen Haus so etwas wie eine ptolemäische Kultstätte von Wahnsinnigen erblickt habe ... und ich mir alles, was ihr als eure Heimstätten mit lichtspendenden Herdfeuern im Inneren ansaht, als Tempel grausamer, barbarischer Kulte vorstellen konnte. Und dann habt ihr an Avenuen diese Tempel errichtet, einen neben dem anderen, und seid mit euren eisernen Maschinen zwischen ihnen hindurchgefahren, habt darüber eure Drähte gespannt und sie zum Summen gebracht ... und ich war nichts anderes als ein Phantom auf diesem Raster ... geboren ohne den rechten Glauben, ohne den Körper, um diese wahnwitzig regierte, vernetzte, verdrahtete ... Tauschzentrale zu meiner ... Heimatstadt zu machen.

Somit war ich für Sartorius' Einfluß ... zugänglich. Es war wie die Landung an einer neugefundenen Küste, wo frischere Winde wehen. Die offenkundigen Überlegungen dieses Mannes bildeten ein Magnetfeld, sie zogen mich zu ihm hin. Ich sah in ihm ein aristokratisches Wesen, das Männer wie meinen Vater beherrschte. Er war souverän – gleichgültig gegenüber allem außer seiner Arbeit, so wenig eitel, daß er sich nicht einmal die Mühe machte, über seine Experimente Buch zu führen – er wußte, worin sie bestanden und was die

Resultate waren, alles war in seinem Kopf aufgezeichnet, und da er sich einzig und allein nur auf sich selbst bezog, scherte er sich weder um die WISSENSCHAFT – um seine Beiträge zu deren Entwicklung –, noch um die Nachwelt, derentwegen er sich einen Namen hätte machen wollen, und sei es nur für den Grabstein, den man ihm einmal setzen würde. Sein wundervolles Gehirn schenkte den eigenen Glanzleistungen keine Beachtung.

Es war meine Idee, meine Anregung, daß ihm ein Sekretär, ein persönlicher Historiker zur Seite stehen mußte. Weil es ihm an Eitelkeit fehlte, dachte Dr. Sartorius an solche Dinge nicht.

Und worin bestand nun diese Arbeit, wenigstens soweit, wie ich ihr folgen konnte? Was war das bewegende Prinzip? Ich sah ihn Blut von einem Lebewesen in ein anderes übertragen. Ich sah ihn mit einer Kanüle Zellmasse in abgestumpfte Hirne injizieren. Ich sah, wie erst eines, dann ein weiteres Waisenkind zu altern anfing, wie gelb werdende Blätter. Bestand die Arbeit darin? Obwohl ich einiges davon zu sehen bekam, wurde ich in entscheidenden Punkten unwissend gehalten. Bei aller Freiheit, die ich genoß, hatte ich bei gewissen Prozeduren, die Stunden dauern, keinen Zutritt zum Operationsraum. Und das gesamte Leben im Gebäude, von oben bis unten, galt als heilsam, alles diente einem Zweck, dem des Lebens, dafür wurde unternommen, was nur menschenmöglich war.

Aber die New Yorker Sitten, wie das vergangene Leben der alten Männer, wurden heraufbeschworen, sie wurden – wie alles – ihres therapeutischen Wertes wegen benutzt. Es fanden Bankette statt, Hausbälle . . . Sie müssen wissen, daß

Sartorius sich nie auf eine einzige Therapie festlegte, er korrigierte sein Vorgehen ständig, er war wahrhaftig objektiv und ein ebenso unerbittlicher Kritiker seiner eigenen Ideen wie der anderer. Er spürte in Hirnen und Körpern das Abweichende auf, als ließen sich daran die Geheimnisse von Lebewesen leichter aufdecken. Das Normale behinderte die wissenschaftliche Sicht, es deutete auf eine Selbstzufriedenheit der Form hin, auf die das Leben kein Anrecht besaß. Wo das Dasein jedoch gepeinigt und grotesk war, da gab es sich als die wahrhaft unvernünftige Sache zu erkennen, die es ist. Regelmäßig untersuchte Sartorius Leute, die mit ihren Deformationen ihren Lebensunterhalt verdienten. Er besuchte die Kuriositätenbuden und die Broadway-Theater, in denen die Mißgeburten auftraten. Zwerge, Lilliputaner, Riesenwüchsige, vorgebliche Seejungfrauen, sogenannte Wolfsmenschen. Zwitter, arme Geschöpfe, die anatomische Merkmale beider Geschlechter unvollkommen in sich vereinen. Er nahm ihnen Blut ab. Was reine wissenschaftliche Leidenschaft ist, lernte ich am leuchtenden Beispiel dieses Mannes begreifen. Sie brachte einen Geist hervor, der nicht zu erschüttern war, einen Mann, für den kein Sakrileg existierte, einen Menschen, dessen Leben nicht von irgendeiner fixen oder unwandelbaren Idee abhing, die er daher verteidigen mußte, weil sie mit dem Wert seines Lebens identisch war ... wie man das beispielsweise von Dr. Grimshaw gar nicht anders erwarten würde.

Also fanden auch ... gerade so, wie man bei stürmischem Wetter im öffentlichen Verkehrsmittel Ausfahrten durch die belebten Straßen der Stadt veranstaltete ... Bälle statt. Alle wurden wir zum Treibhaus hinauf befördert, das, von den

Industrielampen an den Wänden hell erleuchtet, als Ballsaal diente. Während die Orchestrionscheibe sich drehte und stockende Walzer produzierte, begleitet von automatischen Baßtrommel- und Beckenklängen, tanzten die Mitglieder der unsterblichen Bruderschaft im Frack mit . . . ihren Pflegerinnen. Zu hören war ein Potpourri der neusten Walzermelodien, zu denen die alten Männer unter der Führung ihrer Schönen gehorsam ihre langsamen Schlurfschritte vollführten . . . darunter auch mein Vater, der gehorsam seine Tänze auf eine Weise absolvierte, daß ihm in meinen Augen all seine kriminelle Schläue vergeben war. Er hatte, wie sie alle, der Würde des Todes entsagt. Er war zu einem hohlen alten Mann geschrumpft, in den ich hineinsehen konnte. Augustus Pemberton, dieser kalte, grobe Ausbund von Gier . . . nie war mir der Gedanke gekommen, daß er ungestillte Wünsche hegen könnte, und seien es größenwahnsinnige. Doch nun erfüllte er als seelenloser Tänzer dieses Ritual, dieses Sakrament einer Religion, die es noch nicht gab.

So triumphierte Sartorius in jeder Hinsicht. Wenn er den Vertrag seinerseits auch genauestens erfüllte, war er doch bar der Fürsorge oder des Mitgefühls für seine Patienten, außer daß sie die Objekte seiner Überlegungen waren. Er garantierte lediglich seine wissenschaftliche Aufmerksamkeit. Aber welch eine umfassende! Und mit ihr setzte er Stück für Stück ihr Leben wieder zusammen, wickelte sie wie Säuglinge, fuhr sie aus, brachte sie zum Tanzen, schulte sie in einer Zusammenstellung von Alltagsabläufen, und mit seinen Balsamen, Pudern und Injektionen von Flüssigkeiten, die er Kindern abgewonnen hatte, erschuf er sie durch Transfusion von Vitalenergien neu – als kein Ende kennendes Wesen.«

# 23

Ich komprimiere hier natürlich alles, was Martin im Verlauf einiger Tage sagte – oder woran ich mich erinnern kann. Am Nachmittag suchten wir ihn immer auf und setzten uns zu ihm. Er war jedesmal froh, uns zu sehen. Er hatte die Dankbarkeit des zu Kräften kommenden Kranken. Manchmal verstummte er für lange Minuten . . . bei geschlossenen Lidern . . . bis wir uns zu fragen begannen, ob er schlafe. Doch das waren Pausen des Nachsinnens. Sarah Pemberton fragte sich besorgt, ob es nicht falsch sei, ihn seine Erfahrungen erneut so intensiv durchleben zu lassen. Wir sollten ihn nicht ermutigen, bat sie, sich zu überfordern, und nicht zu lange bei ihm sitzen. Das zeugte von ihrer Art, mit Dingen umzugehen: sie im Kopf zunehmen zu lassen. Donne legte ihr dar, daß wir unbedingt so viel wie nur möglich erfahren mußten . . . und ich betonte, daß es heilsam sei, möglichst jeden Moment noch einmal zu durchleben . . . daß Martin offenbar über das Geschehene sprechen wollte . . . und daß nichts für ihn besser sein könnte, ja, für jeden, als die

Geschichte von Anfang bis zum Ende zu erzählen, sie in ein aus Sprache bestehendes Objekt zu verwandeln ... das jedermann sich vornehmen und prüfen könne.

Eines Tages hatte Donne das Gefühl, er könne Martin nun fragen, wann und warum seine Übereinkunft unter Gentlemen mit Sartorius geendet habe.

»Da bin ich mir nicht sicher«, sagte Martin. »Es gab da eine Frau, die den Auftrag hatte, sich um mich zu kümmern ... die mir mein Essen brachte, wenn ich allein essen sollte ... die mich mit dem Notwendigsten versorgte, mein Zimmer saubermachte und dergleichen mehr. Sie sagte nie etwas – das taten sie alle nicht –, obwohl sie immer recht freundlich nickte und lächelte. Sie war eine seltsam aussehende Frau mit schütterem grauen Haar unter der Schwesternhaube und in der grauen Schwesterntracht, die sie alle trugen. Eines Tages fragte ich sie nach ihrem Namen. Ich fragte, wieviel Personal dort tätig sei. Ich war neugierig auf jeden und auf alles, was dort vorging. Sie gab keine Antwort – schüttelte nur lächelnd den Kopf. Ihr Gesicht war nicht normal proportioniert. Es war ein breites, wie flachgedrücktes Gesicht, aber die Knochen auf der rechten Seite schienen irgendwie stark zu überwiegen. Das Ohr links wirkte kleiner, als es hätte sein sollen. Ich stellte noch ein paar Fragen, aber sie beantwortete alle nur mit einem kurzem Kopfschütteln und wartete höflich und scheu lächelnd darauf, daß sie gehen konnte ... und da begriff ich, daß sie taubstumm war. Das gesamte Personal war taubstumm, als hätte Sartorius sich sein Helferinnen in einer der Anstalten für diese Unglücklichen ausgewählt ... Mir wurde klar, daß die einzige Person, die wirklich sprach, mit der ich sprechen konnte, Sartorius selbst war.

Als mir das erst einmal bewußt geworden war, fand ich es bedrückend. Es mag schon sein, daß ich es ihn habe merken lassen.

Dann fragte mich Sartorius irgendwann, ob ich mich für ein weiteres Experiment zur Verfügung stellen würde. Er hatte mir bereits, mit meiner Erlaubnis, etwas Blut abgezapft. Er wies mich darauf hin, daß das nun Folgende ganz so schmerzlos nicht sein würde . . . auch nicht die Aufzeichnung meiner Hirnströme . . . und daß darum eine Anästhesie notwendig sei. Bei dieser Prozedur ging es unter anderem um die Entnahme von Knochenmark aus meinem Bein . . . Ich sagte zu Sartorius, ich wolle es mir überlegen. Nicht eben eine Antwort im Geiste der Wissenschaft . . . und er muß das rascher verstanden haben als ich. Vielleicht ließ der Bann, unter dem ich stand, allmählich nach . . . jedenfalls fing ich nachts an, von dem nußbraunen, die Stirn runzelnden Jungen im Sarg meines Vaters in Woodlawn zu träumen . . . ich träumte von ihm . . . aber es war eigentlich ein Erwachen . . . oder das Wiedererwachen meiner Aufmerksamkeit für die speziellen Therapien, mittels derer es Sartorius gelang, die alten Herren vor dem Tod zu bewahren . . .

Ich kann es nicht erklären – daß ich es . . . gewußt und zugleich nicht gewußt hatte. Daß ich so angelegentlich hatte . . . vergessen können. Als hätte ich mir selbst operativ eine Hirnpartie entfernt. Nun aber war die Wirkung, als ich . . . gewahr wurde, was ich die ganze Zeit über gewußt hatte . . . überwältigend auf mich. Ich war von mir angewidert . . . und beschimpfte mich entsetzlich. Ich hatte buchstäblich den Geschmack . . . meines eigenen moralischen Verfalls im Mund und ekelte mich davor. Ich bin mir nicht sicher, ob ich wirklich daran dachte, einen Fluchtversuch zu unternehmen . . . vor was schließlich? Aber ich verspürte allmählich das Bedürfnis . . . frei zu atmen. Auch ich war begraben, wie das Kind in jenem Sarg. Ich lebte bei Gaslicht an einem fensterlosen Ort . . . dessen Maschinerie ununterbrochen summte . . . und wo eine solche Feuchtigkeit in der Luft hing, daß ich mich manchmal wie unter Wasser fühlte . . . oder als wäre ich hermetisch in einer Höhle unter dem Meeresspiegel eingeschlossen. Vielleicht ist Sartorius mein verstörter Zustand aufgefallen, und er fand ihn – ich weiß nicht recht – irgendwie enttäuschend. Jedenfalls schien er das Interesse an mir zu verlieren. Er bat mich nicht noch einmal, in die Prozedur einzuwilligen. Ich wurde nicht mehr so oft eingeladen, bei seiner Arbeit zuzusehen oder mich daran zu beteiligen. Ich blieb mir selbst überlassen . . . Schließlich hatte ich das Gefühl, er hätte meine Anwesenheit vergessen . . . Er war gedanklich vorangeschritten, ohne mich.

Die Initiative ergriff dann, glaube ich, Eustace Simmons. Er kam eines Tages mit der Frau herein, der ich all die Fragen gestellt hatte . . . und saß, während ich aß, mir gegenüber am Tisch. Ich nahm meine Mahlzeiten inzwischen nicht mehr in der oberen Etage zusammen mit der . . . Gemeinschaft ein. Die meiste Zeit verbrachte ich in der Bibliothek. Simmons zu sehen erstaunte mich – er ließ sich nicht sonderlich oft blicken. Er plauderte, als würde er mir einen konventionellen Besuch abstatten.

Als nächstes nahm ich dann wahr, daß mich vollständige Dunkelheit umgab, daß mein Kopf schmerzte und die Atmosphäre eine andere war, stickig, nach Brand riechend, nach Asche und Ruß . . . Ich hörte Fußschritte über mir. Und als ich aufstand, um mich zu orientieren, stellte ich fest, daß meine Hände die Gitterstäbe einer Zelle umfaßten. Letztlich ist das nur gerecht, dachte ich.«

Martin war in das Waisenhaus zurückgebracht worden ... und konnte uns weder sagen, wie lang die Fahrt gedauert hatte, noch aus welcher Richtung er gekommen war ... oder sonst das mindeste, das uns eine Ahnung vermittelt hätte, wo sich das Herz des Unternehmens befand.

»Was meinen Sie, warum hat Simmons Sie wohl nicht einfach ... beseitigt?« fragte ich ihn.

»Wahrscheinlich hätte er das lieber getan. Simmons ist so etwas wie ein finsterer Stiefbruder von mir, wissen Sie. Viel älter, so wie ich viel älter als Noah bin, aber geistig ... der Sohn meines Vaters ... und seine rechte Hand, wie ich es nie war. Er ist dann die rechte Hand des Doktors geworden. Er hegt den größten Respekt für Dr. Sartorius ... Bei aller Schläue ist Simmons seinem Naturell nach ein Faktotum. Er braucht jemanden, für den er arbeiten kann. Darum also ... Sartorius würde vielleicht noch eine andere Verwendung für mich einfallen. Ich hatte genügend Zeit, darüber nachzudenken. Wie lange mag ich wohl dort unten gelegen haben, bevor mein Verstand ... abzudriften begann ... Aber ich habe die Kinderschritte über meinem Kopf gehört. Daß sie von Kindern waren, wußte ich – Schritte von Kindern sind nicht zu verkennen. Ich schrie und brüllte zu ihnen hinauf ... sie sollten weglaufen, fortrennen ... obwohl ich wußte, daß sie mich nicht hören konnten. Ich war ja einer von ihnen, wissen Sie. Letzten Endes. Soviel begriff ich.«

Mehr als nur einmal war Martin, während er von seinen Erlebnissen berichtete, den Tränen nah. Dies, glaube ich, war aber einer der Momente, wo er sich nicht beherrschen konnte. Er legte die Hand über die Augen und weinte.

Wie ich schon sagte, war der Herbst weit fortgeschritten. Wir hatten etwa Mitte Oktober. Und nun ereigneten sich einige Dinge, mehr oder weniger gleichzeitig. Eines Nachmittags traf ich bei den Tisdales ein, um Martin wie gewohnt zu besuchen, und sah vor der Haustür einen Polizisten Wache stehen. Ich mußte mich ausweisen, bevor ich die Hausglocke läuten durfte. Emily ließ mich herein. Hinter ihr kam ihr weißhaariger Vater durch die Eingangshalle. »Die Zeitungen! Die Polizei! Was noch, was denn bloß noch? Ich bin ein alter Mann, begreift ihr das denn alle nicht? Ich bin das nicht gewöhnt!«

Emily begleitete mich in den vorderen Salon und bat mich, sie beide für einen Augenblick zu entschuldigen ... Ich hörte, wie ihre Stimmen sich die Treppe hinauf entfernten, seine lauter als die ihre, aber ihre setzte sich anscheinend durch ... denn ein paar Minuten später war sie ohne ihn wieder unten.

Sie sagte: »Der Mann, der in den Tombs in Haft saß, ist dort tot aufgefunden worden. Sie wissen doch, der Omnibuskutscher? Wrangel, hieß er nicht so? Er hat sich in seiner Zelle erhängt.«

»Wo ist Donne?«

»Er holt Noah von der Schule ab.«

»Und Martin?«

»Oben in seinem Zimmer. Seine Mutter ist bei ihm.«

Nun raste mein Puls. Ein gewisses Maß an Verzweiflung bei allen war vorauszusehen gewesen. Am Abend zuvor hatte die Bürgerversammlung stattgefunden, die ich bereits erwähnt habe, glaube ich . . . in der Cooper Union. Eine stürmische Versammlung, bei der Rufe nach Tweeds Skalp laut wurden. Statt dessen bildeten sie einen Ausschuß von siebzig . . . hervorragenden Männern, die in ihrer Eigenschaft als Steuerzahler gegen den Bürgermeister und seine Administration Klage erhoben. Dadurch sollte dem Ring gerichtlich untersagt werden, Pfandbriefe auszugeben sowie irgendwelche Lieferanten aus städtischen Mitteln zu bezahlen, bevor nicht eine Untersuchung stattgefunden hatte. Ich wußte zwar nicht, welcher Richter der Forderung des Ausschusses stattgeben würde, aber daß überhaupt der Versuch unternommen wurde, war bereits eine elektrisierende Nachricht.

Ich wartete unruhig auf Donne. Als er mit Noah heil zurückkam und ihn hinaufgebracht hatte, konnten wir ein paar Minuten allein miteinander sprechen. Natürlich hatte er nicht geglaubt, daß Wrangel sich erhängt hatte. Der Kopf des Kutschers weise Blutergüsse auf, berichtete er mir. Wrangel war erst bewußtlos geschlagen und dann aufgeknüpft worden.

»Wer würde so einen Auftrag erledigen?«

»Es ist nicht einmal so unüblich . . . daß die Städtische Polizei der Justiz die Mühe erspart, ein richtiges Gerichtsverfahren zu eröffnen.«

»Sind dann die Pembertons in Gefahr?«

»Das weiß ich nicht. Es hängt davon ab, wer sich um diese Sache kümmert. Ich muß davon ausgehen, daß sie Martins Spur seit dem Krankenhaus weiterverfolgen konnten. Vielleicht haben sie es nicht getan. Sie sind vielleicht vollauf mit ihren sonstigen Problemen beschäftigt . . . Wrangel könnte ihnen vorläufig genügen. Oder auch nicht. Vorstellbar wäre, daß sie die Absicht haben, alles Belastende zu . . . vernichten. Das sollten Sie natürlich mit den anderen nicht erörtern.«

»Natürlich nicht. Allerdings hat Ihr Wache stehender Polizist anscheinend den ganzen Haushalt durcheinandergebracht.«

»Sarah und Noah sollten ihr Lager hier aufschlagen, wenn Miss Tisdale nichts dagegen hat. Aber ich werde allen sagen, daß dies nur Vorsichtsmaßnahmen sind. Ich bin mir jetzt sicher, daß 'Tace Simmons nicht ins Ausland geflohen ist. Das kann nur nützlich sein, falls wir ihn zu fassen bekommen . . . Wirklich sonderbar ist aber, daß ich seit gestern zwölf Uhr nachts wieder voll eingesetzt bin, mit sämtlichen Pflichten.«

»Was?«

»Ich bin darüber so verblüfft wie Sie. Vielleicht hat der Ring das Gefühl, daß sie mich genau an einer Stelle hätten, wo sie mich leichter im Auge behalten können. Sie haben schließlich eine Menge zu tun.«

Ungeachtet dessen, wie rasch es nun ernst wurde, war Donne sichtlich in seinem Element. Ich beneidete ihn, denn ich war nicht in meinem. Und schlimmer noch, ich war mir vollauf bewußt, daß ich diese Geschichte, um Martin und seine Familie zu schützen . . . an jemand, der als Reporter arbeitete, abgeben . . . oder sie sogar selbst auf freier Basis einer der Tageszeitungen anbieten konnte. Wenn ein Bericht über Martins Gefangenschaft im Heim für kleine Wandersleute erschiene . . . dessen Vorstand Tweed und seine Kollegen angehört hatten . . . und wo ganz zufällig der Selbstmörder Wrangel beschäftigt gewesen war . . . den man wegen der Ermordung eines Straßengauners verhaftet hatte . . . nun, allein schon dieses Bruchstück des Ganzen würde ihnen, wenn man die Fortsetzung der Geschichte versprach, den Wind aus den Segeln nehmen. Die Sache unterzubringen, würde kein Problem sein. Ich hatte nicht mein Ansehen als Journalist verloren, nur meinen Posten. Daß ich meinen Abschied genommen hatte, machte überall im Metier einen besseren Eindruck, obwohl ich keine Erklärung dazu verbreitet oder es sonstwie an die große Glocke gehängt hatte. Ich hatte einen kurzen Brief von Mr. Dana, dem Verleger der *Sun* erhalten, in dem er mich bat, doch einmal zu einem Plausch vorbeizuschauen. Und einer meiner Freunde beim *Telegram* hatte mir berichtet, der Verleger finde, das Blatt habe an Qualität eingebüßt, seit ich nicht mehr da sei . . . und warum hätte er das verlauten lassen, wenn er nicht wollte, daß es mir zu Ohren kam?

Es gab also jeden denkbaren Grund vorzupreschen . . . außer daß ich – hier will ich es gestehen – ich verdiente zwar Verachtung dafür, das Gefühl hatte, ich hätte . . . Zeit. Je mehr von der Geschichte ich herausbekommen konnte, desto deutlicher würde sie mir gehören. Exklusiv. Heißt das, daß ich willens war, die Interessen der Geschichte über das Leben der Menschen zu stellen, die in sie verwickelt waren? Ich bin mir da nicht sicher. Möglicherweise läßt es sich nicht rational erklären . . . aber es gibt einen Instinkt, der . . . die nicht forcierte Sinnfindung vorzieht. Der verlangt, daß jeder, der die Geschichte unserer Moral erzählt, ihr hinterherzulaufen, nicht vorauszueilen hat. Daß der Sinn, wenn es ihn denn tatsächlich gibt, nicht von Kirchenglocken verkündet werden sollte, sondern daß man seiner Lichtgeburt unter Schmerzen entgegensehen muß . . . Mag sein, daß ich das

Gefühl hatte, die Geschichte oder das, was ich von ihr wußte, nun zu veröffentlichen, wäre ein Eingriff . . . ein Eindrin-
gen des Reporters in das Reich von Ursache und Wirkung . . . und würde das Ergebnis verändern. Wenn Sie das
nicht überzeugt, sagen wir doch einfach, daß ich die Geschichte genaugenommen noch nicht druckreif fand, solange sie nicht alles enthielt. Daß es keine Geschichte gab . . .
solange ich Sartorius nicht gesehen hatte.

In Wirklichkeit habe ich, selbst nachdem diese Punkte geklärt, die Ereignisse abgeschlossen, die Rätsel gelöst waren
und ich meine Exklusivgeschichte zusammen hatte, sie niemals gebracht . . . was darauf hinweisen könnte, daß mich
die Vorahnung plagte, die Geschichte sei, selbst vollständig,
unter dem Aspekt einer Reportage . . . unmöglich . . . weil
es für den Gebrauch von Wörtern in einer Zeitung Grenzen
gibt.

Jedenfalls war ich, aus welchem Grund auch immer, ein
selbstsüchtiger Hund und veröffentlichte nichts. Ich war mit
allen am Lafayette Place befreundet . . . und ihr heimlicher
Verräter. Ich war in Abenteurerlaune und bereit, das Leben
anderer zu gefährden.

Meinem Rivalitätssinn war nicht entgangen, daß Martin
selbst wegen irgendeiner tiefen, mit seinem Martyrium zu-
sammenhängenden Läuterung, seinen Eifer, den Dingen
weiter nachzuspüren, verloren hatte. Er stellte uns keine Fragen. Er grübelte nur über seine eigenen Erlebnisse. Was mir
irgendwie zu bestätigen schien, daß meine Haltung vernünftig war.

Und nun schleppte Donne von seiner Suche nach dem
gesamten Geld der Millionäre etwas Interessantes an. Er hat-

te in der Bilanz der städtischen Wassergesellschaft für das vergangene Jahr, die im *Handbuch der Handelsgesellschaften der Stadt New York* veröffentlicht wurde, den Eintrag gefunden, daß rund zwölf Millionen Dollar über Pfandbriefe eingegangen waren, 1869 zur Finanzierung von Erweiterungsarbeiten am Croton-Aquädukt ausgegeben. Jedoch waren im Jahr 1869, wie Donne herausgefunden hatte, solche Pfandbriefe im Namen der Wassergesellschaft nicht ausgegeben worden. Und warum beließ der Ring diesen funkelnden Aktivposten in der Bilanz, wo sie doch seit Jahren methodisch ihre Einnahmen untertrieben und ihre Ausgaben aufgebläht hatten? Donne nahm an, daß dieser Posten in Wirklichkeit ein Teil der von der Bruderschaft getätigten Investitionen war. Er sagte sich, daß er nach ähnlich getarnten Posten in den Bilanzen anderer städtischer Gesellschaften suchen sollte.

Und dann kam ihm die fulminante Einsicht, die den Wendepunkt darstellte.

Eines Morgens standen wir unter unseren Regenschirmen an einem Schotterweg zwischen dem Verteilerspeicher und dem Wasserwerk des Corton-Aquädukts ... auf dem abgeflachten Gipfel eines höheren Bergs in Westchester, zwanzig Meilen nördlich der Stadt. Es war ein scheußlicher, nasser Morgen. Das massige, aus Granit errichtete Wasserwerk mit seinen zinnengeschmückten Türmchen an den Ecken und seinen aus Eichenholz gezimmerten Kathedralentoren war vom heftigen Regen schwarz gefleckt und gestreift.

Hinter uns lag das Reservoir mit seiner dunklen, weiß getüpfelten Wasserfläche. Es sah aus wie ein natürlicher See, nur daß an den Ufern die Bäume fehlten. Nicht weit von der Stelle, wo wir standen, fiel mir am Rand des Wassers das

Wrack eines hölzernen Spielzeugschiffs auf. Es lag auf der Seite und hob und senkte sich mit den kleinen Wellen, die unter den schwarz dahinrasenden Wolken an den Damm schlugen.

Donne hatte mir nur gesagt, ich solle vor Tagesanbruch ausgehbereit sein. Ich hatte nicht die mindeste Ahnung, wohin wir fahren würden. Wir waren mit dem Zug am Hudson entlang zu dem Ort Yonkers gefahren, und dort holte uns ein Wagen ab und fuhr mit uns über Land ostwärts, auf den Long-Island-Sund zu. Als wir die Landstraße zum Wasserwerk hinaufkamen, sah ich zu meinem Erstaunen eine ganze Schar von städtischen Polizisten, die rings um das Bauwerk verteilt waren.

Die Polizisten hatten zwei von ihren schwarzen Gefangenenwagen mitgebracht. Außerdem standen mehrere Broughams bereit. Die Fahrzeuge waren längs der Straße abgestellt, und die unglücklichen Pferde standen mit starren Läufen im Regen und ließen die Köpfe hängen.

Als ich dort stand und zum Wasserwerk hinaufsah, vollzog ich in meinen Gedanken langsam Donnes Erkenntnis nach. Abgesehen von drei Bullaugen hoch oben in Dachnähe war das Bauwerk fensterlos. Über den Himmel stürmten schwelende schwarze Wolken, auf die ein grünlicher Schimmer fiel, wenn sie über das Dach hinwegsegelten. Mir kam es vor, als sei alles in Bewegung, außer dem Wasserwerk. Strichregen . . . sehr tief hängende, rasch dahinziehende Wolken. Der Boden unter mir pulsierte wie von einem schlagenden Herzen. Doch das kam von der Pumpanlage des Wasserwerks. Oder etwa nicht? Ich konnte meinen Sinnen nicht recht trauen, denn ich meinte in all diesem natür-

274

lichen . . . Aufruhr Orchestermusik zu hören. Unter dem Rauschen des Regens, dem Grollen des Himmels . . . etwas beharrlich, feierlich Rhythmisches.

Donne gab einem der Polizisten ein Zeichen und näherte sich dem Eingang. Ich folgte ihm. Der Polizist pochte an das Tor, und wir warteten. Eine Minute darauf wurde geöffnet. Kein Wasserwerker stand da, sondern eine Frau in grauer Krankenschwesterntracht. Sie machte große Augen, nicht weil sie den Polizisten vor sich sah, sondern, wie ich glaube, als Reaktion auf Donnes Körperlänge, denn sie starrte zu ihm und seinem hoch in der Luft schwebenden Regenschirm hinauf. Sie schien ihn nicht zu verstehen, als er fragte, ob wir hereinkommen könnten . . . aber sie überlegte einen Moment, dann öffnete sie die Tür weit, und wir traten ein.

Wie Sie wissen, bemerken wir in Momenten, in denen unsere Aufmerksamkeit schmerzhaft geschärft ist, nebensächliche Dinge . . . wie um uns zu bestätigen, daß wir letztlich nicht verantwortlich sind. Sobald ich mich in der steinernen Eingangshalle befand . . . sie war schwach von Kerosinlampen erleuchtet wie eine Grube . . . fröstelte ich die Kühle von Grabesluft, hörte das Wasser in den Leitungsrohren mächtig zischend und tosend herabstürzen . . . und nahm auch das Hämmern unserer Absätze auf der eisernen Wendeltreppe wahr, die um eine gigantische, schmierölbedeckte Getriebewelle herum in die Höhe führte . . . am meisten aber achtete ich, während ich der Frau folgte, auf das korsettlos wogende Hinterteil unter ihrem Schwesternkleid – eine unscheinbare Frau mittleren Alters, weder schön noch imposant.

Donne und der Polizist ließen sich auf der Treppe Zeit, als

prägten sie sich den Weg Schritt für Schritt ein. Schließlich kamen wir oben auf einem schmalen Steg an, der in eine höhlenartige Kammer führte . . . auf deren Grund sich ein gewaltiges Innenbecken voll strudelnden Wassers befand . . . das wie ein fünftes Element mineralischen Dunst aufwirbelte . . . so daß ich überall an den schwarzgewordenen Steinwänden Flecken von Moos, von Flechten und faserigem Schleim wachsen sah.

Wir gingen durch dieses . . . Atrium in einen gaserleuchteten Korridor . . . und durch eine weitere Tür, die uns die Frau aufhielt und die in einen deutlich erkennbaren Raum führte. Doch der Wechsel ließ mich zusammenzucken wie bei einem Zaubertrick. Wir befanden uns in einem Vorzimmer oder Empfangsraum, wie es ihn überall geben könnte, mit weißgestrichenen Wänden, Parkettboden, Spiegel, niedrigen Tischen und einer Ziervase. Die Frau deutete auf eine Gruppe von Polstersesseln und lud uns ein, Platz zu nehmen. Aber Donne ging an ihr vorbei, wohlwissend, daß er irgendwo hier oben Dr. Sartorius finden würde.

Auf dieser Etage – der dritten? vierten? – war die Orchestermusik deutlich zu hören . . . wie bei einem Festzug, der in einer nahen Straße vorüberzieht. Donne, der mit ruckartigen Kopfbewegungen langbeinig den Korridor hinunterglitt, drohte mich abzuhängen. Die geschlossenen Türen zu mehreren Räumen ignorierte er. Eine Tür stand, wie ich im Vorübereilen zufällig sah, einen Spalt offen, und . . . flüchtig . . . streifte mein Blick eine Bücherwand, einen gemusterten Teppich auf dem Boden, eine Gaslampe und einen lesenden Mann in einem Sessel. Einige Minuten deutete ich diese Wahrnehmung nicht . . . sondern hastete hinter den Polizisten her.

Ich folgte ihnen auf einer breiten, gebohnerten Holztreppe mit geschnitztem Geländer. Sie endete auf einem kleinen Absatz und . . . vor einer doppelten Stahltür mit Radschloß. Donnes Untergebener drehte daran, zog die Tür auf, und die Musik rauschte uns mit dem Luftstrom entgegen.

Schatten von Gewitterwolken ballten sich zusammen und entschwanden über dem durchsichtig grünen Dach wie eine vorübersegelnde Armada. Das Orchestrion aus Eichenholz und Glas, so wuchtig wie die Orgel einer Kathedrale, erbebte unter seinen eigenen Klängen. Die große goldene Scheibe kreiste, hob und senkte dabei den Trommelschlegel, schüttelte die Schellen und schlug die Töne eines mechanischen Walzers an.

Auf der Fläche in der Mitte tanzten Frauen in grauer Schwesterntracht miteinander.

Unsere Ankunft unterbrach nichts. Hier und da lagen, auf einer Bank ausgestreckt, über einen Gartentisch gesunken oder in einem Fall quer auf einem Kiesweg unter einem in einen Kübel gepflanzten Baum vollständig bekleidete alte Männer. Donne ging systematisch von einem zum anderen und fühlte ihnen den Puls. Sie waren alle tot – fünf insgesamt – außer einem, der noch sein Todesröcheln ausstieß.

Die Pflegerinnen . . . oder pflegenden Gespielinnen . . . tanzten langsam ihren Walzer. Ihre Gesichter waren unermeßlich traurig. Ich glaubte, ihre Wangen seien naß von Tränen, als ich jedoch genauer hinsah, entdeckte ich, daß sich Feuchtigkeit auf ihrer Haut niederschlug und auch auf meiner, wie ich merkte, als ich mein Gesicht berührte . . . die feuchte Luft, die aus den Öffnungen in den Bodenplatten drang ... ein Film aus feinsten Tröpfchen, der wie eine ölige Substanz an der Haut haftete.

Ich empfand den Druck, unter den, drinnen und draußen, eine Welt des Wassers Tote und Lebende setzte.

Die alten Männer hatten unnatürlich dunkel verfärbte Haut, waren geschrumpft und in sich zusammengesunken wie Pflanzenschoten. Ich sah mir jedes Gesicht aufmerksam an, aber ich fand keines, in dem ich Augustus Pemberton erkannt hätte.

Wir durchsuchten die Suiten, in denen die alten Männer geschlafen hatten, und die Räume, in denen sie behandelt worden waren ... Operationsraum, Therapieräume, Apotheke. Nirgendwo ein Mensch.

Ich sagte zu Donne, in der Etage darunter hätte ich in einem Raum, der wie eine Bibliothek aussah, einen Mann lesen sehen.

Donnes Miene drückte Ratlosigkeit aus. Nicht etwa, weil die Musik mich übertönt hätte, sondern weil meine Stimme, wie ich selbst hörte, merkwürdig gurgelnd klang. Donne beugte den Kopf zu mir herunter, und ich sagte noch einmal, was ich wußte. Im nächsten Moment sauste er bereits die Treppe hinunter. In der Mitte des Korridors stand jene Tür noch immer einen Spalt offen. Donnes Untergebener stieß sie so weit auf, daß sie gegen die Wand schlug.

Sartorius blickte von seiner Lektüre auf. Er schloß sein Buch, zog seine Krawatte fester, zupfte an seinen Westenschößen ... Eine schmale Gestalt, nicht groß, aber von militärischer Haltung, ohne Hast, mit einer Aura größter Autorität. Er trug einen schwarzen Frack, eine modisch breite, locker gebundene Krawatte mit Nadel. Sein dunkles Haar war kurzgeschoren, das hagere Gesicht bartlos bis auf schwarze Koteletten, die seine Wangen umrahmten und sich unter dem Kinn fortsetzten, so daß sie wie ein Pelzkragen Hals und Kehle bedeckten. Dunkle, unerbittliche Augen, aus denen so etwas wie einsames Wissen sprach ... der dünnlippige, enthaltsame Mund ... Sartorius blickte uns mit ... strenger Unpersönlichkeit an ... zog seine Uhr aus der Westentasche und warf einen Blick darauf ... wie um festzustellen, ob wir ungefähr zu der Zeit gekommen seien, die er erwartet hatte.

Warum hatte er nicht versucht zu fliehen? Seit vielen Jahren denke ich darüber nach. Die Gesellschaft, wie gesagt, beeindruckte ihn nicht. Wie er es sah, hatte er keinerlei Beziehung zu ihr. Gewiß nicht zu ihren Gesetzen. Zu Fuß oder zu Pferd war er den schlimmsten Höllen unseres Bürgerkriegs unversehrt entkommen ... weder von Kanonen- und Gewehrkugeln getroffen, noch von den Anliegen, um die es ging. Das scheinbar endlose Gemetzel endete vor ihm auf dem Operationstisch seines Feldlazaretts ... als ein einziger, anhaltend faszinierender ... herrlich zerrissener, gebrochener, sterbender Körper ... an dem endlos etwas zu flicken war ... Sartorius mag angenommen haben, daß jene Leute aus der Stadt, die ihn gestützt hatten, ihn nun auch beschützen und dafür sorgen würden, daß er seine Arbeit wiederaufnehmen konnte ... und er somit seine Experimente, auch wenn sie unterbrochen worden waren, fortführen würde. Oder vielleicht nahm er auch nichts dergleichen an.

Aber eines will ich Ihnen sagen ... es gehört zum Wesen des Bösen, sich zu absentieren, selbst wenn es vor Ihnen steht. Sie greifen danach und haben nichts in der Hand. Vielleicht schlagen Sie sich die Hand am Spiegel blutig. Wer blickt Ihnen denn da entgegen? Vielleicht ist Ihnen mittlerweile nicht entgangen, wie schwer zu fassen meine Bösewichte sind. Dies ist eine Geschichte über Unsichtbare, über tote oder auf unbestimmte Zeit lebende Männer ... über Männer, die in ihrem selbstgeschaffenen Reich verborgen, ja verbarrikadiert hinter dicken Mauern der Stadthäuser New Yorks leben ... Sie haben sie nie gesehen, außer im Dunkeln, sie nie sprechen gehört, außer mit den Stimmen anderer ... Immer schon nutzen sie zu ihrer Tarnung meine Sprache ... Männer, die nur Namen in unseren Zeitungen sind ... mächtige abwesende Männer.

Ich weiß noch, als wir vom Wasserwerk abfuhren, war ich es, der sich umdrehte und durch das ovale, regenüberströmte Fenster des Brougham lugte ... um einen letzten Blick auf dieses grauenvolle Industriedenkmal zu werfen ... das so utilitaristisch war und doch unter seinem Dach ein wollüstiges Bewußtsein beherbergte. Ein paar Polizisten waren als Wachen zurückgelassen worden. Wir bildeten den reinsten Festzug bei unserer nassen, ruckelnden Abfahrt ... einer der Gefangenenwagen hinter uns vollbesetzt mit den tanzgeübten Pflegerinnen und dem sonstigen Personal des Wasserwerks, und der andere nunmehr eine Art Leichenwagen ... vor und hinter uns Polizisten in ihren Mannschaftsfahrzeugen ... eine Prozession im Namen von Schuld und Sühne ... nur daß Sartorius, so wie er da zwischen Donne und mir saß, sich auch bei einem Bankett mit Freunden und Bewunderern hätte unterhalten können.

»Als der junge Pemberton in meinem Laboratorium erschien, war er zunächst ganz aufgebracht ... ob nun, weil ich seinen Vater am Leben gehalten oder nicht lebendig genug gehalten hatte, war mir nicht ersichtlich. Jedenfalls war er vor moralisierendem Denken blind. Nach einer Weile begann er jedoch zu begreifen. Meine Patienten waren nur mehr unvollständig am Leben, sie hatten sich aus eigenem Antrieb für meine Zwecke zur Verfügung gestellt. Bemerkenswert sind sie bislang nur dadurch, daß sie mir bewiesen haben, wie furchtbar durchlässig der Geist ist, wie leicht eine Bresche zu schlagen ist – mit einer Droge, einer bestimmten Form von Licht, einer geringfügigen Temperaturveränderung . . . Verstehen Sie, sie befanden sich nicht alle im gleichen Zustand, als sie sich aus freien Stücken in meine Obhut begaben. Es lagen unterschiedliche Erkrankungen vor, Alter und Prognose variierten. Freilich waren alle Krankheiten letal. Dennoch habe ich sie auf ein einheitliches Existenzniveau gebracht, das ich mit meinen Verfahren senken oder anheben konnte, so wie Sie mit einer Handbewegung eine Gasflamme verstärken oder drosseln können. Ich bin nur bis zu dieser ersten Stufe gelangt, daß ich ihren Vitalapparat in Gang halten konnte, das heißt, daß sie nicht aufhörten zu atmen, ich ihnen aber keine allzu hohen Dosen von autoproduktiver Energie zuführte. Das war natürlich noch nicht das, was sie sich erträumt hatten. Andererseits hatten sie in diesem Zustand doch unbegrenzt Zeit, nicht wahr? Unbegrenzt Zeit . . .«

Donne sagte: »Augustus Pemberton haben wir nicht gefunden.«

»Ich nehme an, Mr. Simmons wird ihn fortgebracht haben . . . als offensichtlich wurde, daß . . . der Versuch nicht weitergeführt werden konnte. Von meinen Vitalisierungen

abgesehen, hat sich die interessante Erkenntnis daraus ergeben«, sagte er mit seiner verblüffend jungenhaften Stimme,
»was für enorme Verluste das menschliche Leben überstehen
kann – den Verlust von Individualität, Sprache, Willen –, ohne in den Tod überzugehen. Als Chirurg lernen Sie dies zunächst im Hinblick auf das, was weggeschnitten werden
kann. Mag sein, daß die praktische Vertrautheit mit der
Mechanik des menschlichen Körpers Zynismus erzeugt.
Wahrscheinlich aber befreit sie den Naturwissenschaftler
eher von noblen Gefühlen, von pietätvollen Regungen, aus
denen wir nichts lernen. Die alten Kategorien, die alten Be-
griffe für ein letzten Endes physisch sehr anspruchsloses,
wenngleich von sich eingenommenes Geschöpf . . .«

Ich saß mit Sartorius Schulter an Schulter . . . und spürte
seine eigene physische Anspruchslosigkeit durch das Tuch
meines Mantels hindurch.

»Dann ist er noch am Leben?« fragte Donne.

»Wer?«

»Mr. Pemberton.«

»Ich kann Ihnen nicht sagen, ob er in diesem Augenblick
am Leben ist oder nicht . . . Ohne Behandlung ist seine Zeit
begrenzt. Ich finde Ihre Besorgnis amüsant.«

»Was kommt es schließlich schon drauf an?« sagte ich zu
Donne.

Sartorius mißdeutete meine Äußerung offenbar. »Gleichgültig, in welchem Zustand sie sich befanden, boten sie wohl
kein erbärmlicheres Bild als die Leute, die Sie den Broadway
entlangflanieren oder an den Marktständen des Washington
Place einkaufen sehen, allesamt strikt von Stammesbräu-
chen gelenkt und von einem Gewebe aus Hirngespinsten,

das sie Kultur nennen . . . die Kultur wappnet weder den so durchlässigen Geist, noch ändert sie etwas daran, daß wir dem Moment unterworfen sind, dem Moment, der ohne Gedächtnis ist . . . Der Mensch, der alt wird oder lahm, hat in den Augen anderer keine Vergangenheit . . . Wer an einem Tag als tapferer Soldat auf dem Schlachtfeld steht, ist am nächsten Tag der amputierte Bettler an der Straßenecke, den wir lieber nicht ansehen.

Wir sind mit unserem Leben dem Gegenwartsmoment unterworfen, gemäß den Zyklen von Licht und Dunkel, von Wochen und Monaten. Unsere Körper haben ihre Gezeiten und sind durchströmt von meßbaren elektromagnetischen Impulsen. Es könnte sein, daß wir unter Spannung leben wie unsere Telegraphendrähte, in Feldern von Wellen jeglicher Art und Länge, von Wellen, die wir sehen und hören können, und Wellen, die wir nicht wahrnehmen, und daß das Leben, das wir in uns spüren, unsere Lebendigkeit, aus den Impulsen besteht, die diese Wellen durch uns hindurchjagen . . . Manchmal kann ich nicht verstehen, warum diese dringlichen Fragen nach der Wahrheit nicht jeden umtreiben – warum nur ich und einige wenige die Ausnahmen in der Masse von Menschen bilden, die mit ihren epistemologischen Grenzen derart zufrieden sind, daß manche sogar Gedichte darüber machen.«

Und so fuhren wir durch den Regen in die Stadt zurück.

# 24

DIES HIER IST SARTORIUS, wie ich von ihm träume . . .

Ich stehe am Rand eines Reservoirs, eines mächtigen, in ein Hochplateau eingelassenen viereckigen Wasserbeckens weit über der Stadt. Der Erdwall, der es befestigt, erhebt sich vom Boden in einem Winkel, der an die Bauweise einer uralten Kultur gemahnt, der ägyptischen vielleicht oder der Maya-Kultur. Das Licht ist schlecht, aber es ist nicht die Nacht – es ist Gewitterlicht. Das Wasser ist wie das Meer, ich höre das heftige Schlagen, das beharrliche Klatschen der Wellen gegen den Damm. Ich beobachte Sartorius, ich bin ihm hierher gefolgt. Ein Stück von mir entfernt steht er im sich verdüsternden Tageslicht und starrt auf einen Punkt im Wasser, mein schwarzbärtiger Kapitän, denn das sehe ich in ihm, einen Mann des Meeres, den Herrn über ein Schiff. Er hält seinen Hut an der Krempe fest. Der Wind erfaßt den Saum seines langen Mantels und preßt ihn gegen sein Bein.

Er weiß, daß ich ihn beobachte. Er tut so, als bestehe eine

Partnerschaft zwischen uns, als hielte er hier zu unser beider Nutzen Wache. Seine Aufmerksamkeit gilt einem Modellsegelboot, das sich im schweren Wellengang hebt und senkt, untertaucht und dann beängstigend steil wieder aus den Fluten auftaucht, die von seinem Deck strömen. Das Boot erklimmt einen Wellenkamm, taucht ein und erhebt sich wieder. Die rhythmische Wiederholung von schwankendem Aufsteigen und pfeilschnellem Niedersinken lullt mich ein. Und dann geschieht es, daß ich auf das Erscheinen des Bootes warte, und es nicht auftaucht. Es ist verschwunden. Die Katastrophe geht mir so zu Herzen, als stünde ich auf einer Klippe und hätte das Meer ein Segelschiff verschlingen sehen.

Nun laufe ich hinter Sartorius her, durch einen breiten Graben fester Erde, der zum Wasserwerk führt. Drinnen spüre ich die Kühle vom Grabenluft und höre das zischend und tosend herabstürzende Wasser. Die Wände sind aus Stein. Es gibt kein Licht. Ich folge dem Klang seiner Schritte. Ich gelange an den Fuß einer eisernen Wendeltreppe, die um eine gigantische Getriebewelle herum in die Höhe führt. Ich steige im Kreis herum hinauf, einem schwachen Licht entgegen. Ich sehe mich auf einem Steg stehen, der über ein Innenbecken voll strudelndem Wasser führt. Das Licht sickert von einem milchigen Glasdach herab. Und da stehe ich neben ihm! Er beugt sich über das Geländer, mit völlig verzücktem Gesichtsausdruck . . .

In der Tiefe, im gelblichen Gebraus von schaumigen Fluten und dem Wasser, das seinem mechanischen Joch entgegenstürzt, wird ein kleiner menschlicher Körper gegen die Maschinerie eines der Schleusentore gepreßt, seine Kleidung hat sich an irgendeinem Scharnier verfangen, und das Kind, denn es war eine Miniaturausgabe, wie das Schiff auf dem Reservoir, schlenkert umher, erst in die eine, dann in die andere Richtung, wie in stummem Protest, zitternd, bebend und durch seine plötzlichen Bewegungen den Tod belebend, der bereits von ihm Besitz ergriffen hat.

Ich merke, daß ich schreie. Dann sehe ich auf einem Vorsprung unter mir drei Männer balancieren, als hätten sie sich von dem Stein gelöst oder sich selbst aus ihm herausgemeißelt. Das sind die Wasserwerker. Sie ziehen an einem Seil, das zu einem Flaschenzug an der gegenüberliegenden Wand führt, und bewegen so eine Zugleine, die für mich unsichtbar an der Wand unter meinem Steg befestigt ist. Doch dann kommt ein weiterer Wasserwerker in Sicht, mit den Fußgelenken in einer Schlinge hängend, mit ausgestreckten Händen darauf wartend, daß man ihn in die Position bringe, um die Strömung von dem Hindernis zu befreien.

Und dann hat er ihn, hat ihn am Hemd aus dem Wasser gezogen – einen kleinen Bengel, so zwischen vier und acht, würde ich sagen, wasserleichenblau – und dann an den Knöcheln und Schuhen, und so pendeln sie beide, über der reißenden Strömung schwebend, rhythmisch hin und her wie Trapezkünstler bei ihrem Auftritt, bis sie unter mir außer Sicht geraten.

Im Freien, am Eingangstor des Wasserwerks, sehe ich Sartorius, der die eingehüllte Leiche in einen weißen Stadtomnibus lädt, auf den Kutschbock springt und mit mächtig schwungvollem Zügelknallen das Gespann in Trab setzt. Er blickt über die Schulter zu mir zurück, als der Wagen davonsaust und die glänzenden schwarzen Radspeichen verschwimmen. Er lächelt mir zu wie einem Komplizen. Am Himmel über ihm rasen schwellende schwarze Wolken in vollem Aufruhr vorüber, hier und da von rosafarbenen und goldenen Strahlen durchbohrt . . .

Letztlich durchleidet man die Geschichte, die man erzählt. Nach all den Jahren in meinem Kopf hat meine Geschichte von mir Besitz ergriffen, sie hat die physische Ausdehnung meines Hirns angenommen . . . und wie immer der Verstand auch arbeitet . . . als der eines Reporters, eines Träumers . . . dies bestimmt die Art und Weise, wie die Geschichte erzählt wird.

Hier der Schluß des Traums: Es beginnt zu regnen. Ich gehe wieder hinein. Dort regnet es auch. Die Wasserwerker teilen einen Schatz unter sich auf. Sie tragen die blaue Uniform der städtischen Bediensteten, jedoch mit Pullovern unter den Jacken und in die Stiefel gestopften Hosen. Ihre Lungen stelle ich mir ebenso pilzbewachsen vor wie die Steine. Ihre Gesichter sind gerötet, die feuchte Kälte treibt ihnen das Blut ins Gesicht, und der Dunst läßt ihre Haut stark glänzen. Sie schenken den Whiskey in ihre Blechbecher. Ich weiß, daß solche Rituale auch unter Feuerwehrleuten und Totengräbern geschätzt werden. Sie rufen mir zu, ich solle mich zu ihnen gesellen. Ich tue es . . .

Oder aber, ich habe schon vor langer Zeit begonnen, diesen Traum zu durchleiden, Jahre vor den Ereignissen, die ich Ihnen geschildert habe . . . bevor ich wußte, daß es einen Sartorius gab . . . als er . . . auf dem Wall des Croton-Reservoirs . . . wie ich nun glaube . . . mir einbilde . . . mir sicher bin – kann es denn sein? – mit dem ertrunkenen Jungen in den Armen an mir vorüberhastete. Es gibt in unserem Leben

Augenblicke, die so etwas wie Brüche oder Risse im moralischen Bewußtsein darstellen, so wie Zäsuren den gesun-
genen Vers unterbrechen, und das Auge erblickt durch die
Bresche ein paralleles Leben, ein in jeder Hinsicht entspre-
chendes, zeitgleich verlaufendes Leben, jedoch inmitten
einer noch ärger verwirrenden Welt als der unseren. Und es
ist dieses andere, chaotische Dasein ... vor dem unsere
Geistlichen uns warnen ... das unsere Träume wahrnehmen.

# 25

Gleich nachdem Captain Donne in Manhattan angelangt war, machte er von der nächsten Bezirkswache aus einen Richter ausfindig und beschaffte eine richterliche Verfügung, laut der Dr. Sartorius zur Beobachtung in das Bloomingdale-Asyl für Geisteskranke an 117th Street und Eleventh Avenue eingewiesen wurde. Die übrige Prozession zog weiter südwärts zum Zentrum, doch Donne und ich wurden mit einer Droschke zum New Yorker Hauptbahnhof in Inwood, nicht weit von Spuyten Duyvil, gefahren und nahmen einen Zug, der uns nach Tarrytown bringen würde, etwa dreißig Meilen aufwärts am Hudson gelegen. Wir waren vor Morgengrauen aufgestanden, aber Donne zeigte kein Zeichen von Ermüdung. Vielmehr konnte er kaum stillsitzen. Er lief mehrmals durch den ganzen Zug und kam schließlich auf einer offenen Plattform zwischen zwei Waggons zur Ruhe, wo er stehend den feuchten Wind einsog.

Ich wußte nicht, wie ein Polizist eine Festnahme empfindet. Mir selbst stellten sich die Dinge so dar, daß wir die

Beute ins Netz gejagt hatten ... Durch seinen unbestreitbar brillanten Verstand erschien mir Dr. Sartorius paradoxerweise wie ein wildes Tier, wie ein reines, vernunftloses Produkt der Natur. Donne aber schien an Sartorius keinen Gedanken zu verschwenden. Er wollte über die am Morgen geleistete Arbeit nicht reden. Er war zu dem Schluß gekommen, daß er wußte, wo Simmons den sterbenden Augustus Pemberton hingebracht hatte. Er zeigte sich da überaus zuversichtlich, und warum schließlich nicht? Er sagte: »Auch sie haben Gefühle. Ihre Gefühle wirken zwar wie Parodien auf die normaler Menschen ... aber letzten Endes macht wohl gerade das sie menschlich.«

Ich fühlte mich erschöpft und schwermütig. Nachdem ich das Wasserwerk von innen gesehen hatte, beklagte ich Martin Pemberton ... Er hatte Sartorius Ehrfurcht entgegengebracht, sich dann von ihm abgestoßen gefühlt ... und war dann im dunklen Kerker allein dem langsamen Hungertod ausgeliefert worden ... worin er eine Art Buße sah. Ich fragte mich, ob es nicht falsch war, mehr von ihm zu erwarten als eine anhaltende, tiefe Verstörung.

Inzwischen war Nachmittag, und es hatte aufgehört zu regnen, aber die schweren schwarzen Wolken begleiteten uns noch immer und schienen dicht über uns im gleichen Tempo mit der Hudson aufwärts fahrenden Lokomotive dahinzuziehen. In Tarrytown ließen wir uns von der Flußfähre nach Sneeden's Landing bringen, wo wir eine offene Kutsche mieteten und den Stalljungen nach dem Weg fragten ... und bald ruckelten wir auf einem Waldweg bergan und dann am westlichen Steilufer des Stroms entlang nach Ravenwood.

Der Hudson ist auf dieser Höhe ein herrlich breiter, silberner Fluß ... und als wir auf unserer Fahrt an den kahlen Felsen entlang gen Süden auf den Fluß blickten und den ungeheuren, schwarzen, aufgewühlten Himmel von Manhattan her heranstürmen sahen, da verfiel ich nicht etwa auf den Gedanken, daß dies heimisches Gelände von Augustus Pemberton war. Ich dachte vielmehr an Tweed – ich hatte das Gefühl, mit diesen Exkursionen über die Stadtgrenzen hinaus Tweeds erste Feldzüge zur Eroberung der Nation nachzuvollziehen.

In Ravenwood gelangte man von der Landstraße auf einen breiten Kiesweg, der ungefähr eine Viertelmeile weit durch Wald führte ... wo es an jenem Nachmittag sehr dunkel war, wie in einem höhlenartigen Raum ... vorbei an ein paar schemenhaften Nebengebäuden ... zu einer geschwungenen, von riesigen Hecken gesäumten Auffahrt ... zu der Eingangstreppe am Fuß des Portikus. Als dort das Pferd leicht erschaudernd stillstand und festgebunden war und wir nicht mehr das Geräusch seiner Hufe und das Knirschen der Kutschenräder auf Kies in den Ohren hatten, machte sich die stille Präsenz des pseudoitalienischen Herrenhauses bemerkbar. Unbeleuchtet lag es da. Jedes Fenster war mit Brettern vernagelt. Die große Rasenfläche, die zum Fluß hinunterführte, war von Gras überwuchert, das sich selbst erdrückte. Das Licht war schlecht – es ließ Einzelheiten des Hauses nicht erkennen, sondern nur dessen Ausmaße, die Länge der Veranden und ... während wir im Wagen sitzen blieben, ohne uns klarzumachen, daß keiner von uns es eilig hatte auszusteigen ... den dominierenden Eindruck von Reichtum.

Ich stellte mir vor, Sarah Pemberton und Noah wohnten hier. Ich sah sie in den erleuchteten Räumen und mal an diesem Fenster auftauchen . . . und gleich darauf an einem anderen.

Vielleicht bewegte sich Donne in Gedanken auf ähnlichen Bahnen . . . Es war für mich nicht zu übersehen, mit welcher Energie er auf der Suche war . . . daß dies mit Sarah zu tun hatte. Sie hatten sich aus dieser scheußlichen Sache tatsächlich eine Romanze geschaffen . . . und ich sah wohl Unerschrockenheit darin, die menschliche Fähigkeit, den abgefeimtesten Teufeleien Widerstand entgegenzusetzen, durch Gefühle die Kräfte miteinander zu vereinen, obwohl ich bezweifle, daß Donnes und Sarahs seelisches Einverständnis schon wortreich Ausdruck gefunden hatte oder sie sich bereits erklärt hatten.

Donne hatte sich in Bewegung gesetzt und ging nun die tiefe Veranda von einem Ende zum anderen ab. Ich hörte ihn versuchsweise an der Haustür rütteln. Ich hörte seine Schritte. Es wurde rasch dunkel. Ich stieg zur Flußseite aus der Kutsche und blickte den langen, dunklen Hang hinab, dorthin, wo zwischen diesem Ufer und den jenseitigen Felsen aus dem helleren Himmelsstreifen seltsamerweise ein Fluß zu erahnen war. Doch dann glaubte ich, etwa zwei Drittel den Hang hinunter, etwas Gras zu sehen.

Nach ein paar Schritten waren meine Hosenbeine durchweicht. Der Regen hatte das Gelände aufgeweicht. Da bedeutete es einen gewissen Trost, daß ich, nachdem ich ein ganzes Stück hinabgepatscht war, die Leiche von Augustus Pemberton fand, dem Fluß zugewandt auf einer Rattanliege ausgestreckt. Er – oder sie – war ebenfalls durchweicht, die dürren Beine zeichneten sich kantig unter den Hosenbeinen ab, die großen bläulichen Füße waren bloß, die Zehen deuteten zum Himmel, die Hände waren gefaltet, die Finger ineinandergeflochten . . . ein Mann, der seinen Frieden gefunden hatte . . . nach einem Leben in der Vorhölle von Wissenschaft und Geld. Der Kopf war, wie unter seinem eigenen Gewicht, zur Seite gesunken, und ich konnte an seinem Hals den Grützbeutel sehen, der sich offenbar inmitten des allgemeinen Verfalls seine Kraft bewahrt hatte. Ich fühlte mich nicht abgestoßen, ich war nur neugierig, und im schwindenden Licht konnte ich sehen, wie straff die Knochenmasse seines großen Kopfs die Haut gespannt . . . und violett verfärbt hatte . . . so daß dies kein menschliches Gesicht mehr war, dem ein Charakter innewohnte . . . und ich vermochte nicht zu glauben, daß es im Herzen einer Frau mit den Eigenschaften Sarah Pembertons Zuneigung irgendeiner Art geweckt haben konnte . . . oder besessene Faszination im Herzen des jungen Martin Pemberton. Ich versuchte den tyrannischen Willen in diesen Überresten auszumachen, aber er war dahin, mitsamt dem Vermögen.

Mit der einfallenden Dunkelheit wurde der Wind stärker. Ich rief nach Donne. Er kam heruntergelaufen und kniete sich neben die Leiche, dann stand er auf und spähte in sämtliche Richtungen, als ob etwas, das zu Augustus Pemberton gehörte, fehlte. Der Wind schien die Dunkelheit zu uns hinzuwehen. »Wir brauchen Licht«, sagte Donne und stieg mit großen Schritten den Hang wieder hinauf.

Ich blieb noch einige Minuten neben der Leiche auf der Liege stehen, als diente sie mir in dieser . . . Wildnis als Orientierung. Als Ausgangspunkt, als Lager. Ich hatte immer

unterschieden zwischen dem, was Natur ist und was . . .
Stadt. Doch das war wohl nicht länger haltbar, oder? Zu unterscheiden war nunmehr zwischen Gottes unendlichem
Walten und . . . der Nachrichtenredaktion. Ich sehnte mich
danach, auf der Stelle wieder in meiner Redaktion zu sein
und die Geschichte hinauf zu den Setzern zu schicken. Nicht
mehr in dieser Wildnis zu sein – für Wildnis war ich nicht geschaffen.

Ich empfand eine perverse Bewunderung für Mr. Pemberton . . . und für seine Kollegen von der Leichenbruderschaft,
Mr. Vanderweigh, Mr. Carleton, Mr. Wells, Mr. Brown, Mr.
Prine. Sartorius sah ich trotz seiner großartigen Leistungen
als ihren . . . Diener. Sie, nicht er, waren mit der Nachricht
den Broadway hinaufgefahren, daß . . . es kein Leben gibt,
keinen Tod, sondern etwas, das in Konkurrenz zu beiden
steht.

Und als dann die Kommission tagte, die darüber zu befinden hatte, ob Sartorius für immer in die Irrenanstalt eingewiesen oder vor Gericht gestellt werden solle, da wurde tatsächlich eben dieser Gedanke – seine Dienstbarkeit dem
Reichtum gegenüber – von Dr. Sumner Hamilton angeführt,
einem der drei Nervenärzte in der Commissio de Luncatico
Inquirendo. Aber davon wird noch die Rede sein. Donne
kam mit einer Kerosinlampe herbeigerannt, die er gefunden
hatte, indem er in einen Gärtnerschuppen eingebrochen
war. Im Schein der Lampe sah ich, daß Augustus' graue Haare weit aus der Stirn zurückgewichen waren, auf dem Schei-
telpunkt des Schädels aber buschig in die Höhe standen. »Jemand muß ihm die Augen geschlossen haben«, sagte Donne,
hob die Lampe über den Kopf und ging auf das Steilufer zu.

Nun gab es, wie ich schon sagte, eine schmale Scharte, durch die man zu einer hölzernen Treppenleiter gelangte, die an der nackten Felswand entlang zum mehrere Stockwerke tiefer liegenden Ufer hinunterführte. Bei dieser schlechten Beleuchtung sahen wir von der obersten Plattform aus zunächst nicht das zerbrochene Geländer auf halber Höhe. Wohl aber sahen wir unter uns ein Schiff, das wenige Meter vom Ufer entfernt schwankend vor Anker lag, das losgemachte Segel schleifte im Wasser.

Während ich oben wartete, stieg Donne die Treppe hinab. Ich verfolgte, wie die sich nach unten entfernende Lampe mit jedem seiner Schritte zwar selbst heller wurde, mir jedoch zusehends weniger Licht gewährte. Dann rief Donne nach mir, ich solle vorsichtig auftreten, mich möglichst nah am Felsen halten und herunterkommen ... und das tat ich. Wir trafen uns auf einem Absatz, nach etwa zwei Dritteln des Abstiegs: Hier war das Geländer völlig verschwunden und begann, abgesplittert, wieder in der Mitte der nächsten Treppenkehre.

Wir stiegen ganz hinunter und fanden einen Mann, der auf dem Rücken lag und dessen Kopf von einer Seemannskiste fast vollständig in den Ufersand gedrückt war, die er jedoch, als Gegenstand seiner Liebe, weiter fest in den Armen hielt. Donne sagte leise, das sei 'Tace Simmons. Den Kopf, der offenbar auf einen Stein unter dem Sand aufgeschlagen war, umgab ein mächtiger Fleck aus Blut und Hirnmasse. Eines der Augen war aus der Höhle gequollen. Als wir die Kiste aus den erstarrten Armen zerrten, sprang einer der Riegel, der nicht mit einem Vorhängeschloß gesichert war, klickend auf. Donne klappte den Deckel über die Scharniere an der Rückkante der Kiste auf . . . und siehe da, sie war vom Boden bis zum Rand mit grünen Notenbündeln gefüllt, mit Goldzertifikaten des Schatzamtes der Vereinigten Staaten in jeglichem Nennbetrag . . . und es gab sogar sogenannte Beinpflaster, Noten im Wert von weniger als einem Dollar. Donne bemerkte dazu, Mr. Pembertons Vermögen sei anscheinend doch nicht in ganzer Höhe dem Unternehmen Ewiges Leben zugeflossen. »Verschlagen bis zum Schluß«, lautete seine bündige Lobrede, doch ob sie dem Faktotum Simmons oder dem alten Mann oben auf der Klippe galt, blieb mir unklar.

# 26

DIE GESETZE DES STAATES NEW YORK forderten – fordern meines Wissens immer noch –, daß eine Person, die von jemand anderem als einem rechtsmäßigen Angehörigen in eine Irrenanstalt eingewiesen wird, von einer Kommission qualifizierter Nervenärzte untersucht werden muß ... die darüber zu befinden haben, ob die Einweisung gerechtfertigt ist. Sartorius hatte keine lebenden Angehörigen. Nachdem die Ärzte des Asyls in Bloomingdale seine Unterbringung in der Anstalt für geisteskranke Kriminelle des Staats New York auf Blackwell's Island empfohlen hatten, wurde eine staatlich ernannte Commissio de Lunatico Inquirendo, wie die Nervenärzte selbst diesen Ausschuß so zartfühlend nannten, einberufen. All das geschah binnen weniger Wochen. Welch unziemliche Hast von Seiten des Ärztestands! Die Commissio war kein Gericht und nicht verpflichtet, die Öffentlichkeit zu den Sitzungen zuzulassen. Ich war außer mir. Wie ich es auch anstellen mochte, ich konnte nicht teilnehmen. Eine ihrer Sitzungen beraumten sie, wie ich weiß, im Wasserwerk an, um Sartorius' Einrichtung in Augenschein zu nehmen. Sie luden Martin Pemberton als Zeugen vor ... und irgendwie schaffte es Dr. Grimshaw, den die Vorstellung, daß Sartorius sich vielleicht für seine Vergehen nicht vor Gericht würde verantworten müssen, entsetzlich quälte, angehört zu werden. Donne wurde nicht geladen, und ich auch nicht.

Über ihre Beratungen wurde nicht Protokoll geführt. Der Bericht der Commissio wurde gerichtlich zur Verschlußsache erklärt und ist bis heute nicht zugänglich gemacht worden. Lassen Sie mich Ihnen jedoch ein paar Worte über die Denkweise von Institutionen sagen. Keine Institution ... welcher Art auch immer und ungeachtet ihrer Verdienste oder Bedeutung ... denkt richtig menschlich ... obwohl sie sich aus denkenden Menschen zusammensetzt. Wäre sie wirklich menschlich, müßte sie zu Überraschungen imstande sein ... Wäre sie durch und durch menschlich, müßten alle möglichen edlen oder unedlen Motive sie bewegen. Doch der institutionelle Verstand denkt nur in eine Richtung: Er verabscheut die Wahrheit.

Den Vorsitz in der Commissio hatte Dr. Sumner Hamilton, einer der führenden Nervenärzte der Stadt. Er war ein untersetzter Mann mit gewichtigem Doppelkinn, der seinen Schnurrbart wachste und seine spärlichen schwarzen Haare quer über den Kopf von einem Ohr zum anderen kämmte. Er schätzte gutes Essen und guten Wein, wie ich Jahre später beim Begleichen der Rechnung nach unserem Mahl bei Delmonico feststellte ... wo er sich durchaus gesprächsbereit zeigte.

»Natürlich hatte ich Gerüchte über ein wissenschaftliches Waisenhaus gehört.« Hamilton hatte eine sehr tiefe, dröhnende Baßstimme.»Irgendwo weit oben am East River oder nördlich vom Central Park oder in den Washington Heights . . . Was genau daran *wissenschaftlich* sein sollte, wußte ich nicht. Andererseits kam mir ein vermutlich zur Erprobung moderner Verhaltens-, Gesundheits- oder Erziehungstheorien gegründetes Waisenhaus durchaus plausibel vor, sogar unvermeidlich in Anbetracht all dessen, was in New York vorging . . . wo alles im Wandel war, die Modernität alles vorwärtspeitschte.«

»Waren Sie Sartorius je zuvor begegnet?«

»Nein.«

»Hatten Sie von ihm gehört?«

»Nie. Aber eines kann ich Ihnen sagen, daß er ein guter Arzt war, wußte ich auf den ersten Blick. Ich meine damit, man traute ihm zu, daß er tun würde, was zu tun war. Ich spreche jetzt nicht von der Persönlichkeit. Nicht von Verhaltensweisen am Krankenbett. Sondern von seinen geistigen Qualitäten. Sehr stark, sehr dominant. Er gab Antwort nur auf Fragen, die seiner Meinung nach eine verdienten. Das ging so weit, daß wir versucht haben, Fragen zu formulieren, die er respektieren würde! Können Sie sich das vorstellen? Ich dachte mir . . . wenn ich an seiner persönlichen Gleichgültigkeit herumkratze, an der reinen Wissenschaft, die er scheinbar . . . exemplarisch verkörpert, dann bricht vielleicht etwas aus ihm hervor. Knacken wir mal ein bißchen die Schale und sehen uns an, was drunter ist. Ich habe die Vermutung geäußert, er sei einer von den Ärzten, die sich den Reichen an die Fersen heften. Davon gibt es gar nicht wenige, das können Sie mir glauben, die ihre Praxis da haben, wo das Geld ist. Ich war absichtlich grob. Ich fragte ihn, ob er nicht letztlich nur so etwas wie ein . . . medizinischer Kammerdiener sei.

Darauf sagte er – den Akzent kann ich nicht wiedergeben . . . ein Anflug von einem undefinierbaren europäischen Akzent, der ebensogut ungarisch oder slavisch oder deutsch hätte sein können – er sagte: ›Bilden Sie sich etwa ein, Dr. Hamilton, ich hätte lediglich das Ziel, bestimmte reiche Männer am Leben zu erhalten? Daß mich das als Ziel interessiert? Ich habe sie im Zusammenhang mit meinen weitergehenden Interessen am Leben erhalten, nicht als Arzt, sondern als Naturwissenschaftler. Welche Wünsche oder grandiosen Absichten sie selbst auch hegen mochten, ich habe jedem von ihnen genau erklärt, was ich anstrebte . . . daß dies nebenbei auch zu seinem Vorteil gereichen könnte . . . und genau das habe ich getan . . . Ob da der eine auf eine normale Genesung, der andere auf ein verlängertes Leben hoffte oder ein weiterer sich der Illusion von ewigem Leben hingab, war ihre Angelegenheit. Ich habe ihnen etwas geboten, wovon sie ziemlich viel verstanden . . . eine Investition. Als Objekte meiner Aufmerksamkeit eigneten sie sich nicht wegen ihrer Geisteskräfte oder weil ihr Fortleben für die Menschheit von Wichtigkeit gewesen wäre, weil sie der Gesellschaft etwas zu geben hatten oder gut und freundlich waren . . . sondern eben wegen ihres Reichtums. Diese Arbeit ist nur zu leisten, wenn sie finanziert wird. Sie erfordert Geld. Als Versuchspersonen eigneten sie sich wegen ihres Reichtums, und aus ihrer Sicht waren sie wegen ihrer Habgier geeignet – das schienen die wesentlichen Voraussetzungen zu sein, und in New York herrschte keineswegs Mangel daran. Zusätzlich aber neigte jeder meiner Herren von Natur aus zu Geheimhaltung, zu Verschwörung, alle, die diesem liebenswürdigen Kreis angehörten, waren ausgeprägte Verschwörernaturen – nicht nur, daß sie haben wollten, was ich anzubieten hatte, sie wollten es auch für sich allein haben.‹

Hat mich vielleicht an meinen Platz verwiesen, dieser Mann, das kann ich Ihnen sagen! Er war . . . beeindruckend. Hatte schon ein paar Wochen oben in Bloomingdale hinter sich. Das sah man an seinem Anzug, der war schon ziemlich mitgenommen. Sie hatten ihm nicht erlaubt, sich zu rasieren . . . und so weiter. Aber das änderte nichts. Er hatte diese aufrechte Haltung des Reiters. Ich brauche wohl kaum zu sagen, daß er sich nicht verteidigte und auch keinen Versuch machte, uns so oder so zu beeinflussen. Er hatte keineswegs vor – und ich weiß wirklich, wie geschickt manche dieser Wahnsinnigen sein können –, uns zu demonstrieren, daß er bei Verstand war. Auch nicht das Gegenteil. Wir waren dort, um ihn einzuweisen . . . oder an den Strang zu bringen. Da beides nicht wünschenswert war, schien es ihm gleichgültig zu sein, wie die Wahl ausfiel.

Aber ich ließ nicht locker . . . vergeblich natürlich. Er war nicht aus der Ruhe zu bringen. Er sagte, der Beweis für eine wissenschaftliche Hypothese bestehe darin, daß sie universal anwendbar sei. Wenn eines seiner Experimente Gültigkeit besitze, könnten andere es wiederholen und würden zu den gleichen Ergebnissen kommen. Er sagte, im Krieg habe er chirurgische Verfahren für die Versorgung der Wunden hoher Offiziere entwickelt . . . die heute Standardverfahren des Medizinischen Corps seien und bei Soldaten aller Ränge angewendet würden. Als ich ihn gezielt fragte, ob er damit sagen wolle, seine Forschungen würden eines Tages . . .

Straßenkindern zugute kommen, lächelte er und sagte: ›Sie wollen doch wohl nicht andeuten, Doktor Hamilton, daß ich mich von Ihnen und Ihren Kollegen . . . ja, in der Tat von jedem anderen in der Stadt . . . dadurch unterscheide, daß ich die Gesetze der selektiven Anpassung beachte . . . die den Tauglichsten der Spezies das Überleben garantieren?‹«

Ich fragte Dr. Hamilton: »Wie kann ein Verfahren wiederholt werden, wenn niemand weiß, daß es existiert? Martin Pemberton hat mir erzählt, daß Sartorius keine Aufzeichnungen über seine Arbeit gemacht hat.«

»Das ist nicht richtig. Wir haben die Hefte mit seinen Aufzeichnungen gefunden, Stapel davon. In einem verschlossenen Schrank in seiner Apotheke.«

»Und was ist damit geschehen? Wo sind sie?«

»Das werde ich Ihnen nicht sagen.«

»Haben Sie sie gelesen?«

»Wort für Wort. Er hat auf lateinisch geschrieben. Es war atemberaubend. Manche seiner . . . Apparate konnten wir nun verstehen, indem wir auf seine Hefte zurückgriffen. Eines kann ich Ihnen sagen: Der Mann war seiner Zeit voraus.«

»Dann war er also Ihrer Meinung nach nicht wirklich geisteskrank?«

»Nein. Doch. Mein Berufsstand war betroffen. Es gab da für uns alle . . . einen sehr kritischen Punkt in dieser Sache. Sie hatte sich mitten unter uns ereignet. Das zur Diskussion stehende Verhalten war dem Anschein nach kriminell, um das mindeste zu sagen. Sagen wir, es war kriminell. Aber es war . . . folgerichtig, wenn man die medizinischen Leistungen dieses Mannes insgesamt betrachtete. Als praktizierender Arzt war er brillant. Und er ging immer weiter! Das ist der springende Punkt . . . daß er immer weiterging . . . allerdings über die Grenzen des . . . geistig Gesunden hinaus, was immer das sein mag. Oder des Moralischen, was immer das sein mag. Aber vollkommen konsequent in bezug auf alles, was er zuvor gemacht hatte.

Meine Güte . . . was nun geisteskrank ist oder nicht . . . Ich will Ihnen sagen, bei welchem Erkenntnisstand wir als Psychiater angelangt sind: Bringen Sie mir einen alten Mann, der sein Testament macht, und lassen Sie mich ihm ein paar Fragen stellen, dann kann ich Ihnen sagen, ob er zurechnungsfähig ist. Das ist eine Aufgabe, der ich gewachsen bin. Ich bin imstande, das Personal einer Anstalt so zu schulen, daß es die armen Geschöpfe nicht mehr quält. Daß sie gutes Essen, saubere Betten und frische Luft bekommen. Daß sie dazu gebracht werden, etwas mit ihren Händen zu tun, zu stricken, zu weben oder ihre verrückten kleinen Bilder zu zeichnen. Und damit kennen Sie den heutigen Stand des psychiatrischen Wissens. Der auch durch das nette Einkommen, das es mir bringt, nicht weniger fragwürdig wird. Sartorius' Verhalten war – wie soll ich sagen? – exzessiv? Auf welchem Gedankensystem es auch beruhte, sein Verhalten war exzessiv. Wahnsinnig exzessiv. Die tiefere Frage lautete: Sollten wir die Öffentlichkeit unterrichten? Der Geist der Stadt, wenn ich so sagen darf, hatte kurz zuvor mehrere Erschütterungen erlitten. Es war recht fraglich, ob er einen weiteren Schlag aushalten könnte. Der Bezirksstaatsanwalt sagte uns de facto . . . Wenn er zurechnungsfähig ist, wird Anklage erhoben, die juristische Maschinerie kommt in Gang. Eine Vorverhandlung findet statt, und zwar in einem

Gerichtssaal. Im Gerichtssaal sitzen Vertreter der Presse . . .«

»Er stand unter Tweeds Protektion.«

»Tweed war ohnehin erledigt.«

»Also wußten Sie, daß Sartorius gesund war?«

»Nein, bei Gott, das versuche ich Ihnen doch zu erklären. Wir wußten es eben nicht. Was er getan hat – kann man das gesund nennen? *Gesundheit* ist als Begriff ungefähr so brauchbar wie . . . *Tugend.* Finden Sie doch mal eine klinische Definition von *Tugend!* Der Wein in meinem Glas hier ist ein verdammt guter Wein, ein tugendhafter Wein, so . . . süffig, daß es schon eine Tugend ist. Als Wein verhält er sich vorbildlich. Es ist ein guter, gesunder und tugendhafter Wein!«

»Sie waren dort – im Wasserwerk.«

»Ja.«

»Und welchen Eindruck hatten Sie?«

»Welchen Eindruck? Er hatte da Apparate stehen, die wir noch nie gesehen hatten . . . die er erfunden hatte. Apparate zur Transfusion von Blut. Wir wissen erst jetzt, wie man das macht. Apparate zur Messung der Hirntätigkeit. Er hat aus der Wirbelsäule Flüssigkeit entnommen und zu diagnostischen Zwecken verwendet. Er hat die Männer operiert. Er hat ihnen maligne Organe herausgeschnitten und sie an Maschinen angeschlossen, welche die Arbeit dieser Organe übernahmen. Er hat eine Methode entwickelt, mit der sich mehrere Typen von menschlichem Blut bestimmen lassen, er hat Knochenmark übertragen, um bösartige Blutkrankheiten zum Stillstand zu bringen. Nicht alles, was er . . . Es war auch eine Menge Unsinn dabei . . . Ausrutscher in metaphysischen Quatsch . . . Rein kosmetische Therapien . . .

Er hatte für diese alten Männer so vielerlei in Gang gesetzt, daß er gar nicht immer gewußt haben kann, was wirkte und was nicht. Nein, es war kein Sieg auf der ganzen Linie . . . Die letzten Eintragungen in seinen Heften . . . er hat mit Tieren experimentiert, glaube ich . . . und doch tatsächlich versucht, das Herz von einem Tier einem anderen zu übertragen.«

»Haben Sie seine Hefte verbrannt? Sie haben sie verbrannt, nicht wahr?«

»Sie haben nach meinen Eindrücken gefragt. In diesem überdachten Park, den Sartorius dort hatte, habe ich mich auf eine Bank gesetzt und . . . so sicher war ich mir nicht, ob ich mich nicht bereitwillig seinem . . . Genie überlassen hätte. Eine dieser Frauen um mich zu haben, die sich um alle meine Bedürfnisse kümmerte . . . in dieser Idylle, diesem Himmel der Wissenschaft zu leben, irgendwie dumpf und gedankenlos glücklich in dem festen Glauben, ich würde verjüngt für . . . ein ewiges Leben . . . Ich saß da in diesem Treibhaus . . . diesem stillen, gepflegten, industriell erzeugten Paradies – ich verrate Ihnen, woran es mich erinnerte: an das sehr ruhige, angenehme Bahnhofslokal einer europäischen Kleinstadt – und dachte, doch, wenn ich den Mut hätte, würde ich genau so handeln wie diese alten Schurken. Ganz genau so.«

Ich sagte: »Dr. Sartorius hat Kindern Blut, Knochenmark und . . . Drüsensubstanz entnommen, um das Leben dieser älteren, unheilbar kranken Männer zu verlängern . . .«

»Ja.«

». . . die ihm ihre Vermögen in der Hoffnung übereignet haben, sie könnten . . . sich ihrer Sterblichkeit entziehen.«

»Ja.«

»An ihrer Stelle sind Kinder gestorben.«

»Niemals durch seine Hand.«

»Was?«

»Nicht in Folge von einem seiner Eingriffe. Entweder holte er sie sich nach einem Unfalltod, oder, wenn er mit lebenden . . . Sündern arbeitete, wie er es später tat . . . starben die, die starben, an Angst. An einer unerfindlichen . . . Schwäche des . . . Überlebensinstinkts. Physisch ist die Gesundheit der Kinder nie geschädigt worden. Das hat Sartorius erklärt. Und es ist aktenkundig, wie gut sie im Heim für kleine Wandersleute versorgt worden sind.«

Dr. Hamiltons Augen waren blutunterlaufen und funkelten böse. »Jetzt sagen Sie doch mal selbst, McIllvaine, da Sie sich doch so rechtschaffen vorkommen – wie wir es geregelt haben, hat es doch funktioniert, oder? Die Zivilisation ist gerächt, oder?« In seiner ganzen Massigkeit hing er über dem Tisch, auf die Ellbogen gestützt, so daß sich seine Ärmel über den wulstigen Armen spannten, die Hände am Gelenk gekreuzt. »Ich nehme an, Sie sind so etwas wie ein Historiker. Da erinnern Sie sich vielleicht noch an die Ärztetumulte . . . als der Pöbel Jagd auf die Medizinstudenten machte und sie lynchen wollte, weil sie in ihren Anatomiekursen an der Columbia University Leichen sezierten?«

»Das war vor hundert Jahren.«

»Sie wollen doch nicht behaupten, daß wir sehr viel weiter sind, oder?«

# 27

Ich bin mir vollauf bewusst, daß Sie in der Geschichte, die ich Ihnen erzählt habe, vielleicht nichts anderes sehen als ein kunstvolles Abbild . . . meines Wahnsinns. Das wäre durchaus begreiflich. Ich bin nun ein alter Mann und muß einräumen, daß mir die Wirklichkeit entgleitet, als hätten sich an einem Zahnrad Zacken abgeschliffen . . . Namen, Gesichter, selbst die der Menschen, die einem nahestehen, werden fremd, wundervoll fremd, und die alltäglichste Szene, die Straße, an der man wohnt, erscheint einem eines sonnigen Morgens als das zum Monument erstarrte Vorhaben von Männern, die für Erläuterungen nicht mehr zur Verfügung stehen . . . Sogar Worte klingen anders, und Dinge, die man einmal wußte, lernt man unter Staunen neu, bis man entdeckt, man wußte einst so viel über sie, daß man sie nicht zur Kenntnis nahm. Wenn wir jung sind, können wir uns nicht vorausschauend darauf einstellen, daß wir just an dem, was im Leben so selbstverständlich vorhanden ist, mühselig festhalten müssen, wenn wir älter werden . . . Und die Zeit entfremdet uns dem Glauben, der uns allen – Frommen und Ketzern gleichermaßen – geschenkt ist: daß wir geboren sind, um ein Leben in Lust oder Leid, Glück oder Verzweiflung, doch stets von großer moralischer Bedeutung zu führen.

Gleichwohl lebe ich in dieser Wohnung am Gramercy Park nun schon seit vielen Jahren und bin bei den Leuten in der Nachbarschaft als ein seiner Sinne mächtiger, zuverlässiger, wenn auch gelegentlich schwieriger oder launischer Bürger bekannt. Ich bin nicht übertrieben bescheiden . . . gewiß insofern, als mich über lange Strecken meines Lebens die Ergebnisse, die ich dem unsicheren Geschäft des Zeitungsmachens abgewann, befriedigt haben. Wenn ich verrückt wäre, wollte ich dann nicht etwas? Wahnsinn kommt mir wie eine Form der Zudringlichkeit vor, wie ein Zerren am Ärmel. Im Ernst, ich wüßte nicht, welchen Wert dieser Bericht für meinen Wahnsinn, sollte es ihn geben, hätte, da ich von keinem, der ihn hören möchte, das mindeste verlange. Ich brauche nichts und bitte um nichts. Sorge macht mir nur . . . meine einzige Sorge ist, daß ich mich der Erzählung so vollständig hingegeben habe, daß mir sehr wenig Lebenszeit für alles andere bleibt, was ich noch vorhaben könnte . . . und daß – wahrhaftig ein unheimliches Gefühl –, wenn die Geschichte endet, auch mein Dasein endet.

Nun, um dem Ende näher zu kommen, möchte ich hier sagen, daß ich, als Sartorius zu lebenslänglicher Verwahrung in die Anstalt für geisteskranke Kriminelle eingewiesen wurde, das Gefühl hatte, es sei ihm eine seltsame Ungerechtigkeit widerfahren . . . der Mann einen Prozeß verdient habe. Natürlich auch aus eigennützigen Gründen: Wäre ein öffent-

liches Prozeßprotokoll entstanden, hätte ich Material zur Erhärtung meiner Exklusivgeschichte gehabt . . . obwohl ich
mittlerweile noch ehrgeizigere Überlegungen anstellte und
nicht nur die Fakten bekannt machen, sondern die ganze
Geschichte auf den Seiten eines Buches mitteilen wollte.
Sollten die Tageszeitungen ruhig über den Prozeß berichten,
ich wäre dann imstande, deren Skizze mit allem auszufüllen,
was ich wußte, bis ins kleinste Detail, von Anfang an. Die
Zeitungen würden mir den Auftakt liefern. Doch darüber
hinaus schwebte mir vor . . . das Ritual zu erfüllen, durch das
wir uns . . . zu dem bekennen konnten, was wir waren. Zugegeben, es mag sentimental sein zu glauben, daß eine Gesellschaft zu der spirituellen Läuterung fähig ist . . . sich irgendwie selbsterzieherisch emporzuziehen . . . wenigstens um
eine Sprosse . . . dem moralischen Licht entgegen. Daß wir
wie eine Gemeinde von Bürgern auf die Knie fallen und
unsere Kinder um uns scharen würden. In Wirklichkeit geschieht etwas anderes: Wir schieben unsere Verderbtheit beiseite, geben ihr die Gestalt unserer . . . Angeklagten und
wenden uns ab. Und dennoch hatte ich diese untypisch sen-
timentalen Empfindungen . . . in einem Maße, daß ich mich
fragte, ob nicht auch ich an einer – Gott stehe mir bei – krank-
haften Sympathie für Sartorius litt, ein Echo von Martin Pembertons Sympathie für ihn.

Zudem befand ich mich in einem unerwarteten Bündnis
mit Dr. Grimshaw, der überall für ein Gerichtsverfahren zu
trommeln versuchte. An ritueller Erbauung war er nicht
interessiert. Er wollte, daß der Mann gehängt wurde. Die
Schwierigkeit bestand darin, daß man Sartorius inzwischen . . . offiziell zum Insassen einer Irrenanstalt erklärt

hatte. Das war seine Identität, das war er . . . und anscheinend wurde damit alles übrige gelöscht, was mit ihm zusammenhing. Solche Leute sind ohne Vergangenheit, so . . . defi-
nitiv ist ihre gegenwärtige Lage. Die ganze Sache war fast
lautlos abgewickelt worden . . . kooperativ. Die Ärzte, die
städtischen Behörden, die Bezirksstaatsanwaltschaft, alle
waren sich – wenngleich jeweils aus eigenen Gründen – einig
gewesen, daß die Lösung zwingend in dieser doch recht . . .
verfassungswidrigen Lösung bestand. Sogar die wenigen
Außenstehenden, denen die Geschichte oder ein Teil davon
zu Ohren kam, fanden sie angesichts des politischen Feuer-
werks nebensächlich: Tweeds rechte Hand, Conolly, der
Schatzmeister, hatte der öffentlichen Untersuchungskom-
mission seine Kooperation angeboten. Andere Mitglieder
des Tweed-Rings waren ins Ausland geflohen. Und ein großes Geschworenengericht war gebildet worden, das Zeugen
anzuhören und Anklage zu erheben hatte.

Hier muß ich noch sagen, daß der geschätzte Captain
Donne mich in dieser Frage enttäuschte. Er saß nun wieder
hinter seinem Schreibtisch in der Zentrale an der Mulberry
Street und empfing Bittsteller; die Hände hatte er vor sich
auf dem Schreibtisch gefaltet, das lange Gesicht zwischen
den hochstehenden spitzen Schultern gesenkt. Ich schloß
mich unserem Freund Grimshaw an und appellierte an
Donne, mit uns einen Antrag auf richterlichen Vorfüh-
rungsbefehl zu stellen . . . der erste Schritt zu einem ord-
nungsgemäßen juristischen Verfahren. Er war dazu nicht
bereit.

»Ich meine, der Gerechtigkeit ist Genüge getan«, sagte er.

»Wie das«, fragte Grimshaw, »wenn der Mann noch am

Leben ist und weitere mörderische Übeltaten begehen kann?«

»Waren Sie jemals auf Blackwell's Island, Reverend?«

»Niemals.«

»Was wir erwirkt haben, mag verfassungswidrig sein . . . es ist nicht das vorgesehene Verfahren, aber mehr Gerechtigkeit könnten Sie sich nicht wünschen.«

Ich sagte: »Nur daß die Rechte der Gesellschaft beschnitten worden sind.«

Donne sagte: »Wenn es zum Prozeß kommt, muß er angehört werden. Jeder Anwalt sähe die einzige Verteidigungschance darin, ihn aussagen zu lassen. Auf seine perverse Art könnte er argumentieren, daß die Unterbrechung seiner Arbeit durch uns seinen Patienten das Leben gekostet habe. Und wie Sie wissen, sind unsere Beweise weitgehend . . . zufällig. Zumindest werden seine Ideen gehört, wird seine . . . Genialität beachtet werden. Ich kann nicht glauben, daß dies für eine christliche Gesellschaft von Nutzen wäre«, sagte er und richtete seinen Blick fest auf Grimshaw.

Daß auch Edmund Donne seine Grenzen hatte, werden Sie von mir nicht hören. Vielleicht war er der Ansicht, daß letztlich die Rechte der Gesellschaft respektiert worden waren . . . daß unser kleiner, ad hoc gebildeter, Schnitzer machender Kreis schwacher Wähler es irgendwie, auf krummem oder geradem Wege, geschafft hatte, unsere Stadt von diesem . . . Alptraum zu befreien. Wir hatten es zuwege gebracht. Grund genug für eine gewisse Befriedigung. Einem jungen Mann war das Leben gerettet worden. Eine Familie war wieder in die ihr angemessenen Verhältnisse eingesetzt worden. Und währenddessen hatte Donne ein Antlitz gefunden, in das er blicken konnte . . . das er schon einmal geliebt hatte . . . oder nun neu entdeckte . . . das er jedenfalls für den Rest seines Lebens an jedem Tag und in jeder Nacht zu sehen hoffte.

Darum werde ich nicht behaupten, Donne hätte das Ausmaß der Verschwörung falsch eingeschätzt – daß sie nicht nur ein Einvernehmen von Geld, Regierung und Wissenschaft darstellte, sondern eine tiefreichende . . . Zerrüttung der natürlichen Abfolge von Vätern und Söhnen. Nicht so sehr das Christentum war gefährdet, vielmehr drohte eine größere bodenlose Gefahr . . . von der mir die Augen brannten, wenn mein Blick nur flüchtig darauf fiel.

Eine Tages setzte ich vom Pier an der Fifty-ninth Street nach Blackwell's Island über. Die Fähre war nur ein offenes, an den Seiten mit Schaufelrädern versehenes Boot, angetrieben von einer kleinen, mit Kohle beheizten Dampfmaschine auf dem Deck. Mühsam hielt die Fähre den Kurs gegen die starken Zickzackströmungen des East River. Das Wetter war rauh – wir hatten November, den Monat, in dem die eisigen Winde einen tief in den Mantel kriechen lassen und einem frostig klar das Alter der Knochen anzeigen. Auch wenn es der Spannung zuwiderläuft, sollte ich außerdem erwähnen, daß ich wohl nicht der einzige Mensch gewesen bin, der Sartorius besucht hat, gewiß aber der letzte, bevor er von einem seiner Kollegen in kriminellem Wahnsinn einige Tage darauf ermordet wurde.

Er trug den gürtellosen grauen Kittel, mit dem die Insassen dort bekleidet wurden. Seine schwarzen Augen blickten scharf und klar durch das unpassende Pincenez, das auf seinem Nasenrücken saß . . . aber sein Kopf war geschoren, er

312

war bartlos . . . und er hatte bei der klirrenden Kälte in den Katakomben nichts an den Beinen . . . so daß er mich an ein . . . Gartengeschöpf gemahnte . . . an etwas Haarloses, das ganz Auge ist. Ich sah ihn durch Maschendraht, der vom Boden bis zur Decke an Eisenstäben befestigt war. Sartorius saß ganz ruhig auf einer Bank inmitten einer sich ständig bewegenden, brabbelnden, stöhnenden, aufgebrachten Gesellschaft von Irren, von denen manche in Zwangsjacken, andere in Handschellen waren. Man hielt diese Leute dort nicht in Zimmern, sondern in einer scheinbar endlosen Flucht von Hallen mit Fensterluken hoch oben an den Wänden und gewölbten, mit ockerfarbenen Ziegelsteinen verkleideten Decken. In dem hohen Raum über den Insassen vereinten sich ihre gekreischten, gebrüllten und geschrienen Verzweiflungslaute wie in einem gebetdurchraunten Dom. Aber es war eine Anstalt, verstehen Sie, und daher schien es Sartorius dort durchaus zu behagen . . . diesem Arzt, der nach eigenen Plänen errichtete Feldlazarette, Operationssäle und Institute geleitet hatte. Er saß da und beobachtete . . . Selbst wenn ich nicht gewußt hätte, wer er war, hätte ich mich auf ihn konzentriert, weil er sich als einziger nicht bewegte . . . nicht umherschlurfte oder eine imaginäre Zelle durchmaß, nicht den Blick zum Himmel hob, nicht ruckte, zuckte, kicherte oder sabberte, nicht auf dem Boden lag und die Arme schwenkte wie ein Schwimmer, nicht gräßlich lachte, nicht endlos weinte.

Ein dicker Feuerwehrschlauch war an der Wand des schmalen Korridors angebracht, in dem ich stand. Der beißende Anstaltsgeruch stieg mir in die Nase – von der Ammoniaklösung, mit der Böden und Wände regelmäßig abgewaschen wurden. Der Wärter, der mich hereingeführt hatte, schlug mit seinem Knüppel an die Eisenstäbe, um Sartorius auf mich aufmerksam zu machen. Verwirrend bei unserem dann folgenden Zwiegespräch war die unerschütterliche Gelassenheit des Arztes. Er fragte mich, warum ich gekommen sei. Ich merkte, daß ich mich lächerlich geschmeichelt fühlte, weil er mich erkannt hatte. Ich sagte: »Ich möchte Ihnen, wenn möglich, zu einem Auftritt vor Gericht verhelfen.«

»Das wäre nur Heuchelei. Ich respektiere die eigennützigen Interessen hinter diesem Notbehelf«, sagte er und deutete in die Halle. »Das entspricht mehr der Gesellschaft. Im übrigen habe ich nicht die Absicht, mich noch lange von den Menschen hier fernzuhalten. Sobald ich sie verstanden habe, beabsichtige ich, an ihren Ritualen teilzunehmen . . . Sollten Sie also in einem Monat wiederkommen, werden Sie feststellen, daß ich von allen anderen hier nicht mehr zu unterscheiden bin.«

»Wozu das?«

»Für meine Experimente habe ich kein anderes Laboratorium als mich selbst.«

»Und welcher Art sind diese Experimente?«

Er gab keine Antwort. Hinter dem dichten Drahtgeflecht erschien er schraffiert wie ein Stahlstich. Er kehrte mir den Rücken zu und verschränkte die Arme, so daß wir zusammen all die Verrückten betrachteten, er von innen, ich vom Korridor aus. »Sehen Sie die Vergeudung?« fragte er. »Wie die Natur überallhin vorstößt, endlos wühlt, mehr hervorbringt, als sie braucht . . . ausschweifend, überaus verschwenderisch und selbstverständlich unempfindlich gegenüber den Qualen ihrer . . . Spezimen. Stets bereit, die

Form zu ändern, zu experimentieren, sich in neuer Gestalt, mit neuem Daseinsmodus, neuer Mentalität darzubieten.«

»Ich habe die Absicht, über das . . . soeben abgeschlossene Experiment zu schreiben«, sagte ich.

»Wie Sie wollen«, sagte er. »Aber das wird noch lange Zeit nicht möglich sein.«

»Warum nicht?«

»Weil Ihnen noch die Sprache dafür fehlt. Und die werden Sie erst haben, wenn Ihre Stadt bereit ist, Sie zu verstehen.«

Ich sagte: »Ich bin froh darüber, daß ich ein wenig dazu beigetragen habe, Sie daran zu hindern, weiterzuarbeiten. Haben Sie dazu noch etwas zu sagen?«

Er zuckte mit den Schultern. »Das ist vorbei.«

»Dennoch, ich glaube nicht, daß Sie meinen Namen kennen.«

»Ich brauche ihn nicht.«

»Wußten Sie eigentlich, daß wir Augustus Pembertons Leiche gefunden haben?«

»Lange konnte er nicht mehr leben.«

»Wie haben die Leute von Ihrer Arbeit erfahren? Sie war doch geheim. Wie hat ein krankender, sterbender Augustus Pemberton davon gehört?«

»Das müssen Sie andere fragen. Sie stehen alle untereinander in Verbindung, diese führenden Männer der Stadt. Ihre Quelle war die Stadt. Mr. Simmons hat gute Kontakte. Er wird wohl davon gehört haben.«

»Simmons ist ebenfalls tot – wußten Sie das?«

»Ich meine, ja. Ein fähiger Bursche. Er hatte sich Pembertons wegen an mich gewandt. Ich war von ihm beeindruckt.

In der damaligen Situation brauchte ich in administrativen Dingen Unterstützung. Die Leute von der Stadtverwaltung haben ihn mir als tüchtige Kraft empfohlen.«

»Bedauernd Sie seinen Tod? Bedauern Sie den Tod Ihrer Mitarbeiter – sicherlich den von Wrangel, der im Krieg unter Ihnen gedient hat?«

»Darüber spreche ich nicht.«

»Habe ich recht, wenn ich vermute, daß Moral Ihrer Ansicht nach . . . ein Atavismus ist?«

Für mindestens eine Minute sagte er nichts. In der Zwischenzeit lauschte ich der Volierensymphonie von Blackwell's Island, die sich aus Kreisen, Schreien, Zetern, Trillern, Brüllen und schallendem Gelächter zusammensetzte. Dann sagte Sartorius sinngemäß Folgendes: »Ich bin davon überzeugt, daß alles Leben zufällig ist, von den ersten autonomen Entwicklungsstadien des Organismus bis zur Beliebigkeit seines Gestaltwandels. Wenn wir über unsere biologische Geschichte eines wissen, dann, daß sie akzidentell ist . . . und mit einem zufälligen Umstand eingesetzt hat. Also müssen wir uns von unseren poetischen . . . Eitelkeiten lösen. Zur Orientierung liegt uns jetzt die Tabelle des periodischen Systems der Elemente vor, doch damit beginnen wir erst in sehr groben Zügen all das zu verstehen, was an komplexen Formen des Lebens nicht sichtbar ist. Uns liegen die Werke der beschreibenden Naturwissenschaftler vor, die immer nach Einteilungsprinzipien suchen – daß dieses Lebewesen jenem Lebewesen ähnlich ist, daß sie in Gruppen oder Familien vorkommen –, wodurch die scheinbar unendliche Mannigfaltigkeit von Leben auf der Erde bereits ein Stück weit vereinfacht wird. Aber das veranschaulicht nur unsere Beschränktheit als wahrnehmungsfähige Wesen. Die allem Lebenden gemeinsame Morphologie ist vielleicht nicht bemerkenswerter als das, was wir seit kurzem als Zelle identifizieren, die nur mittels eines Mikroskops zu sehen ist. Und wenn wir deren Struktur und Funktion erkannt haben, steht uns bis zur Wahrheit noch immer eine lange Reise bevor. Die Wahrheit steckt so tief im Inneren, ist so innerlich, daß sie in totaler Blindheit operiert – wenn man dieses Verb hier verwenden kann –, in totaler Gleichgültigkeit einer Welt gegenüber, die uns Trost spenden könnte oder in der wir Schönheit oder die Hand Gottes entdecken könnten; von einem Punkt aus, an dem das Leben seine ersten schwachen Fünkchen des Empfindens schlägt . . . aus dem Aufeinanderprallen unbelebter Dinge . . . aber wo die Entität sehr heiß oder sehr kalt ist, gasförmig, glühend, empfindungslos, leblos und vollkommen . . . geistlos . . . wie im schwarzen All. Die Philosophie stellt die richtigen Fragen. Aber es fehlt ihr die für die Antworten notwendige Ausdrucksweise. Nur die Naturwissenschaft kann die Ausdrucksweise für Antworten finden.«

»Ist es nur eine Frage der richtigen Ausdrucksweise?«

»Ja, schließlich werden wir die Sprache, die Formeln – oder vielleicht das Rechensystem finden . . . die Gott entsprechen.«

»Und auf Gott selber und seine Antworten kann man sich nicht verlassen?«

»Nicht auf Gott in seiner gegenwärtigen Zusammensetzung.«

Nicht auf Gott in seiner gegenwärtigen Zusammensetzung! Ich sollte erwähnen, daß . . . zu jener Zeit das Inter-

view noch keine klar umrissene journalistische Form war . . .
Als solche entstand es erst einige Jahre später . . . erst als
durch das Telephon die Leute für Reporter leichter zugänglich wurden und wir Stellungnahmen routinemäßig einholen konnten, ohne den Leuten durch die ganze Stadt nachlaufen zu müssen. Also hatte ich, als ich Sartorius Fragen
stellte und er mir antwortete, wohl kaum das Gefühl, eine
besondere Form von Journalismus zu betreiben . . . aber ich
war doch so gewitzt, mir gleich nach meinem Besuch dort
jedes in diesem . . . Interview gefallene Wort aufzuschreiben,
an das ich mich erinnern konnte. Jedes Wort zumindest, das
ich bei dem Krach dort verstehen konnte.

Im Vergleich dazu gebe ich Ihnen nun etwas wieder, das
ich verbatim im Gedächtnis habe, da ich es lesen und mir einprägen konnte – mir einprägen mußte, so köstlich war es . . .
gelegentlich habe ich es bei Gesellschaften vorgetragen . . .
Es ist die Aussage eines Kubaners aus der Provinz, eines
Fischers namens Merced, aufgezeichnet von Leutnant Fore-
baugh von der U.S.-Marine, Kommandant des Kanonen-
boots *Daniel Webster.* Sie jagten Bill Tweed durch den kubani-
schen Dschungel nach, müssen Sie wissen . . . Tweed war
aus dem Gefängnis entkommen und nach Kuba geflohen.

Das Folgende ist natürlich eine Übersetzung: »Ich sehe
ihn an Land waten, er ist ein Weißer von großem Leibesumfang, mit ungekämmtem Bart und ganz zerrissener Kleidung. An einem Strick zieht er seine Piroge auf den Strand.
Er klatscht nach den Moskitos und hopst umher. Er hat kein
Paddel, keinen Proviant, keine Schuhe, aber aus der Hosen-
tasche zieht er einen nassen, zerknitterten grünen amerikanischen Dollar und verlangt etwas zu trinken. Ich gebe ihm

Wasser. In seinen Augen winden sich die Schlangen der Verzweiflung. Er nimmt ohne Not den Namen des Herrn in
den Mund. Was für ein Land ist das hier, etwas zu trinken,
habe ich gesagt, du unwissende schwarze Person ohne Vor-
fahren. Ich ermutige ihn nicht in seinem schlechten Beneh-
men und gehe zu meinem Haus und lasse meine Kinder
nicht hinaus. Er sitzt den ganzen Tag draußen auf dem Sand,
und von Zeit zu Zeit hören wir ihn jammern, und meiner
Frau ist klar, daß er eine arme, geplagte Seele ist. Sie hat ein
sanfteres Wesen als ich, und erst bekreuzigt sie sich, dann
bringt sie ihm etwas Fisch und Reis und Bohnen und ihr
ganzes Fladenbrot. In seiner zerfetzten Hose findet er noch
einen feuchten Dollar und schenkt ihn ihr. Der Mann ist
kein Christ. Jedesmal, wenn wir uns um ihn kümmern,
zieht er einen feuchten Dollar heraus. Und außerdem, was
mache ich mit so wertlosem Geld? Er sagt: Weißt du, wer
ich bin? Unsere Vögel interessieren ihn. Er sieht den Silber-
reiher am Ufer, er sieht die Papageien in den Bäumen und
die weißen Schnepfen und die tauchenden kleinen dick-
köpfigen Vögel, die im Fluß fischen, und die rotblauen
Vögel, die sich zum Trinken mit den Schnäbeln in die Blüten hängen, und die interessieren ihn sehr, weil er hin- und
hergeht und ihnen ihre Schreie zuruft, nur schlecht, twiit-
twiit, macht er immer wieder, ich bin twiit, und das bedeutet gar nichts, aber er ist eben eindeutig verrückt. Er hat eine
verarmte Sprache, aber großartige Vorstellungen. Vom Sil-
berreiher sagt er, in seiner Stadt tragen lose Frauen sie als
Hüte. Ich wünsche nicht, daß meine Frau das hört, und
schicke sie ins Haus. O ja, sagt er, meine Stadt ist die Stadt
Gottes. Und die Frauen sind schön, die Hüte aus Vögeln tra-

gen. Und er erzählt wahnsinnige Geschichten. Daß sie in dieser Stadt seines Gottes Gasexplosionen zum Brennen bringen, um die Nacht hell zu machen, damit die Damen mit den Vogelhüten ausgehen und die Männer mit Vogelrufen rufen können. Und sie haben brennende Räder, die Männerarbeit machen und ungeheuer schwere Lasten auf silbernen Pfaden ziehen, ohne Ochsen oder Maultiere davor . . . und andere Räder schneiden das Getreide und weben das Tuch und nähen wie Schneider, alles nur brennende Räder. Und die Häuser sind nicht wie meins aus Pfählen und Stroh, sondern aus einem Material, das aus Feuer gemacht ist, härter als Stein. Und aus diesem Material bauen sie Häuser, höher als Berge, und Brücken, die Flüsse überqueren. Er ist ein wunderbarer Verrückter, und er sagt, er ist der Gott in der Stadt, wo es keine Dunkelheit gibt und die Frauen Vögel tragen. So redet er. Meine Kinder spielen um ihn herum und haben keine Angst, weil er sie sieht und lacht und Kunststücke für sie macht, und dann weint er, so sehr liebt er Kinder. Er schenkt ihnen auch einen zerknitterten Dollar. Also ist er ein armer Verrückter. Er sagt, er geht nach Santiago und dann über das Meer. Bevor er fortgeht, zieht er noch einen Dollar heraus und wirft ihn auf das Wasser, und er winkt aus seiner Piroge, als er den Fluß hinuntertreibt . . . auf dem man natürlich nicht nach Santiago kommt!

Und das letzte, was ich noch weiß . . . er sagt . . . in seiner Stadt Gottes kennen sie das Geheimnis des ewigen Lebens . . . und wenn er in die Stadt zurückgeht, wird er gesalbt, um ewig zu leben.

Und er winkt und sagt noch mal, er ist der Vogel, der

twiit-twiit macht, nur brüllt dieser Vogel jetzt wie ein wildes Tier, und wir hören ihn sogar noch brüllen, nachdem er da unten an der Flußbiegung aus der Sicht verschwindet. Er war ein wunderbarer Verrückter.«

# 28

Doch letztlich habe ich nach alledem von unserer Stadt gesprochen. Eines Tages wurde Sartorius der Kopf auf dem steinernen Anstaltsfußboden eingeschlagen, und zwar mit solcher Wucht – da sein Angreifer jene Kraft hatte, wie sie nur ein Wahnsinniger im Tobsuchtsanfall besitzt –, daß der Schädel wie eine Eierschale nachgab und das Hirn . . . es gibt kein anderes Wort dafür . . . auslief. Wodurch genau er Anstoß erregt hatte, wurde nie herausgefunden . . . vielleicht durch einen Behandlungsversuch . . . jedenfalls war er, wie sein ganzes kunstvolles Werk unsterblicher toter Männer, für immer ruhiggestellt. Er wurde auf dem Töpferfeld auf Hart Island beerdigt, einer der Bronx-Küste vorgelagerten Insel im Sund.

Augustus Pemberton wurde im Rasen von Ravenwood beerdigt, wo er gestorben war. Dies setzte die Genehmigung der abwesenden Eigentümer voraus, einer Firma, die Immobilien veräußerte und erwarb . . . und es war die Idee seiner Witwe Sarah, die sich wie niemand sonst in das Bedauernswürdige an dem brutal selbstsüchtigen Leben ihres Gatten einzufühlen vermochte.

Eustace Simmons wurde in einem Gemeindegrab in Rockland County beigesetzt. Wie Sartorius hatte er offenbar keine lebenden Verwandten, auch der getreue ochsenhafte Wrangel nicht. Alle waren sie auf diese oder jene Weise alleinstehende Männer ohne Familienbande . . . wie übrigens auch Donne, Martin Pemberton und ich.

Ich weiß nicht, ob die verstoßenen Familien der Mitglieder der Leichenbruderschaft je benachrichtigt wurden . . . noch, wo die alten Männer bestattet, oder ob Teile des Kapitals, das sie zu ihrem ewigen Heil beigesteuert hatten, jemals wieder aufgefunden worden sind.

Die Seemannskiste, die Simmons erschlagen hatte, enthielt ein Vermögen – um die eineinhalb Millionen Dollar. Dieses wurde Sarah Pemberton als der ihr gebührende Anteil übergeben, ohne – bitte seien Sie nicht schockiert – allzu gewissenhafte Beachtung der Erbschaftsgesetze.

In jenem Winter war ich Gast bei zwei Hochzeiten, die im Abstand von einer Woche gefeiert wurden. Martin Pemberton und Emily Tisdale wurden ihren Wünschen gemäß im Freien getraut, auf der Gartenterrasse des Hauses der Tisdales am Lafayette Place. Dr. Grimshaw, der im Laufe all dieser Ereignisse sein spirituelles Leben zu stetiger und anhaltender Mißbilligung jedes Menschen und jeder Sache auf Erden vereinfacht zu haben schien, vollzog die Zeremonie mit seiner niedlichen kleinen, von Kälte geröteten Nase, an deren Spitze eine Perle klarer Flüssigkeit hing. Die Braut trug, ihrem praktischen Naturell gemäß, ein weißes Satinkleid mit einem Spitzenschal um die Schultern . . . sehr schlicht in der Linienführung, ohne unziemlichen Zierrat, und einen denkbar schlichten Schleier, der wie ein himmlisches weißes Blatt auf ihrem Haar lag. Letzte echte, irdische Blätter, orange, gelb und braun, wehten um unsere Füße, und die einzige Musik war der Wind, der aus dem schlafenden Garten herüberwehte. Während Grimshaw mit seiner hohen, dünnen Stimme die Messe las, sah ich von hinten, wie die Braut ihren Bräutigam am Arm hielt, vom Ellbogen bis zur festumschlossenen Hand, und ihn nah zu sich herangezogen hatte, um ihn zu stützen oder sich oder vielleicht sie beide. Sie paßten zueinander durch ihre Größe und Jugend und durch ihre Kindheitsgeschichten . . . ein vollkommenes Paar wurde da am angemessenen Ort getraut, sie sahen auf ihren kleinen, von Mauern umgebenen Park, der verborgen war vor der Stadt . . . wie die Natur eben in New York zu überleben hofft.

Wenn ich die Figur der Braut auch eingehend betrachtete, so doch bemüht unauffällig, wobei mich allerdings die, wie ich mir einbildete, ähnlichen Sehnsüchte des breiten, schnaufenden Kerls neben mir ärgerten . . . obwohl er – was für ihn wohl einer Kapitulation gleichkam – als Hochzeitsgeschenk das Portrait von Emily mitgebracht hatte, das er für sich selbst gemalt hatte. Als die Braut »Ja« sagte, mit vor Glück brüchiger Stimme, da brach mir, wie ich denke, für immer das Herz.

Sarah Pemberton, die strahlend dem Ende ihres Witwentums entgegenblickte, war natürlich anwesend, Donne an ihrer Seite . . . und die ältliche Lavinia Pemberton Thornhill, von ihrer jährlichen Generalinspektion Europas zurückgekehrt. Mrs. Thornhill war genau so, wie sie mir beschrieben worden war, eine umständliche, alte Frau von Vermögen, die ein altmodisches Gewand mit Reifrock und eine Perücke trug, die nicht ganz gerade auf ihrem Kopf saß. Sie hatte etwas Herrisches an sich – ein Familienmerkmal – und schien nur die Konversation von Emilys Vater Amos Tisdale zu goutieren, der ungefähr gleich rühmlichen Alters und daher ihrer Beachtung würdig war. Natürlich hatte man ihr überhaupt nichts erzählt . . . und da ihre Beziehung zu Martin dessen ganzes Leben lang bestenfalls – gemäß der großartigen Tradition in dieser nur nominell bestehenden Familie – dürftig gewesen war, blickte sie immer wieder zu ihm hin, als wolle sie sich vergewissern, daß er tatsächlich ein Sohn ihres verblichenen Bruders war.

Noah, im Anzug mit kurzer Hose, in blank polierten Schuhen und mit zurückgekämmten Haaren, war Martins Trauzeuge, eine Aufgabe, die er mit nicht mehr und nicht weniger Ernst erfüllte wie alle Pflichten in seinem Alltagsleben. Er reichte seinem Stiefbruder das Samtkästchen mit dem Ring auf beiden flachen Händen, und in diesem Moment . . . als ich in seinen braunen, zu Martin aufblickenden Augen den Pakt wahrnahm, den sie von Mann zu Mann geschlossen hatten . . . offenbarte sich mir der Sinn unserer Rituale . . . mir, diesem abtrünnigen Schottischen Presbyterianer, der seine unterdrückten Tränen hinunterschluckte . . . daß sie durch die Kinder zur heiligen Wahrheit werden.

Sobald die Zeremonie durchgestanden war, begaben wir uns alle schleunigst ins Haus, wo es im Salon Glühwein, heiße Schokolade und Teller mit Hochzeitstorte gab. Amos Tisdale hatte gnädig davon abgesehen, seinen bösen Ahnungen Ausdruck zu verleihen . . . und seinen Entschluß damit

besiegelt, daß er dem jungen Paar für das kommende Früh-
jahr eine sechsmonatige Grand Tour durch Europa spen-
dierte. Als dies unter allseitigem Applaus verkündet wurde,
fühlte sich Harry Wheelwright dazu ermutigt, mich mit Erinnerungen an seine eigene Überseezeit zu unterhalten. Er
sprach mit jener Bilanz ziehenden Nachdenklichkeit, zu der
Menschen bei Hochzeiten neigen. »Ich bin nach Europa
gereist«, sagte er, »um vor den Werken der großen Meister zu
stehen, und das habe ich dann auch getan . . . in Holland, in
Spanien, in Italien. Ich hätte besser daran getan . . . einfach
auf die Knie zu fallen und den kühlen Boden vor ihnen mit
der Stirn zu berühren.«

»Sie haben nichts gelernt? Wurden nicht inspiriert?«

»Doch, ich wurde inspiriert. Ich wurde dazu inspiriert, mit
Geld um mich zu werfen, bis ich gerade noch genug für eine
erträgliche Rückreise zweiter Klasse hatte . . . Meine Inspira-
tion war, mir die Kunst aus dem Sinn zu schlagen . . . und
einfach die Gesichter und Gestalten von meinen Mitbür-
gern zu malen – jedenfalls von denen, die mich dafür bezahlen würden. Den Charakter in den Augen, im Mund, in der
gewählten Haltung aufzuspüren – hatte das denn nicht dieser Rembrandt, dieser Velazquez letztlich auch getan? Ich
würde ein Handwerker sein, einer unter anderen, wenn auch
noch so unbedeutend. Ich wollte wenigstens die Absicht mit
ihnen teilen, menschliche Gesichter ohne eine bestimmte
Lokalisierung zu malen, vor leerem Hintergrund . . . allein
im All.«

Er leerte sein Weinglas. »Aber, wissen Sie, sie haben sich so
liebevoll auf jede Kragenrüsche, jede Falte am Kinn, jeden
braunen Schatten in der Ecke eingelassen. Nichts wurde ver-

nachlässigt, alles war auf seine Weise Licht, und sie liebten Licht . . . egal, worauf es fiel. Sie konnten gar nicht anders, sie mußten es einfach wiedergeben. Ich wußte, daß ich das in mir hatte . . . die Liebe zum Licht. Aber ob das Kunst genannt werden konnte, was ich tat, darüber sollten andere nachdenken, ich würde es nicht tun . . . nie wieder. Und so habe ich es gemacht.«

Ich war mir nicht recht sicher, ob Harry meine Glückwünsche verdient hatte, weil er einräumte, daß es in der Geschichte der westlichen Kunst noch zwei, drei bessere Maler gegeben haben könnte. Aber ich hätte ihm lieber weiter zugehört, wenn ich gewußt hätte, daß Martin Pemberton mich festnageln würde, um zu sagen, wie dankbar er mir sei. Unseligerweise hörten ihn auch andere, und im nächsten Augenblick hatten sie sich schon um uns geschart . . . alle anscheinend inbrünstig darauf bedacht, mich in äußerste Verlegenheit zu bringen.

Mit entsetzlichem Ernst sagte mein freier Mitarbeiter: »Sie haben mir das Leben gerettet, Mr. McIlvaine.« Ich fand diese Bemerkung fast beängstigend, als habe sich damit bestätigt, da sein geistiger Niedergang anhielt. Er war noch derselbe blasse Kerl, mit schütter werdendem blondem Haar, durchdringenden grauen Augen und ausdrucksstarkem Gesicht . . . aber der Gedanke war banal.

Dann erhob sich Emily, meine liebe Emily, auf die Zehenspitzen und küßte mich auf die Wange . . . Und das war für mich unerträglich, obwohl keiner von ihnen verstand, warum . . . und dann lachten sie alle, weil ich rot geworden war.

»Captain Donne hat Ihren Mann gefunden«, sagte ich zu ihr.

Ich blickte zu Donne auf, der hinter allen stand und sie überragte. Er verstand mein Unbehagen gut, denn er sagte: »Mr. McIlvaine hat als erster erkannt, daß etwas . . . nicht in Ordnung war.« Können Sie sich das vorstellen? Diese Floskel für all das, was ich Ihnen erzählt habe! »Nicht in Ordnung! Er ist zu mir gekommen – er hat die Städtische Polizei hineingebracht.«

»Mr. McIlvaine hat uns allen einen großen, großen Dienst erwiesen.« Während Sarah Pemberton das sagte, legte sie eine Hand auf Donnes Arm und sah mir mit ihrer Muttergottesruhe in die Augen.

Ich weiß überhaupt nicht, warum ich das alles wiedergebe – vielleicht, damit Sie ihnen verzeihen. Wie Menschen, selbst die besten, doch auf krause Wege abdriften, sobald ein Knoten gelöst ist! Als gäbe es keine Erinnerung. Keine den Broadway hinauffahrende Kutsche, die für immer der weiße Pferdeomnibus mit den nickenden alten Männern in Schwarz bleiben wird.

Ich kann Ihnen gar nicht sagen, welch tiefe Abscheu ich für unsere Gewohnheit habe, unerschütterlich voranzuschreiten . . . wie es die Gepflogenheit von Leuten unserer Art ist. Vornehmlich die Frauen sind dafür verantwortlich. In den Nachrufen sprechen wir bei uns von Überlebenden. »Mr. Pemberton überleben seine . . .« Ich möchte Ihnen begreiflich machen, welch eine verheerende Gesinnung für mein Empfinden in jenem Salon herrschte . . . unter den Menschen, die Augustus Pemberton überlebt hatten. Ich spürte sie auch in mir . . . wie ein bißchen unlösliche Asche auf der Zunge. Gleichwohl gab ich ein paar muntere Worte über die Zukunft von mir. Das junge Paar würde sich ein Jahr lang im Ausland aufhalten. Ich sagte zu Martin, wenn er wiederkäme, hätte ich mit hoher Wahrscheinlichkeit einen Auftrag für ihn. Ich hatte nämlich einen neuen Posten, stellvertretender Lokalredakteur bei der *Sun*. Mit einem matten Lächeln sagte er: »Wird gemacht, gern und gut.«

Und letztlich deshalb, glaube ich, habe ich die Geschichte nie aufgeschrieben – nicht weil sie kein Gehör gefunden hätte, sondern weil sie sein . . . sein Erbe war . . . Für einen Autor ist die Geschichte sein Erbe . . . und eines Tages vielleicht würde er es antreten . . . mein freier Mitarbeiter. Mein Mitstreiter.

Ich ging auch zu der zweiten Hochzeit, am folgenden Sonntagnachmittag in St. James Episcopal an der Laight Street. Es war nun Dezember und hatte inzwischen geschneit, die gesamte Stadt trug Weiß . . . und dann hatte strahlender Sonnenschein die Luft erwärmt, und dann war es bitterkalt geworden, und alles war mit einer Eisglasur überzogen.

Die Hochzeitsgesellschaft wurde durch eine Reihe von Polizisten in Uniform vergrößert, sowie durch Gemeindemitglieder, die nach dem Gottesdienst zu bleiben beschlossen hatten, um zu sehen, wer da getraut würde. Schon durch den Anblick der Braut wurden sie reich für ihre Geduld belohnt, denn Sarah war ein Geschöpf von nicht zu beirrender Anmut, fürstlich in einem blaßblauen Kleid . . . im Ton ihrer Augen. Sie war anscheinend niemals, soweit ich mich erinnern kann, in Eile . . . und nun, da sie an Martins Arm zu sanften Orgelakkorden den Mittelgang entlangkam, schien sie zu schweben, diese große Schönheit, gewiß eine der schönsten Frau, die ich je gesehen hatte . . . ihr großer, voller

Mund lächelte, den schleierlosen Kopf hielt sie leicht zur Seite geneigt.

Donne stand verschüchtert an den Stufen zum Altar. Vor ihm hielt Reverend Charles Grimshaw in seinem vorzüglich gewaschenen und gebügelten weißen Chorhemd und mit weißer, goldbestickter Stola erhobenen Kinns den entschlossen frohgemuten Blick fest auf die leere Empore am Ende des Kirchenschiffs gerichtet. Vielleicht dachte der Pfarrherr an den Tag zurück, da diese Frau zum ersten Mal geheiratet hatte – eine weit prächtigere Zeremonie zu einer Zeit, als seine Kirche noch eine ganz andere gewesen war ... als sich die großen Namen der Stadt hier drängten ... und die Polizisten draußen standen, um Wache zu halten.

Da also hatten wir – dieweil die Orgel spielte und das Dachgebälk von St. James gleichsam in ewiger Dämmerung lag, obwohl das Winterlicht in flachen Bahnen durch die Obergadenfenster fiel und die *Kreuzabnahme* auf dem Fenster hinter dem Altar in den Farben der Sonne leuchtete – Gott in seiner gegenwärtigen Zusammensetzung.

Und Donne und Sarah wurden getraut. Ich blieb danach nicht lange. Der Empfang fand im Pfarrhaus statt, wo irgendein roter Punsch aus einer geschliffenen Kristallbowle, heiße Schokolade und die kleinen runden Törtchen mit rosa Zuckerguß gereicht wurden, die damals sehr in Mode waren – nicht gerade das, wofür ich schon immer geschwärmt hätte. Sarah Pemberton Donne erzählte mir, daß sie ein Haus an West Eleventh Street gefunden hatten, ein rotes Klinkerhaus mit Flügelfenstern bis zum Boden, schmiedeeisernen Balkonen, einem Vorgärtchen mit einem Baum und einer breiten, zur Haustür führenden Granittreppe ... an einer ruhigen Straße mit wenig Verkehr, in der kein Haus direkt an das Trottoir grenzte . . . allerdings würde Noah die Schule wechseln müssen. Donne beugte sich herunter, um mir die Hand zu schütteln, und gab zu, daß stimmte, was mir in der Stadt zu Ohren gekommen war – daß ihn reformfrische Gruppen in der Republikanischen Partei angesprochen hatten, die beabsichtigten . . . wenn bei den Wahlen alles gutging . . . ihm den Posten des Polizeibevollmächtigten anzutragen, mit dem Auftrag, bei der Städtischen Polizei aufzuräumen.

Ich weiß noch, wie still es in der Stadt an jenem Nachmittag war, als ich von der Kirche nach Norden ging. Es war gleißend sonnig und entsetzlich kalt, und die Straßen waren leer. Man bewegte sich auf tückischem Boden. Alles war dick vereist . . . Pferdetrams waren an den Schienen festgefroren, ebenso die Lokomotiven auf den vereisten Hochbahngeleisen . . . Die Masten und Schoten der Schiffe in den Werften waren von Eis umhüllt . . . Eisschollen lagen im erstarrten Fluß . . . Die Eisenfassaden am Broadway schien inmitten von Eis in der Sonne zu glühen . . . Die Bäume an den Seitenstraßen waren aus Kristall.

Natürlich, es war Sonntag, der Tag der Ruhe. Doch ich stellte mir vor, daß die Stadt in der Zeit eingefroren war. Alle unsere Fabriken und Gießereien und Pressen standen still . . . unsere Webstühle und Kessel . . . unsere Dampfmaschinen und Flaschenzüge, unsere Essen und Pumpen. Unsere Läden waren geschlossen . . . unsere Karosseriewerke und Eisenhütten und Nähmaschinen- und Schreibmaschinenfabriken . . . unsere Telegraphenstationen . . . unsere Börsen . . . unsere Schreinereien . . . unsere Galvanisations-

betriebe . . . unsere Steinlager und Holzlager . . . unsere
Schlachthöfe und Fischmärkte . . . unsere Strumpfwirkerei-
en und Bekleidungsmanufakturen . . . unsere Schmieden
und Ställe . . . unsere Fabrikationsbetriebe für Werkzeug-
gußformen und Turbinen und Dampfbagger und Eisenbahn-
waggons und Pferdekummets . . . unsere Waffenschmieden
und Silberschmieden . . . unsere Ofenbau- und Blechstanz-
betriebe . . . unsere Küfer und Uhrmacher und Schiffszu-
behörhändler . . . unsere Ziegeleien . . . unsere Tinten-
hersteller und Papiermühlen . . . unsere Buchverleger . . .
unsere Schnitter und Sammler und Säer und Raffer – alle
waren still, reglos, erstarrt, als würde die ganze Stadt New
York für immer umhüllt und gefroren, glitzernd und gott-
gelähmt bleiben.

Und lassen Sie mich mit dieser Vorstellung von Ihnen Abschied nehmen . . . obwohl wir uns in der Wirklichkeit bald
selbst den Broadway hinauffahren würden, im neuen Jahr
unseres Herrn 1872.